D1096970

L'héritage du clan Moreau

TOME 2

COLETTE MAJOR-McGRAW

L'héritage du clan Moreau

TOME 2

Raoul

Guy Saint-Jean ÉDITEUR

Guy Saint-Jean Éditeur
4490, rue Garand
Laval (Québec) Canada H7L 5Z6
450 663-1777
info@saint-jeanediteur.com
saint-jeanediteur.com

· · · · · · · · · · · · · · · ·

Données de catalogage avant publication disponibles à Bibliothèque et Archives nationales du Québec et à Bibliothèque et Archives Canada

· · · · · · · · · · · · · · · ·

Nous reconnaissons l'aide financière du gouvernement du Canada ainsi que celle de la SODEC pour nos activités d'édition. Nous remercions le Conseil des Arts de l'aide accordée à notre programme de publication.

Gouvernement du Québec – Programme de crédit d'impôt pour l'édition de livres – Gestion SODEC

© Guy Saint-Jean Éditeur inc., 2018

Édition : Isabelle Longpré
Révision : Isabelle Pauzé
Correction d'épreuves : Johanne Hamel
Conception graphique : Christiane Séguin
Page couverture : ©Depositphotos/sandralise

Dépôt légal – Bibliothèque et Archives nationales du Québec, Bibliothèque et Archives Canada, 2018

ISBN : 978-2-89758-451-1
ISBN EPUB : 978-2-89758-452-8
ISBN PDF : 978-2-89758-453-5

Imprimé et relié au Canada
1ʳᵉ impression, mai 2018

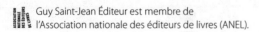 Guy Saint-Jean Éditeur est membre de l'Association nationale des éditeurs de livres (ANEL).

À mon frère André,
qui a toujours été là pour moi

À ma sœur Nicole,
ma fausse jumelle que j'adore

Et à ma sœur Diane,
la plus jeune, qui s'amuse à
m'appeler maman

Je vous aime et je veux partager
ce roman avec vous trois!

LE CLAN MOREAU

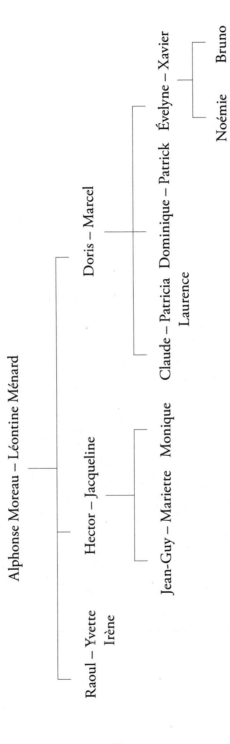

Alphonse Moreau – Léontine Ménard

Raoul – Yvette
Irène

Hector – Jacqueline

Doris – Marcel

Jean-Guy – Mariette   Monique

Claude – Patricia   Dominique – Patrick   Évelyne – Xavier
Laurence

Noémie   Bruno

CHAPITRE 1

Tristesse

(Mars 2008)

Toute la population des Laurentides avait été désolée et consternée par le drame qui s'était joué dans la résidence de personnes retraitées. Un être ignoble avait tué un vieil homme et molesté une dame âgée dans le but de leur soutirer le peu d'argent qu'ils possédaient. Deux autres pensionnaires, incommodés par la fumée, avaient pu réintégrer leur nouveau foyer, après avoir reçu les soins appropriés.

On pouvait lire, dans le *Journal de Montréal*, la notice nécrologique suivante :

1919 - 2008 À Sainte-Agathe-des-Monts, le 29 février 2008, est décédé accidentellement Hector Moreau, fils de feu Léontine Ménard et de feu Alphonse Moreau et époux de feu Jacqueline Champagne. Il laisse dans le deuil ses enfants Monique et Jean-Guy (Mariette), sa sœur Doris, son frère Raoul et ses neveux et nièces.

En ce qui avait trait à la propriétaire de l'établissement, Élizabeth Bisaillon, elle n'avait subi aucune blessure physique. Après avoir été conduite à l'hôpital de façon préventive, elle avait ensuite été emmenée par les agents au poste de police, afin de répondre à leurs questions.

Elle avait pu être libérée quelques heures plus tard. Il était clair qu'elle n'avait aucun avantage à faire brûler son gagne-pain. La pauvre femme n'avait pas d'assurance valide au moment du drame. Elle avait omis de procéder à son renouvellement dans les délais prévus, ce que Rita Blanchard, une pensionnaire qui aidait madame Bisaillon avec sa comptabilité, avait remarqué le soir même du sinistre. Les enquêteurs de la Sûreté du Québec continueraient leur travail afin de trouver le ou les individus qui avaient commis ces crimes.

Selon les volontés du défunt, il n'avait pas été exposé au salon funéraire. La famille avait reçu les condoléances directement à l'église, avant la cérémonie religieuse.

Les enfants de Doris et d'Hector s'étaient donc côtoyés à cet endroit, mais tout un chacun avait marché sur des œufs. Personne ne souhaitait faire d'esclandre. Les circonstances qui avaient conduit le pauvre homme à emménager dans la maison qui s'était avérée être son dernier domicile avaient suffisamment alimenté la rumeur publique.

Il n'y avait pas eu de foule à ces funérailles, puisqu'elles avaient eu lieu un jour de semaine et surtout parce que le disparu vivait en marge de la société depuis déjà très longtemps. Contrairement à sa sœur et à son frère, il avait un tempérament ombrageux.

Jean-Guy avait été heureux d'y croiser sa cousine Dominique, qu'il ne voyait pas très souvent. Chaque fois qu'il avait l'occasion de la rencontrer, ils avaient des conversations intéressantes. Elle représentait pour lui une source d'inspiration et il soulignait fièrement sa réussite sociale et professionnelle.

À maintes reprises, il avait mentionné à sa conjointe qu'il aurait aimé avoir une sœur comme elle.

Évelyne, pour sa part, s'était liée d'amitié avec Mariette, la compagne de Jean-Guy. Elles avaient toutes les deux des talents pour les travaux d'aiguille et elles avaient également la langue bien pendue[1]. C'est ce qui les avait conduites à échanger des détails sur leurs familles respectives et sur leurs occupations de tous les jours.

— Jean-Guy a de la peine sans bon sens! Il dort quasiment pas! Depuis que l'accident est arrivé, il se demande si son père est mort sur le coup ou s'il a souffert, lui avait confié Mariette.

— Ça doit pas être facile pour lui! avait confirmé Évelyne. Vous allez en savoir plus avec les résultats de l'autopsie. Mon mari connaît un des ambulanciers qui s'est présenté sur les lieux, le jour de l'incendie. Il lui a dit qu'ils avaient bien tenté de réanimer mon oncle Hector, mais qu'il avait déjà perdu beaucoup de sang à leur arrivée.

— Il devait sûrement prendre un anticoagulant, comme la majorité des personnes âgées, avait supputé Mariette.

— Du Coumadin, je suppose. Je me demande bien s'ils ont tous besoin d'autant de médicaments. Notre mère est plutôt chanceuse. Son docteur est un peu granola et il lui a conseillé à un moment donné de prendre des capsules de yogourt pour soulager son amygdalite. Ça a fonctionné plus vite que tous les antibiotiques qu'on utilise habituellement. Depuis ce temps-là, j'en donne à mes jeunes aussitôt qu'ils ont une petite infection et ça marche!

— C'est bon à savoir. Ouais, les pilules, c'est un méchant

---

1 Avoir la langue bien pendue : parler beaucoup et avec facilité.

racket! Pas moyen de sortir de chez le médecin sans avoir une prescription pour quelque chose!

— En quelque part, faut faire confiance à quelqu'un, mais je pense que les vieux remèdes de nos grands-mères étaient meilleurs. Je m'excuse! s'était soudain interrompue Évelyne. La messe va commencer bientôt. Je vais aller m'asseoir avec ma gang.

— En tout cas, je suis contente d'avoir eu la chance de jaser avec toi! avait certifié Mariette. J'espère qu'on pourra se retrouver bientôt dans d'autres circonstances. Vous devriez venir faire un tour au restaurant. Vous verriez qu'on est bien installés. Jean-Guy a l'air heureux dans son nouveau métier. Emmenez votre mère, ça me ferait bien plaisir de la voir!

Mariette souhaitait établir des liens avec les enfants de la tante Doris, qu'elle aimait beaucoup.

De son côté, Monique avait surtout passé du temps à discuter avec Claude, son cousin, qui était, à son avis, le plus sensé du groupe.

— C'est celui qui a le plus de génie dans cette famille-là! avait-elle mentionné à Suzanne, sa cousine et confidente, qui la suivait comme une ombre.

— C'est pas le plus laid non plus!

— Trouves-tu qu'il ressemble à Tony Curtis? avait murmuré Monique.

— Ben non! Tony Curtis était pas mal plus petit que ça!

— Je me trompe peut-être d'acteur. En tout cas, dans toute cette affaire-là de la mort de mon père, Claude m'a pas jugée. J'en suis certaine. Il a été le premier à venir m'offrir ses sympathies!

— On dit pas «ses sympathies», mais «ses condoléances»!

— Qu'est-ce que t'en sais, toi, la fille qui a passé son diplôme par charité?

— Monique, t'as pas besoin d'être méchante avec moi! Je me suis fait reprendre une fois par la secrétaire d'un notaire. Elle m'avait dit que c'était un anglicisme d'offrir ses sympathies. Je te jure que depuis, j'ai jamais oublié.

— C'est correct, c'est juste que j'aime pas les gens qui jouent aux «grosses madames»! On a assez de la belle Dominique. L'as-tu vue depuis qu'elle est arrivée à l'église? On croirait qu'elle est icitte pour acheter la place. Elle se promène le nez en l'air et parle à tout le monde. Aussitôt que le curé est entré, elle s'est dépêchée pour aller lui piquer une jasette.

Il y avait fort à parier que le lendemain des funérailles, les deux commères s'offriraient une interminable conversation téléphonique pour être certaines de n'avoir rien oublié.

Dans le premier banc de l'église, Doris et Raoul s'étaient assis côte à côte et ils se tenaient par la main. Des gens allaient leur offrir leurs condoléances, mais ils étaient sans mot. N'eussent été les règles de civilité, le frère et la sœur du défunt auraient préféré traverser cette période difficile en toute intimité. Soudés par la tristesse, ils croyaient fermement que leur goût de vivre s'envolerait avec l'âme de leur cher Hector.

— Tu vas pas me laisser toute seule? avait demandé Doris à son frère Raoul, alors que ce dernier flattait doucement son avant-bras.

— Je peux pas faire ça! C'est moi le plus vieux et j'ai promis à maman de toujours veiller sur toi.

— Je vais aller te voir plus souvent à ta résidence. Je te le jure sur la tête de mes enfants!

— Inquiète-toi pas pour moi. Ta Dominique m'a trouvé

la plus belle place qui soit. Je suis en sécurité à la Villa. Si Hector s'était installé dans un endroit comme là où je vis, on serait pas icitte à matin, avait reconnu le frère éploré.

— Monique pensait sûrement pas lui faire du mal en l'emmenant là-bas! Je crois pas qu'elle soit méchante, elle a juste pas le tour pour ces affaires-là, avait tenté de le rassurer Doris.

Raoul avait préféré se taire au lieu d'en rajouter. Les reproches qu'il aurait voulu formuler ne ramèneraient pas son frère à la vie, de toute manière, et ils ne pourraient qu'envenimer la bonne entente familiale. Il était d'avis qu'il fallait maintenant aller de l'avant.

La cérémonie avait été modeste et le prêtre avait parlé du défunt en des termes simples, mais élogieux. Avant de terminer son homélie, il avait précisé que malgré la catastrophe qui était survenue, chaque chrétien devait pardonner!

À ce moment-là, Doris s'était appuyée contre l'épaule de Raoul, en pensant qu'elle aurait beaucoup de difficulté à ne pas faire porter une part de responsabilité à Monique dans le décès de son cher frère.

La journée avait été marquée par la présence de rafales de neige et les gens avaient songé que l'hiver n'était pas près de se terminer.

On avait déposé le cercueil dans le charnier[2], où il resterait jusqu'à ce que le sol soit suffisamment dégelé pour procéder à l'inhumation. Hector irait alors retrouver son épouse Jacqueline, qui était décédée en mai 1984.

---

2 Charnier: bâtiment situé sur le cimetière et érigé sur du béton. Il n'est pas isolé, afin de conserver les corps embaumés au froid.

Quand Hugo avait appris le drame qui avait secoué la famille Moreau, il s'était dit que si le même sort avait été réservé à Raoul, il serait passé à côté d'un beau magot.

Il lui faudrait redorer son blason auprès du vieil homme afin d'amadouer celui-ci avant qu'il ne décède.

Si Raoul en avait pris soin autant quand il était jeune, il pourrait sûrement l'aimer encore. Il lui suffisait de changer radicalement, mais il était décidé à tout envisager pour parvenir à ses fins.

Pour commencer, il déménagerait dans la région de Sainte-Agathe-des-Monts ou de Val-David et il se trouverait un petit boulot. C'était la première carte à jouer.

Avec la mort de son frère Hector, Raoul serait plus fébrile. Alors qu'il prendrait un coup de vieux, lui serait prêt à s'immiscer dans son giron.

Le vendredi 14 mars 2008, Jean-Guy et Monique Moreau furent convoqués par le notaire Girouard pour la lecture du testament de leur père.

— Pour commencer, je voudrais vous offrir toutes mes condoléances. C'est une mort atroce que ce cher Hector a vécue et j'ose espérer que la police mettra très bientôt la main au collet de celui qui a posé ce geste horrible. Quand j'entends parler de gens qui s'en prennent aux enfants ou aux personnes âgées, je perds la retenue exigée par mon statut professionnel. Madame, monsieur, souvenez-vous que votre père était un être bon et charitable. Il ne méritait pas de subir un tel sort!

— Merci, notaire, répondit Jean-Guy, qui accordait plus d'importance à la politesse que sa sœur.

Depuis le décès de son père, Monique était devenue comme une diablesse. On aurait juré qu'elle en voulait à la Terre entière pour tout ce qui lui était arrivé durant la dernière année.

— Vous pouvez nous faire connaître le contenu du testament? réclama-t-elle sèchement à l'homme de loi. C'est pour ça qu'on est ici, il me semble!

Celui-ci ne se formalisa pas du ton employé par sa cliente et il entreprit cérémonieusement la lecture du document, qui était relativement simple. Quand il eut terminé, il demanda aux héritiers s'ils avaient des questions.

— Maître Girouard, vous dites que la maison et le terrain de mon père ont été légués à ma sœur uniquement? demanda Jean-Guy, particulièrement surpris.

— Effectivement. Lors de la rédaction de ce dernier testament, c'est ce qu'il a exprimé comme choix.

— T'étais là, toi, Monique, quand papa a décidé ça? s'enquit le frère en la regardant avec suspicion.

— Pourquoi tu demandes ça? se défendit-elle, en prenant garde de détourner les yeux pour ne pas montrer sa culpabilité.

— C'est toi qui as exigé la maison! J'en suis certain!

— Papa voulait que ce soit moi qui en hérite! plaida-t-elle. Il savait que toi, tu la vendrais au premier venu!

— C'est pas vrai! J'étais son seul fils, c'est à moi qu'elle aurait dû revenir!

Le notaire dut intervenir afin d'alléger l'atmosphère.

C'était chose courante que des gens soient surpris en découvrant les dernières volontés d'un défunt. Il en avait vu bien d'autres.

— Excusez-moi, mais je vous serais reconnaissant de rester calmes.

— Je suis désolé, maître! Vous avez tout à fait raison, approuva Jean-Guy. J'ai pas l'habitude de m'emporter de même, mais imaginez, c'est tout un choc pour moi! Pour l'argent que papa avait à la banque, je suppose que son compte a été gelé après sa mort?

— Effectivement et dès que nous aurons complété toutes les formalités et que les factures auront toutes été payées, y compris mes honoraires, le solde sera séparé en parts égales.

Monique ne voulait pas laisser son frère prendre le contrôle de la conversation. Elle devait clarifier les faits afin de ne pas être lésée. Le décès de son père n'était pas survenu dans un moment propice pour elle et elle souhaitait tirer le maximum de la situation en invoquant des circonstances atténuantes.

— Avant de penser à partager quoi que ce soit, intervint-elle, il faudrait finir les travaux commencés dans la maison de papa. Il y a eu des dégâts d'eau. La cuisine et la salle de bain sont démolies au grand complet. Il y a plus de prélart ni de tapis nulle part! On va être obligés de refaire la plomberie pis l'électricité et y a quasiment pas d'isolation dans les murs. Qui va payer pour qu'elle soit remise en bon état?

— Votre père vous a légué sa demeure dans l'état où elle se trouvait au moment de son décès, à moins, bien sûr, qu'il ait signé un contrat avec un entrepreneur quelconque pour la rénover. Si vous avez débuté des améliorations majeures de votre plein gré, les coûts des travaux qui seront effectués après sa mort ne seront pas assumés par la succession.

Monique aurait voulu s'arracher les cheveux. Elle venait de recevoir un cadeau empoisonné. Elle n'aurait jamais suffisamment de liquidités pour tout remettre en bonne condition dans la vieille maison.

— Vous avez toutefois le privilège de renoncer au testament. C'est votre droit.

— Si je fais ça, mon frère va tout avoir ?

— C'est exact. Il hériterait de la maison, dans l'état où elle se trouve présentement, ainsi que de l'argent en totalité.

— Il en est pas question ! On va laisser ça comme c'est là. J'ai pas le choix !

— On a toujours le choix, madame Moreau, répliqua l'homme de loi, avec beaucoup de finesse.

Monique sortit du bureau du juriste en furie et ne se retourna pas pour dire bonjour. Jean-Guy s'excusa auprès du notaire pour l'attitude mesquine de sa sœur.

— Ne vous en faites pas, j'en ai vu d'autres, rétorqua maître Girouard. Je peux cependant vous assurer qu'après 40 ans de pratique, j'ai constaté que les gens qui cherchaient à s'approprier les biens des autres étaient rarement chanceux. Mais bien sûr, je ne parle pas de votre sœur, puisque je ne peux pas donner mon opinion sur un dossier en particulier. Vous comprendrez que je suis lié par le secret professionnel ! ajouta-t-il, en faisant un clin d'œil à son client.

◆

Depuis les tristes événements, Dominique passait beaucoup de temps à La Villa des Pommiers avec son protégé, son oncle Raoul, alors que sa sœur Évelyne s'occupait de leur mère.

— Vous avez l'air d'aller mieux, mon oncle! lui dit doucement Dominique, qui avait décidé de manucurer les ongles du vieil homme.

Elle n'aimait pas que les gens âgés aient les mains négligées et c'était un soin relativement facile à lui prodiguer.

— Oui et je m'encourage. On est déjà rendus au milieu du mois de mars et le soleil est pas mal plus fort.

— Vous avez tout à fait raison! Je disais ça à Patrick cette semaine. La neige a commencé à fondre le long du solage de la maison.

— Vous autres, les jeunes, vous remarquez pas ça, mais à ce temps-icitte de l'année, le soleil se couche à 7 heures le soir, pis on gagne une ou deux minutes de clarté par jour! Les journées vont continuer d'allonger de même jusqu'au 21 juin! On s'en va sur le bon bord, ma fille, faut pas se décourager!

— J'adore ça vous entendre parler comme ça! Vous êtes un homme positif et c'est important d'avoir cette attitude-là!

— Ça me donnerait quoi de m'apitoyer sur mon sort? Ça me ramènera pas mon frère! Le mal est fait!

— En réalité, il est mieux où il est. Il avait pas une vie facile de toute manière.

— Non, il a toujours été *badlucké*[3]! Écoute, j'ai bien pensé à mon affaire et au printemps, j'aimerais ça que tu t'occupes de vendre ma maison. Ça serait un tracas de moins pour moi.

— C'est comme vous voulez. Quand il fera beau, on ira ensemble pour faire le tri de vos affaires chez vous. Pour

---

3 *Badlucké*: malchanceux.

l'instant, on va attendre que la neige fonde complètement et souhaiter qu'elle apporte toutes nos souffrances des semaines passées.

— Dominique, il faut que je te dise quelque chose, énonça Raoul solennellement.

— Je vous écoute, mon oncle.

— Je veux te dire que je suis reconnaissant pour tout ce que tu fais pour moi. J'aime ça, ta manière de prendre les décisions. Il y a jamais rien de compliqué et je me sens en sécurité avec toi! Tous les soirs, en faisant mes prières, je remercie le Bon Dieu de t'avoir mise sur ma route!

Dominique était émue. Elle se leva et embrassa son oncle sur les deux joues, comme il le faisait quand elle était petite.

— Mon beau parrain! Je vais toujours être là pour vous, jusqu'à ce que la mort nous sépare, comme dirait monsieur le curé!

— Ainsi soit-il! ajouta Raoul, les larmes aux yeux.

L'existence de Dominique avait pris un tournant qu'elle n'avait pas prévu. Elle ne parvenait pas à oublier son parrain, qu'elle sentait profondément diminué par le deuil qu'il devait vivre avec la perte de son frère.

Elle, qui avait la réputation d'être très indépendante, réalisait que son attachement envers son oncle s'intensifiait jour après jour.

Sa vie de couple était reléguée au second plan et la patience de Patrick semblait défaillir. Risquait-elle de la mettre en péril?

CHAPITRE 2

Nouveau départ

(Mars - avril 2008)

Tout de suite après son déjeuner, Rita était retournée à sa chambre. Elle voulait s'assurer que sa tenue était parfaite. Elle avait appliqué son rouge à lèvres et replacé quelques mèches de cheveux. Elle souhaitait paraître à son mieux quand elle assistait à des activités ou lorsqu'elle se rendait dans les espaces communs.

Les événements des derniers mois l'avaient profondément attristée, mais elle s'était vite reprise en main.

À son arrivée à La Villa des Pommiers, le lendemain de l'incendie, on l'avait installée dans une petite chambre de convalescence. Elle avait dû partager cette pièce avec madame Lacroix, une dame âgée de plus de 90 ans, qui se déplaçait avec un déambulateur. La vieille femme était gentille, mais très réservée. Quelques jours plus tard, celle-ci avait dû retourner à l'hôpital, pour soigner une pneumonie qui l'avait considérablement affaiblie. Elle n'avait pu revenir en résidence privée, son degré d'autonomie s'étant beaucoup amoindri.

Deux semaines après l'arrivée de Rita à la résidence, madame Charette, la gestionnaire de l'endroit, était venue la rencontrer, afin de lui faire visiter deux chambres qui s'étaient libérées.

— Je veux bien visiter, madame, mais je sais pas si j'ai les moyens financiers de vivre dans une belle place comme ici!

— C'est un sujet qui fait beaucoup jaser, en effet. Mais quand on s'assoit et qu'on regarde la situation attentivement, on réalise très souvent que c'est dans le domaine du possible.

— On verra bien! Je me suis aussi fait dire qu'il y avait une longue liste d'attente pour vivre ici. Je devrai peut-être trouver autre chose avant que mon tour arrive.

— Oui, nous avons des gens qui ont fait des réservations, mais j'ai tout de même un pouvoir discrétionnaire. Je considère qu'un cas comme le vôtre est prioritaire. Ce n'est pas par choix que vous vous êtes retrouvée à la rue!

— Non! Quant à ça, vous avez tout à fait raison! La vie nous a joué un bien mauvais tour.

Elles avaient donc visité les deux chambres disponibles et Rita avait été enchantée. Sa préférée était située au troisième étage et donnait sur une cour d'école, elle qui adorait observer les enfants s'amuser. Sur le même niveau, si elle allait dans le salon, elle pouvait profiter d'une vue magnifique sur le lac des Sables. Mais Rita ne voulait pas trop s'emballer avant de savoir si ce projet était concrètement réalisable.

Une fois de retour au bureau de la directrice, celle-ci lui avait présenté les frais afférents à la location d'une chambre à la Villa. Elle lui avait expliqué qu'elle devait aussi calculer le crédit d'impôt pour maintien à domicile des aînés, qui faisait baisser le prix du loyer. Rita lui avait demandé si elle pouvait appeler sa fille, n'ayant pas de téléphone dans sa chambre. Avant de décider quoi que ce soit, elle avait pris l'habitude d'en parler avec elle.

— Allez-y et faites comme chez vous! l'avait invitée la directrice. Je vais aller faire un tour à la salle à manger en attendant. Quand on a autant de personnel, il est bon de s'assurer que chacun fasse son travail. N'oubliez pas de faire le 9 avant de composer votre numéro.

— Vous êtes bien gentille! avait remercié Rita avant de faire son appel.

— Bonjour, Sylvianne, je m'excuse de prendre de ton temps, mais je voudrais avoir ton idée sur quelque chose.

— Tu me déranges jamais, maman! J'espère que tout se passe bien, que t'as pas de problème.

— T'en fais pas, je suis en forme, mais j'aime mieux t'appeler avant de prendre une décision.

— Désolée de pas encore être allée te voir, mais avec la petite qui était malade, je pouvais pas partir. J'ai hâte d'y aller, à moins que... Est-ce que tu prévois monter en Abitibi prochainement?

— Malheureusement, non. Tu sais, le mois d'avril, c'est pas vraiment beau encore dans votre coin. J'aimerais mieux attendre la fin du printemps ou même l'été.

— C'est toi qui mènes! Dis-moi alors pourquoi tu m'appelles au début de la journée. C'est pas dans tes habitudes.

— Ce matin, après le déjeuner, la grande *boss* de la résidence est venue me voir et elle m'a fait visiter deux magnifiques chambres.

— Je suis contente. T'auras peut-être pas besoin de déménager ailleurs alors!

— Après, elle a calculé ce que ça me coûterait et je crois que je suis capable de me payer une chambre, mais il va t'en rester pas mal moins quand je vais partir.

— Maman! avait rétorqué Sylvianne. Je t'ai déjà dit de penser à toi! Tu m'as donné tout ce que tu pouvais pendant tellement d'années et maintenant tu voudrais encore te priver? On est en santé et on gagne bien notre vie. Paye-toi la traite, pour une fois!

— Je pouvais pas avoir une meilleure fille que toi! avait reconnu Rita. Je dois te laisser parce que j'appelle de son téléphone et comme c'est un longue distance, j'ai pas le goût d'ambitionner.

Après les salutations d'usage, Rita était restée assise en attendant le retour de madame Charette. Elle se voyait déjà installée dans ses nouveaux appartements et elle ressentait un grand bien-être.

La directrice de l'établissement n'avait pas aussitôt mis les pieds dans son bureau que Rita lui annonçait qu'elle prenait la chambre qui lui faisait envie.

— Je suis bien heureuse pour vous! On complétera les papiers lundi matin, car j'ai un rendez-vous à Montréal cet après-midi. Vous pourrez emménager dès que la chambre sera prête.

— Il faudra que je m'achète des meubles parce que je sais qu'ici, c'est pas fourni.

— Certains proches nous en laissent parfois quand ils vident les chambres. Je suggère donc qu'on fasse la peinture et ensuite, je vous montrerai ce qu'on a de disponible.

Rita avait donc passé une fin de semaine à rêver de son prochain déménagement. Quand elle revit madame Charette pour signer son bail, une surprise de taille l'attendait.

— Lors de notre dernière rencontre, j'ai oublié de vous révéler un détail. Des membres de la famille Roy, les enfants de Doris, m'avaient appelée dans les jours précédents, afin de savoir si vous comptiez vous installer à La Villa des Pommiers.

— Je comprends pas, répondit-elle avec un brin d'inquiétude.

— À la suite de l'épreuve que vous avez traversée, ils souhaitaient vous faire un cadeau, expliqua la directrice. Ils ont beaucoup apprécié ce que vous avait fait pour un des leurs, monsieur Hector, le frère de leur mère.

— Oui, le pauvre Hector! C'était un bon monsieur et c'est vrai que j'en ai pris soin, mais je l'ai fait de bon cœur! J'ai pas besoin qu'on me donne de quoi pour ça!

— Il semble que la conjointe de son neveu Claude soit une décoratrice d'intérieur et elle veut vous rencontrer pour discuter des couleurs que vous aimeriez avoir pour votre nouvelle chambre. Elle va également vous demander de choisir les tissus pour les rideaux et le couvre-lit. Claude et d'autres membres de la famille Roy vont se charger de faire la corvée de peinture et les travaux de couture vont être réalisés par l'une des sœurs qui travaille dans le domaine.

— C'est beaucoup trop pour moi! s'émut la dame, qui n'avait pas eu la vie facile. Ces gens-là sont donc bien généreux!

— Il y a du bon monde partout! Je dois vous laisser là-dessus, mais soyez disponible demain après le dîner, afin de rencontrer Laurence Vaillant.

— J'y manquerai pas!

Rita avait l'impression de vivre dans un rêve. Depuis le terrible drame, tout semblait si bien se dérouler pour elle. Cet après-midi, au lieu d'aller s'amuser au bingo, elle resterait assise dans sa chambre. Elle ferait le sacrifice de cette activité qu'elle adorait et réciterait plutôt son chapelet.

Elle avait toujours fait en sorte de remercier Dieu pour les bienfaits qu'Il lui octroyait.

⟶

Quelques semaines après le décès d'Hector, le dîner de Pâques devait se tenir chez Doris. Pour l'occasion, Évelyne avait proposé à sa mère d'inviter Jean-Guy et Monique à se joindre à eux.

— C'est une bonne idée, mais j'aimerais bien que tu t'en occupes. J'ai pas le goût de me faire revirer au téléphone par la belle Monique, avait déclaré Doris.

— Pas de problème! Je suis habituée aux sautes d'humeur. Oublie pas que j'ai un mari et une adolescente dans la même maison! avait rétorqué Évelyne en riant.

— C'est pas Xavier qui fait le plus de bruit! On le voit quasiment pas.

C'est exactement ce qu'Évelyne avait constaté. Depuis quelques mois, son conjoint était si occupé qu'elle avait l'impression d'être chef de famille monoparentale.

Afin que son invitation soit plus personnalisée, elle avait décidé de se rendre à la pharmacie où travaillait sa cousine. Elle l'avait trouvée en train d'étiqueter des bouteilles de shampoing et de revitalisant.

— Bonjour, Monique! l'avait-elle gentiment saluée.

— Salut! As-tu besoin de quelque chose? avait demandé cette dernière d'un ton cassant.

— Non, je passais juste pour savoir comment tu allais.

— Comme tu vois! Je gagne ma vie comme je peux! J'ai pas d'homme, moi, qui m'apporte un chèque toutes les semaines. Je travaille depuis que j'ai lâché l'école!

— Monique, je veux pas qu'on se chicane! Maman m'a demandé de t'inviter à dîner pour Pâques. Jean-Guy devrait venir lui aussi. Une petite rencontre familiale, ça ferait du bien à tout le monde. On est pas une grosse gang, du côté des Moreau. On pourrait garder le contact.

— On a pas été élevés comme vous autres! Ton frère Claude, il est correct et toi, c'est pas si pire. Mais quand la pimbêche à Dominique arrive, grimpée sur ses talons hauts, on dirait la reine d'Angleterre! Moi, je suis pas capable de la sentir!

— Monique, t'exagères un peu! Dominique, c'est une femme simple, comme toi pis moi.

— En tout cas, oubliez-moi! De toute manière, quelqu'un d'autre m'a déjà invitée pour un brunch dimanche matin.

Évelyne n'avait pas été vraiment déçue, elle s'attendait à une rebuffade de la part de Monique. Au moins, sa cousine ne pourrait pas leur reprocher de l'avoir négligée. Heureusement, elle avait eu plus de succès avec son frère Jean-Guy, qu'elle avait joint par téléphone. Il lui avait répondu avec enthousiasme et avait promis d'être là avec Mariette.

Le dimanche venu, c'est le jeune Bruno qui se pointa le premier chez sa grand-mère.

— Joyeuses Pâques, mamie! s'exclama-t-il en lui offrant un sac-cadeau.

— Joyeuses Pâques, mon beau garçon! répondit Doris, heureuse. T'arrives tout seul comme un grand?

— Oui! riposta-t-il en faisant une petite moue.

— Il y a pas personne de malade toujours?

— Non, mais j'avais hâte de m'en venir et personne était prêt!

— As-tu fait ta chasse aux œufs cette année?

— Voyons, mamie! Je vais avoir 11 ans dans pas long. Je suis plus un enfant!

— T'as bien raison! rétorqua Doris, qui adorait les répliques amusantes de son petit-fils.

— Maman et papa se sont levés en retard à matin. Heureusement que Noémie m'a fait à déjeuner, sinon je serais probablement mort de faim! Je devrais me plaindre à la DPJ[4]!

— T'es trop drôle, toi! Tes parents sont fatigués et ils essaient simplement d'en profiter pour se reposer la fin de semaine.

— Je pense qu'ils dorment pas tout le temps. Des fois, je les entends rire.

— Ça, c'est des affaires qui arrivent! avoua Doris, qui ne savait plus vraiment quoi répondre. Quand ils vont arriver tantôt, ils vont être en forme. C'est ça l'important! En attendant, veux-tu m'aider à mettre la nappe?

Doris avait finalement réussi à changer les idées de Bruno. Elle vit alors Dominique et Patrick gravir les marches menant à la galerie avec Raoul. Le vieil homme était bien habillé et portait une toute nouvelle casquette assortie à son manteau. Il souriait en marchant fièrement aux côtés de son neveu par alliance.

— Joyeuses Pâques, mon frère! prononça l'hôtesse avec des trémolos dans la voix. T'es donc bien beau!

— C'est grâce à ta fille, qui me traite comme un pacha. Est-ce qu'on arrive trop tôt?

— Non, ça a l'air que mes enfants se sont tous levés tard à matin. J'ai pas eu de nouvelles de Claude non plus.

---

4   DPJ: Direction de la protection de la jeunesse.

— C'est normal, quand on a une belle petite femme comme la sienne, c'est plus long de sortir du lit le matin! se moqua Raoul.

Finalement, les autres membres de la famille d'Évelyne, ainsi que Claude et Laurence, se présentèrent en même temps que Mariette et Jean-Guy, qui descendaient de Labelle. L'ambiance était à la fête et les discussions allèrent bon train.

Dès son arrivée, Dominique s'installa dans la cuisine, afin de s'assurer que tout serait prêt et qu'il ne manquerait de rien. Elle savait qu'Évelyne était venue la veille pour préparer des plats, mais il y avait toujours des tâches de dernière minute à effectuer.

Une fois que tout le monde prit place à table, l'amie de Claude, Laurence, offrit à Dominique de l'aider à faire le service.

— On est fiers de toi, mon frère. Là, au moins, tu nous as trouvé une belle-sœur qui a pas peur de l'ouvrage! nargua Évelyne.

— Je me demande si j'ai bien fait de changer! rétorqua Claude, en faisant un clin d'œil à Xavier et à Patrick. C'était quand même une bonne femme, Patricia.

— Oui, une vraie, tu l'as bien dit! répliqua Dominique, en faisant à son frère un sourire complice.

— Les enfants, intervint Doris, arrêtez ces niaiseries-là! C'est notre premier dîner de Pâques avec la belle Laurence et je propose qu'on lève notre verre à sa santé!

— Une petite minute, maman. Il faudrait pas oublier que c'est aussi la première fois que Mariette est avec nous pour cette fête.

— Je m'excuse, ma grande! soupira Doris, triste de cette bévue.

— Faites-vous z'en pas, je me sens très heureuse d'être parmi vous. Vous êtes une famille extraordinaire! renchérit Mariette.

— Mamie, j'ai rien à boire, moi! intervint Bruno, qui aimait bien faire comme les adultes.

Dominique s'empressa de lui verser du jus de pomme dans une coupe, ce qui eut pour effet de régler la situation.

— À Laurence et à Mariette! lancèrent tous les invités en chœur et en entrechoquant leurs verres.

— Merci à vous tous, salua Laurence à son tour. Je suis comblée d'être accueillie parmi vous.

— C'est la même chose pour moi! ajouta Mariette, en imitant la jeune femme qu'elle trouvait «très classe».

— Le dîner de Pâques a toujours eu lieu chez nous, mais cette année, je crois que c'est encore plus important que les enfants de mon frère en fassent partie! déclara Doris avec une grande émotion.

— Je suis allée voir Monique pour l'inviter, mais elle avait déjà quelque chose de prévu aujourd'hui, spécifia Évelyne pour que ce soit clair pour tout le monde.

Doris reprit son allocution.

— Ça fait tout juste trois semaines que le pauvre Hector est parti, et je me disais qu'il serait heureux que la famille soit réunie et surtout, qu'on l'oublie pas.

— C'est un beau geste de votre part, ma tante! confirma Jean-Guy. Mariette et moi, on était contents quand on a reçu le téléphone d'Évelyne. Même si papa avait un caractère particulier, j'ai de bons souvenirs de lui. Enfant, j'allais souvent passer du temps avec lui dans son atelier et il me prêtait toujours un outil pour m'amuser. Il gardait des bouts de planches et je jouais à en faire des boudins de bois avec son rabot. Il m'a appris à travailler manuellement et ça m'a servi durant toute ma vie. À cette époque, je me souviens qu'il était plus patient, du moins, il me semble.

— Quand j'étais jeune, relança Doris, il s'occupait très peu de moi. Avec le temps, j'ai compris qu'il était probablement jaloux de la relation privilégiée que j'avais avec Raoul. Pourtant, une année, à Noël, il m'avait fabriqué une belle petite couchette pour ma poupée. Je lui avais sauté au cou et ça l'avait tellement gêné qu'il m'avait vite repoussée !

— Papa était pas un homme trop démonstratif ! attesta Jean-Guy. Faut pas oublier que Jacqueline, notre mère, était assez spéciale et qu'elle l'encourageait pas à laisser paraître ses émotions. Des fois, je pense que Monique aurait peut-être été plus sociable si elle avait eu un meilleur modèle. Moi, c'est ici, chez ma tante Doris, que je venais chercher des câlins.

— T'es bien gentil, Jean-Guy, de me dire ça ! répondit Doris, émue par ce témoignage.

— C'est ça que je fais, moi aussi ! avoua Bruno, en se levant pour faire une tendre caresse à sa grand-mère.

Tout le monde éclata alors de rire !

— C'est plaisant de tous vous entendre parler de lui ! confia Mariette. J'ai des regrets de pas avoir eu la chance de connaître plus mon beau-père. Avec le restaurant, j'ai l'impression d'avoir manqué pas mal de beaux moments de la vie !

— Quand on élève une famille ou qu'on a un commerce aussi demandant que le tien, c'est tout à fait normal ! la réconforta Évelyne.

Claude et Laurence discutèrent ensuite des travaux qu'ils s'apprêtaient à entreprendre dans la chambre de Rita Blanchard. Tout le monde se montra heureux que la famille ait pris cette initiative, particulièrement Jean-Guy.

— C'est la plus belle chose qui pouvait arriver à mon père à la fin de sa vie : avoir quelqu'un pour s'en occuper autant ! Si je peux faire quelque chose pour la remercier, hésitez pas à me le dire.

— On apprécie ton offre, Jean-Guy, mais pour le moment, ça va, affirma Claude. Laurence avait un *set* de chambre qui aurait pas fait dans la nouvelle maison. On va le donner à la pauvre dame. Pour les affaires de lingerie et de décoration, les femmes vont se faire un plaisir d'aller magasiner.

— Est-ce qu'on peut contribuer financièrement ? s'informa le mari de Dominique.

— Oui, mon Patrick ! accepta Claude rapidement. Dès qu'on va être à court d'argent, c'est à toi qu'on va penser !

Raoul appréciait la générosité de ses neveux et nièces. Il se revit au moment où il était plus jeune et qu'il soutenait des familles dans le besoin. La générosité s'affichait différemment maintenant, mais de manière tout aussi louable.

Il se souvenait particulièrement d'un printemps où il était allé acheter des chaussures aux six enfants d'une même famille, celle d'Hugo Fréchette. À la toute fin de l'opération, il avait offert à la mère de s'en choisir une paire, mais celle-ci s'était mise à pleurer. Il avait insisté et le commerçant lui avait proposé une jolie paire de souliers lacés qui lui irait bien. Au moment de régler la facture, le marchand avait précisé à Raoul qu'il n'aurait pas à payer pour l'achat de la dame, car c'était la maison qui le lui offrait. Une largesse en avait attiré une autre.

Le repas de Doris était succulent et tout le monde était de bonne humeur.

Raoul était assis à côté de sa sœur et chaque fois qu'il lui parlait, il lui touchait la main ou le bras, comme s'il voulait s'assurer qu'elle était bien réelle. Le bonheur lui semblait si fragile. Si Doris partait avant lui, il ne pourrait survivre.

En regardant Bruno faire des grimaces, la bouche beurrée de son robot en chocolat, il sourit à l'enfant avec attendrissement. Ces simples simagrées avaient eu pour effet de réconforter son cœur affligé.

———

Suzanne ne refusait jamais rien à sa cousine Monique. Quand elle l'avait appelée ce matin, pour lui suggérer d'aller faire un tour de voiture, elle avait tout de suite accepté.

— Ça te dérangerait-tu qu'on prenne ton auto, parce que je veux pas qu'on nous reconnaisse! avait d'abord indiqué Monique.

— C'est correct. Essaies-tu de m'expliquer qu'on s'en va faire une enquête? avait demandé Suzanne.

— Oui et non. Mon frère est censé aller dîner chez la tante Doris et j'aimerais ça savoir s'il va y aller.

— T'as pas été invitée et ils l'ont offert à Jean-Guy? À moins qu'il se soit imposé avec sa Mariette? Qu'est-ce que t'en penses?

— Je peux pas t'en dire plus pour le moment! avait menti Monique. Il y a un problème avec mon oncle Raoul. D'après moi, il a pas le goût de me voir ou sinon, il faudrait que je fasse des courbettes devant lui.

Monique tenait des propos qui n'avaient aucun sens, mais Suzanne ne lui posait pas de questions. Elle ne voulait surtout pas la contrarier et faire en sorte qu'elle la laisse tomber. Depuis le décès de l'oncle Hector, sa cousine s'était beaucoup confiée à elle et c'était loin de lui déplaire. Partager des potins était son passe-temps favori!

Les deux filles avaient donc circulé à plusieurs reprises devant la maison de Doris, à Val-David. Elles allaient de la route 117 à l'ancienne Butte à Mathieu, sur la rue de la Sapinière, où elles se stationnaient quelques minutes avant de faire le même trajet en sens inverse. Elles ne voyaient toujours pas le véhicule de Jean-Guy.

— T'es certaine que ton frère devait venir? interrogea Suzanne, qui se demandait après une heure s'il était pertinent de continuer ce stratagème.

— Évelyne m'avait bien dit qu'il serait là, confirma Monique.

— C'était peut-être pour te convaincre de participer à la fête?

— Comme si j'avais besoin de mon jumeau pour aller quelque part! Tu sauras que je suis capable de faire mon chemin toute seule!

— Choque-toi pas, Monique, c'est juste qu'Évelyne a peut-être pensé comme ça! rétorqua la cousine.

— De toute façon, même si Jean-Guy s'est pas pointé, ça valait la peine de venir rien que pour voir arriver la pimbêche à Dominique!

— Oui, t'as bien raison! renchérit Suzanne, qui alimentait toujours la hargne de sa cousine envers les autres. Avec son long imperméable noir et son foulard gris, Dominique faisait penser à un corbeau qui se préparait à planer.

— Avec des oreilles grandes comme les siennes, c'est certain qu'elle pourrait voler! lança méchamment Monique.

— Et avec son nez pointu, elle pourrait aussi *picocher* les mouffettes mortes sur le bord du chemin!

— Là, tu exagères pas un peu? interrogea Monique en

ricanant. Elle pourrait peut-être manger du porc-épic, mais pas une bête puante!

Les deux filles blaguaient, mais au fond d'elles-mêmes, elles étaient tristes d'être seules le jour de Pâques. À force de semer la bisbille dans leur famille respective, elles étaient de moins en moins sollicitées.

Alors qu'elles passaient pour une dernière fois devant la maison de Doris, elles aperçurent Mariette et Jean-Guy qui sortaient de l'endroit et montaient à bord d'une voiture BMW de couleur grise.

— Jean-Guy s'est acheté une BMW! s'exclama Monique. Il peut bien brailler sur le testament de papa! Tu parles d'un salaud!

— Quelle sorte de char il avait avant?

— Une *van* bleue avec le lettrage de l'ancien propriétaire. Quelque chose d'assez ordinaire.

— As-tu vu comment il était habillé? On jurerait qu'il s'en allait aux noces!

— Rajoutes-en pas! Un peu plus et tu dirais qu'il était beau bonhomme!

Suzanne ne répliqua pas, mais elle avait toujours eu le béguin pour son cousin. Il avait tout ce qui lui plaisait chez un homme. Il ne faudrait jamais que Monique apprenne qu'elle s'était souvent endormie en se caressant et en imaginant que c'était les mains de Jean-Guy qui parcouraient son corps.

— On s'en retourne à Sainte-Agathe! On a plus rien à faire ici! lança Monique d'un trait.

— Es-tu censée revoir ton frère prochainement pour la succession?

— Non, c'est pas de ses affaires. C'est moi qui suis liquidatrice et je règle tout ça avec le notaire Girouard!

affirma-t-elle sur un ton qui ne laissait aucune place à la discussion.

Monique racontait à Suzanne ce qu'elle voulait bien lui faire savoir, mais elle était très secrète sur sa situation financière et ses démêlés à propos de la maison de son père.

Depuis que Jean-Guy vivait avec cette Mariette, il n'avait pas le même style de vie qu'auparavant. Il semblait beaucoup plus à l'aise financièrement et ce luxe assumé intriguait sa sœur.

Monique se disait que cette femme-là avait peut-être de l'argent, mais si c'était le cas, pourquoi s'acharnerait-elle alors à exploiter un petit restaurant de campagne? S'ils avaient gagné à la loterie, elle en aurait entendu parler! Son frère avait bien sûr reçu 15 000 $ de l'oncle Raoul en novembre de l'année précédente, mais était-ce suffisant pour faire l'achat d'un tel véhicule? Elle n'en savait rien, mais cette idée l'obsédait.

Il lui faudrait éclaircir la situation. Pour cela, elle devrait agir finement!

CHAPITRE 3

Vieille blessure

(Mai 2008)

L'épicier pour lequel Évelyne travaillait s'apprêtait à vendre son commerce. Il venait d'avoir 78 ans et, durant l'hiver, il avait été victime de deux AVC mineurs. Bien qu'il n'eût pas conservé de graves séquelles de ces incidents, son épouse et ses enfants lui avaient laissé entendre qu'il devrait écouter son corps et réaliser que l'heure de prendre sa retraite avait sonné.

Au cours des trois dernières années, il avait été approché à quelques reprises par un de ses clients, monsieur Godin, qui possédait un marché d'alimentation à Laval. Comme celui-ci avait une résidence secondaire à Val-David, l'acquisition de cet établissement lui permettrait de faire une transition vers une préretraite dans son lieu de villégiature de rêve. Le client avait fait à l'épicier des offres intéressantes, mais le vieil homme avait toujours refusé de vendre son commerce, lui promettant de le contacter quand le temps serait venu.

En mars dernier, après le décès d'Hector, un de ses plus vieux clients et l'oncle d'Évelyne, sa fidèle employée, l'épicier avait eu une discussion avec sa femme. Celle-ci lui avait fait remarquer qu'ils n'avaient pas encore eu la chance de profiter de la vie.

À la grande surprise de l'acheteur potentiel, l'épicier l'avait appelé pour l'informer qu'il était maintenant prêt à vendre. Une rencontre avait été prévue pour la semaine suivante et le patron avait demandé à Évelyne d'y assister, en précisant qu'il aimerait qu'elle prépare un dossier avec les documents nécessaires.

Le jour de la réunion, elle se présenta au bureau très tôt. Elle portait une robe noire à manches longues de style classique et des souliers à talons hauts. Elle avait noué ses cheveux en un chignon sur la nuque et avait soigné son maquillage.

— T'es donc bien belle à matin! la complimenta son patron en la voyant arriver. On dirait que tu t'en vas aux noces!

— Vous êtes trop gentil! Quand on rencontre un homme d'affaires, il faut savoir utiliser tous nos atouts. Vous avez un superbe commerce et il a toujours été bien géré. C'est aujourd'hui qu'on doit démontrer tout le bon travail qu'on a fait ici durant les dernières années.

— Je voudrais bien qu'il conserve les employés qui sont en place, mais je peux pas l'obliger, précisa l'employeur d'Évelyne.

— Faites-vous z'en pas avec ça. À matin, vous devez penser comme un homme d'affaires, pas comme un bon père de famille.

L'acheteur arriva quelques minutes plus tard.

— Bonjour, monsieur Godin! l'accueillit l'épicier. Maintenant que j'ai pris ma décision, j'avais bien hâte de vous rencontrer. Je vous présente Évelyne Roy, ma commis-comptable.

— Enchanté, madame Roy. Désolé de vous obliger à travailler un samedi matin !

— C'est un jour comme les autres, quant à moi, rétorqua Évelyne. Comme me l'a expliqué mon patron, vous êtes dans la région pendant le week-end, alors autant en profiter.

— Je vous ai jamais croisée à l'épicerie et pourtant j'y passe régulièrement, spécifia-t-il, surpris qu'un si petit commerce embauche une employée avec autant de professionnalisme.

— Je travaille deux ou trois jours par semaine, selon les besoins de l'entreprise. Comme mon bureau est situé à l'arrière complètement, je vois très peu de clients. Vous devez venir durant les fins de semaine, alors que moi, je fais mes courses le mercredi ou le jeudi. S'il me manque quelque chose, j'envoie habituellement mes enfants.

La conversation entre monsieur Godin et Évelyne était fluide et ils s'étaient tout naturellement permis de discuter pendant quelques minutes. Ils avaient abordé leur situation familiale, ainsi que la qualité de vie qui régnait dans un village comme Val-David.

Le vieil épicier ne voulait pas les brusquer, mais il avait hâte d'entrer dans le vif du sujet. Il prit donc la liberté d'intervenir.

— Monsieur Godin, comment voyez-vous les choses ? Avez-vous préparé des documents ou vous voulez qu'on discute plus à fond d'abord ?

— J'aimerais avant tout avoir une idée du chiffre d'affaires que vous avez réalisé au cours des cinq dernières années. Par la suite, j'apprécierais si vous pouviez me faire part de l'évaluation de la bâtisse, des travaux effectués dans les dernières années, de l'inventaire de l'équipement et des frais inhérents à l'administration de votre commerce.

Ça m'aiderait à établir la valeur du commerce et à offrir le juste prix.

— C'est avec Évelyne que vous allez voir tous ces détails, répondit le vieil homme, qui ne souhaitait pas s'encombrer de cette tâche.

— Et pour répondre à votre question, si on s'entend sur un prix, je ferai rédiger l'offre par mon notaire et vous la soumettrai assez rapidement.

— Mon patron souhaiterait que maître Girouard en obtienne également une copie, avant de signer quoi que ce soit, ajouta Évelyne avec assurance.

— Sans problème! Si vous n'y voyez pas d'objection, j'aimerais que la transaction se fasse assez vite. On a chacun notre façon de procéder et je compte faire des ajustements à l'organisation du commerce. Il serait préférable que tout soit en place pour la saison estivale.

Évelyne sentait que son employeur était déstabilisé émotionnellement et elle était fière d'être là pour lui apporter son soutien.

— Si vous le voulez bien, lui offrit-elle, je pourrais m'asseoir avec monsieur Godin et lui montrer les états financiers. Quand on aura terminé, j'irai vous chercher dans le magasin et on discutera ensemble des derniers détails.

— T'as bien raison! C'est pas nécessaire que je reste avec vous deux. C'est toi qui connais le plus ma *business*. Je vous laisse travailler!

Évelyne se chargea de transmettre toute l'information nécessaire à l'acquéreur potentiel de l'épicerie. L'ambiance particulière fit en sorte qu'ils discutèrent d'éventuelles améliorations qui pourraient être apportées dans différents rayons.

— Vous comprendrez qu'à son âge, mon patron avait pas le goût d'investir pour rénover son établissement.

— C'est tout à fait normal. Je devrai prendre en considération les coûts d'un tel projet de modernisation, mais j'ai confiance que je pourrai les rentabiliser en peu de temps.

— J'en doute même pas! Depuis trois ans, notre comptable nous suggérait d'utiliser un nouveau logiciel qui aurait grandement simplifié mon travail. Mais le patron trouvait que c'était pas nécessaire.

— Vient un temps dans la vie où certaines personnes refusent d'avancer. Elles se contentent de laisser aller le train!

— Vous avez tout à fait raison! Je suis convaincue que vous aurez du plaisir à dépoussiérer tout ça! C'est un beau et bon commerce, mais disons qu'il a besoin d'une cure de rajeunissement!

— J'aime bien cette image! J'ai vraiment le goût de relever le défi!

Après une heure de consultation des différents documents, monsieur Godin se montra satisfait de sa rencontre et il en fit part au propriétaire.

— Je vous remercie pour tout et soyez assuré que vous allez recevoir une offre dans moins de 48 heures. Je profite de l'occasion pour vous dire que vous avez une employée exceptionnelle en la personne de madame Roy. Elle a réponse à toutes les questions et connaît son travail sur le bout des doigts! J'ai été particulièrement impressionné par la rigueur de son système de classement.

— Merci beaucoup! répliqua Évelyne, rougissant devant autant de louanges. J'ai pas de mérite! J'aime ce que je fais!

— Vous avez raison, monsieur Godin! Évelyne, c'est une femme modèle. Je pense qu'il s'en fait plus des comme elle!

Dix jours plus tard, l'offre d'achat était acceptée sans négociation. Le marchand fut même surpris d'obtenir une telle somme pour un commerce qu'il savait être désuet.

Évelyne avait été la première à apprendre la nouvelle et elle avait assuré à son patron qu'elle serait là jusqu'à la fin de la transition.

— Je te remercie! Ma femme en revient pas que ça aille aussi bien! Je lui ai dit que c'était en grande partie grâce à toi. Penses-tu qu'on va être bons pour faire l'inventaire dimanche prochain?

— Ça devrait. Si on prépare bien les feuilles pour compiler le stock, ça va bien se passer.

— Je t'en demande beaucoup, mais quand c'est toi qui fais quelque chose, c'est certain que j'ai pas de *come-back*!

— Vous savez qu'on va avoir besoin d'employés par exemple. Il faudrait qu'on ait au moins deux ou trois personnes pour la journée.

— J'ai déjà averti Sylvie, la caissière. Elle m'a dit que son mari viendrait avec elle. Pourquoi t'offrirais pas à ta fille de se joindre à nous?

— Je vais lui en parler à soir. Elle a juste 14 ans, mais elle est très débrouillarde. Je suis convaincue qu'elle ferait un bon travail.

— Tu peux lui dire que je la paierai au même salaire que Sylvie. Vous aurez pas besoin de vous faire de lunch pour le dîner ni pour le souper. Vous commanderez ce que vous voudrez. Quand l'inventaire sera fini, je vais te récompenser pour tout le trouble que tu te donnes!

— Vous avez toujours été très généreux! Vous savez que vous allez me manquer?

— Moi aussi, je vais m'ennuyer de toi! T'étais quasiment comme ma fille! avoua-t-il avec les larmes aux yeux.

— Monsieur Godin m'a demandé si je pouvais continuer de travailler comme commis-comptable durant quelques mois. Je pense que par la suite, c'est peut-être sa femme qui va s'occuper des livres.

— Ça me ferait de la peine si tu perdais ta *job*! Si mes enfants avaient eu de l'intérêt pour mon commerce, j'aurais aimé ça qu'ils prennent la relève.

— Ça a bien changé! La nouvelle génération accepte pas de faire des concessions sur son avenir et je crois que c'est mieux ainsi. Vos deux gars gagnent bien leur vie.

— T'as bien raison, mais penses-y! Ça fait 48 ans que je passe mes journées dans mon magasin. J'ai l'impression que je vais tourner en rond pendant les premières semaines.

— Vous en profiterez pour vous reposer. Vous pourrez aussi voyager avec votre femme. Il vous reste des belles années à vivre!

Quand Évelyne arriva à la maison, elle s'installa confortablement dans son atelier et fit de petits calculs. Dans l'éventualité où elle perdrait son emploi, le manque à gagner ne serait pas exorbitant, mais depuis quelques années, elle pouvait compter sur ce surplus. Si elle voulait maintenir son train de vie, elle devrait faire un peu plus de travaux de couture.

Elle se prépara une tisane et s'assit dans la chaise berçante près de la fenêtre. Elle avait hâte que sa fille revienne de l'école pour lui annoncer qu'elle travaillerait dimanche prochain. Elle savait que Noémie serait contente de gagner des sous. La jeune fille avait souvent demandé à sa mère la permission de garder des enfants, comme le faisaient ses amies, mais celle-ci avait toujours refusé.

— On te donne ton argent de poche et c'est bien

comme ça ! Il est pas question que tu ailles t'occuper des petits de purs étrangers ! avait-elle maintenu.

— Je peux jamais faire comme les autres ! s'était plainte la jeune.

— Noémie, t'es pas les autres, t'es toi-même ! On peut plus se fier au monde asteure ! Quand tu seras adulte, tu prendras tes propres décisions, mais pour l'instant, c'est moi qui te montre le chemin.

— Tu nous montres pas le chemin, tu nous mets des bâtons dans les roues ! avait répliqué l'adolescente.

Évelyne avait cessé d'alimenter ces discussions qui tournaient continuellement au vinaigre. Elle essayait d'être plus permissive, mais il y avait des choses à propos desquelles elle demeurait intransigeante. Le gardiennage était un sujet sur lequel elle ne plierait pas.

Elle se souvenait très bien qu'elle-même avait dû s'occuper d'enfants à plusieurs reprises, chez l'une ou l'autre des voisines, durant sa jeunesse. Elle avait détesté ça et se trouvait souvent des excuses pour s'en sauver.

Elle avait aussi un jour connu une mauvaise expérience. Sa mère l'obligeait à aller coucher chez une dame dont l'époux travaillait occasionnellement en Abitibi. Une nuit, il était revenu à la maison en état d'ébriété et il avait brutalisé sa femme et tenté de l'agresser, elle, qui avait alors tout juste 13 ans. Évelyne était parvenue à s'enfuir et avait raconté à sa mère qu'elle avait peur de cet homme parce qu'il était violent avec les siens. Jamais elle n'avait fait mention du fait qu'il l'avait touchée. Elle craignait qu'on ne la croie pas ou encore, que son père se rende chez l'homme en question pour lui donner une leçon.

Elle s'était bien promis qu'elle ne laisserait pas ses enfants se placer dans des situations semblables.

Sa nervosité était cependant maladive et, n'eût été la présence de son conjoint Xavier, qui s'interposait à l'occasion, ses jeunes auraient sûrement été malheureux.

Encore une fois, Monique s'était levée du mauvais pied ce matin. On était le 3 mai et elle n'avait pas encore reçu le paiement du loyer de la maison dont elle avait hérité. Habituellement, Francis ou sa conjointe, Marie-Ève, passait à la pharmacie, un jour ou deux avant le premier du mois, et lui remettait une enveloppe contenant la somme convenue.

Monique aurait préféré profiter de son samedi pour faire ses courses et son ménage, mais elle n'avait pas d'autre choix que d'aller quérir elle-même son dû. Dès qu'elle eut terminé son déjeuner, elle appela son ami Robert pour qu'il l'accompagne à la maison de son père. Elle souhaitait avoir un témoin, mais ne voulait pas lui dévoiler la raison de cette visite inopinée.

— Bonjour, Robert! Je sais que t'es pas mal occupé, mais aurais-tu le temps de venir avec moi à ma maison de Val-David?

— Oui, mais y a-tu quelque chose de spécial? Il me semblait que tu commençais pas de gros travaux avant que tes affaires de notaire soient réglées.

— Non, je fais rien, mais je voudrais juste te montrer quelque chose par rapport à la plomberie de la cuisine, mentit-elle. Tu vas pouvoir me dire si ça peut attendre.

— C'est correct. On prend ta voiture ou la mienne?

— Si ça te dérange pas, viens me chercher. J'aime ça me

faire conduire! On va y aller de bonne heure parce que j'ai de l'ouvrage à faire aujourd'hui.

— Pas de problème! Attends-moi dans une vingtaine de minutes. T'as besoin d'être prête! la taquina-t-il.

— Comme si ça m'arrivait d'être en retard! rétorqua-t-elle.

Robert était d'un tempérament très docile et il n'était pas rancunier. À plusieurs reprises, Monique lui avait fait des crises ou elle l'avait utilisé, mais jamais il ne s'en formalisait. Il laissait retomber la poussière et il continuait de la fréquenter au petit bonheur.

Quand ils se pointèrent à l'ancienne maison d'Hector, Monique et Robert constatèrent qu'aucun véhicule ne se trouvait sur les lieux.

— Peut-être que Francis est rentré travailler à matin? suggéra l'homme pour expliquer l'absence du locataire.

— On va quand même aller sonner à la porte. Sa pitoune est peut-être là, supposa Monique. D'habitude, ça se lève pas de bonne heure, ce monde-là!

Robert ne répliqua pas, habitué qu'il était d'entendre des propos de ce genre de la part de son amie. En arrivant sur la galerie, ils remarquèrent que les rideaux étaient tous tirés. Ils frappèrent à la porte à quelques reprises, mais n'obtinrent aucune réponse.

— Ou bien, elle dort dur ou elle est partie avec Francis, déclara Robert calmement.

— On va le savoir parce que j'ai les clés avec moi! répliqua la fille d'Hector.

— Tu vas pas rentrer dans la maison sans les avoir avertis? Quand on faisait des travaux régulièrement, c'était correct, mais là...

— Bien voyons, c'est chez nous, après tout! lança Monique en déverrouillant la serrure.

En poussant la porte, elle fut stupéfaite en découvrant qu'il n'y avait plus de meubles dans la cuisine ni dans le salon. En ouvrant le réfrigérateur, elle constata qu'ils n'avaient laissé que quelques pots de marinades et une boîte de bicarbonate de soude.

— Les écœurants, cria-t-elle, ils ont sacré le camp! Tu parles de deux beaux sauvages!

— Ils ont dû retourner chez leurs parents, répondit placidement Robert, qui cherchait toujours à minimiser les drames.

— Ils sont partis comme des traîtres! Le savais-tu? demanda-t-elle à son ami en le dévisageant avec rage.

— Francis m'a rien dit! se défendit Robert.

— Tu travailles avec lui et c'est toi qui me l'as amené ici! l'accusa-t-elle.

— Quand je te l'ai présenté, j'ai fait ça de bon cœur. Je pouvais pas imaginer que ça virerait comme ça!

— Qu'est-ce que tu veux dire par là? interrogea la propriétaire flouée.

— Tu devais faire des travaux et aménager le logement pour qu'il soit habitable. T'as juste commencé et t'as rien fini!

— T'exagères, Robert Ducharme! réagit violemment Monique. Toi, t'étais censé m'aider avec les rénovations et tout ce que vous avez réussi à faire, c'est de démolir la moitié de la maison!

— T'es pas honnête quand tu dis ça! T'as toujours été là quand on a pris des décisions pour planifier les travaux. T'étais jamais contente du bois qu'on recevait et ça avançait jamais assez vite pour toi!

47

— Je comprends! Ton Francis, il travaillait juste une couple d'heures de temps en temps!

— C'est comme normal! Il fait déjà 40 heures par semaine à l'usine et des fois, il doit accepter de l'*overtime*! Le bénévolat, c'est pas ça qui paye le loyer!

— Parlons-en du loyer! Au prix que je leur faisais, ils étaient gras dur!

— Tu leur avais pas fait signer de bail?

— Non, c'était fait sur la gueule. On devait en signer un quand les travaux auraient été finis, mais à la vitesse qu'il travaillait, ça aurait bien pris cinq ans!

— Monique, ça me tente pas de me chicaner avec toi! Si t'as fini, je vais aller te reconduire chez vous. J'ai un lot d'ouvrage à faire à la maison.

— Si c'est comme ça, retourne-toi z'en chez vous! Je vais m'arranger avec mes affaires!

— Calme-toi! Je suis pas pour te laisser toute seule comme ça! Je vais t'attendre et quand tu seras prête, on s'en ira, suggéra sagement Robert.

— Non, je t'ai assez vu pour aujourd'hui. Tu peux aller retrouver «ta mouman»! le nargua-t-elle.

— C'est plus fort que toi, hein? Faut toujours que tu lances ton venin quand ça marche pas à ton goût! sermonna l'ami avant de tourner les talons.

Quand Robert fut parti, Monique fit le tour des pièces et elle constata que bien que les locataires aient quitté les lieux sans crier gare, la maison était relativement propre.

La salle de bain était en partie complétée. Il n'y avait que quelques joints de gypse à tirer et à sabler. Par la suite, il faudrait s'attaquer aux travaux de peinture.

Pour ce qui était de la cuisine, c'était beaucoup moins

reluisant. Il ne restait qu'un bout de comptoir avec l'évier et le mur séparant la pièce du salon avait été démoli. Monique avait autorisé tous ces travaux, mais elle ne pensait jamais devoir trouver quelqu'un d'autre pour les terminer.

Elle avait l'impression de se retrouver au point de départ et pire encore.

Elle devait maintenant se rendre chez les voisins pour s'informer du moment où ses locataires avaient quitté les lieux. Elle essaierait de leur faire payer un mois de pénalité, mais ce n'était pas gagné d'avance. Pendant qu'elle serait à côté, elle téléphonerait à Suzanne pour lui demander de venir la chercher. Il n'était pas question qu'elle rappelle Robert avant un bon moment.

Comme elle s'apprêtait à sortir, elle remarqua qu'une voiture arrivait dans le stationnement. Elle descendit les escaliers et s'approcha.

— Claude, qu'est-ce que tu fais ici? demanda-t-elle à son cousin.

— Je passais pour voir si Francis était là. J'ai besoin d'un gars pour faire l'installation de mes armoires de cuisine et je me demandais si ça pouvait l'intéresser.

— Il est parti sans payer, comme un bandit! Je te dis que c'est un drôle de moineau, ce gars-là! C'est pas moi qui l'engagerais pour travailler, lui mentit-elle, s'assurant ainsi qu'il n'ait pas de contrat de son cousin.

— Ça me surprend. J'avais pourtant eu des bonnes références à son sujet. En tout cas, je te remercie de m'en avertir. Je vais être plus prudent.

— Me donnerais-tu un *lift* pour retourner à Sainte-Agathe? demanda Monique. Ça m'éviterait d'avoir à déranger mon copain.

— Ça va me faire plaisir, pourvu que ça te bâdre pas de te promener en *pick-up*.

— Sans problème! Je suis pas le genre de fille qui joue à la grosse madame! rétorqua-t-elle en pensant à Dominique.

— Tu visais sûrement pas personne! lança-t-il en lui faisant un clin d'œil.

— Comme dirait mon père: «*Je suis ben trop d'même pour être comme ça!*»

CHAPITRE 4

Déménagement

(Mai 2008)

Lorsque Raoul avait demandé à Dominique de s'occuper de lui, jamais il n'aurait pu imaginer combien il était plaisant d'avoir à nouveau quelqu'un pour se soucier de son bien-être.

À la mort de sa première femme, il s'était senti en quelque sorte libéré, puisqu'ils ne formaient pas un couple uni pour les bonnes raisons. Plus tard, quand il avait perdu Irène, sa grande amie, il avait vraiment eu l'impression que son existence n'avait plus aucun sens. Cette fois-là, il avait dû faire le deuil de sa complice de tous les jours.

Il avait rapidement sombré dans une routine, où il tournait jour après jour une page du journal de bord, n'attendant que la fin du voyage. Sans le réaliser, il avait eu tendance à régresser, négligeant son alimentation, son habillement et même l'entretien de sa maison. Heureusement, il avait constamment maintenu de bons contacts avec sa sœur Doris, qu'il aimait beaucoup. Il voyait également Hector, mais avec lui, la relation était plus problématique à cause de ses enfants, qui n'agissaient pas toujours dans l'intérêt de leur paternel. Afin de protéger son frère, il devait négocier avec ceux-ci, particulièrement avec Monique, qui était passée maître dans l'art de la manipulation. Avec le temps, ces soucis lui avaient pesé suffisamment pour qu'il choisisse de prendre du recul.

Au printemps de l'année précédente, alors qu'il vivait des moments de grand stress, sa nièce, Dominique, lui avait tendu la main. Elle l'avait sorti de sa solitude.

À partir de ce moment, il avait recommencé à aimer la vie.

Ce matin, il faisait particulièrement beau. Raoul se leva tôt, fit sa toilette et mit son appareil auditif avant de se rendre à la salle à manger de la résidence où il vivait, La Villa des Pommiers. À son retour, il s'étendit sur son lit pour faire une sieste. Il venait tout juste de s'asseoir dans sa chaise berçante quand sa sœur Doris lui téléphona.

— Allô, Raoul, comment tu vas aujourd'hui?

— Bien! J'ai dormi comme un bébé la nuit dernière. À matin, c'est la petite fille qui travaille de jour qui est passée me réveiller. Un peu plus et je manquais le déjeuner.

— Qu'est-ce qui arrive dans ce temps-là? Est-ce qu'ils peuvent t'apporter quelque chose dans ta chambre? demanda sa sœur.

— Dominique m'a dit que oui. J'ai juste à demander et ils ont toujours quelque chose à nous servir. C'est la même chose pour les autres repas. Elle m'a expliqué que si j'allais pas trop bien, je pouvais rester ici et me faire monter un plateau.

— C'est correct de même. Au moins, t'es pas obligé de t'énerver pour les heures du déjeuner ou du dîner. As-tu le goût qu'on sorte cet après-midi?

— Oui, j'aimerais ça. Si t'as le temps, j'irais voir Ménard, mon barbier. Il y a une coiffeuse à la Villa, mais c'est pas pareil. Quand ça fait plus de 30 ans que c'est le même gars qui te coupe les cheveux, c'est difficile de changer.

— Je te comprends! L'année où madame Dazé est morte, ça m'a pris au moins six mois avant de trouver quelqu'un pour me peigner à mon goût. Peut-être qu'on devient capricieux en vieillissant! Si j'allais te chercher vers une heure et demie, est-ce que ça ferait ton affaire?

— Je vais t'attendre dans le portique. Comme ça, t'auras pas besoin de composer le code pour entrer.

La sœur et le frère passeraient donc un peu de temps ensemble. Le départ d'Hector avait créé un grand vide, même s'il s'écoulait parfois quelques semaines sans qu'ils se voient. Les circonstances de son décès les avaient également perturbés. Ils songeaient que ce dernier n'avait pas mérité un tel sort.

L'enquête concernant l'incendie qui avait coûté la vie à Hector n'était toujours pas terminée. L'autopsie avait révélé que le vieil homme avait subi un traumatisme crânien, et qu'il était décédé des suites de ses blessures, ce que Doris et Raoul acceptaient difficilement.

Doris arriva dans le stationnement de La Villa des Pommiers peu après l'heure du dîner et elle vit Raoul qui se promenait de long en large sur la galerie avant.

— T'as l'air d'un millionnaire quand tu marches comme ça, en avant de cette grosse bâtisse-là! rigola-t-elle.

— Je suis rien qu'un pauvre homme, mais je suis heureux! Si Monique avait installé Hector dans une place comme icitte, il serait peut-être pas mort! T'as remarqué que les gens rentrent pas comme dans un moulin?

— T'as raison, mais quand bien même on en voudrait à sa fille pendant des années, ça nous avancerait à rien. Elle doit s'en mordre les doigts, des décisions qu'elle a prises à propos de notre frère !

— C'est drôle, mais j'en suis pas certain. Jean-Guy est venu me voir et il m'a raconté comment elle avait manigancé pour obtenir la maison et les biens de son père.

— T'es pas sérieux ? Faut pas avoir de cœur pour agir de même !

— Hector s'est plaint toute sa vie de pas avoir d'argent. Si sa fille avait bien géré ses affaires, il aurait pu avoir une place icitte ! Elle a préféré ménager pour qu'il lui en reste plus à sa mort !

— C'est vrai, ce que tu dis. La preuve, c'est madame Rita, qui vient d'emménager. Elle était sûrement pas plus riche que notre frère et maintenant, elle a une belle chambre. J'ai de la misère à croire que quelqu'un puisse priver son père ou sa mère pour en garder plus pour lui. Ça me dépasse !

— C'est parce que t'es trop honnête que tu penses de même. Quand il est question d'argent, il y a des gens qui ont aucun scrupule. Je dois te dire que je suis heureux d'avoir choisi ta fille pour prendre soin de mes biens. C'est vraiment une bonne personne et son mari aussi !

— Ma Dominique est fine comme sa mère ! reconnut la sœur en riant.

— C'est même pas une blague ! Tu as bien élevé tes enfants, Doris.

Après sa visite chez le barbier, Raoul demanda à sa sœur s'il lui restait du temps. Il souhaitait aller chercher des ceintures et quelques babioles dans sa maison. Après l'appel de Doris de ce matin, il avait prévu le coup et il avait apporté ses clés.

En arrivant à proximité de sa demeure, il constata qu'un

individu sortait de la cour arrière. Il suggéra à sa sœur d'avancer lentement afin d'apercevoir clairement la personne qui se trouvait chez lui. Il réalisa rapidement qu'il s'agissait d'Hugo, celui qu'il avait pris sous son aile quand il était jeune et de qui il devait maintenant toujours se méfier.

— Stationne ton *char* dans l'entrée, je veux voir ce qu'Hugo va avoir à nous donner comme explication pour traîner autour de ma maison.

Doris fit ce que son frère lui réclamait, mais elle craignait qu'il y ait de la bisbille. Elle n'avait pas aussitôt immobilisé sa voiture que Raoul était déjà sorti pour interpeller Hugo.

— Qu'est-ce que tu fais ici? demanda-t-il tout de go, afin de ne pas laisser au malfrat le temps de se trouver une excuse.

— Je viens régulièrement vérifier autour de votre maison pour être certain que personne cause du trouble.

— Tu pars de Lachute pour ça? Il me semble que ça fait pas tellement de sens. J'ai déjà quelqu'un pour s'occuper de la maison.

— Je suis en train de me chercher un logement dans le coin. J'arrive juste d'aller visiter le 3 ½ en haut du dépanneur Poitras. Quand j'ai appris que vous étiez en résidence, j'ai pensé que vous aimeriez ça que je sois plus proche.

Raoul ne savait pas quoi répondre. Il était tiraillé entre les souvenirs qu'il conservait de cet enfant et l'attitude qu'il affichait depuis qu'il était adulte. Il ne pouvait lui faire totalement confiance et une petite voix lui murmurait de se méfier de ses belles paroles.

Doris n'avait encore rien dit, mais elle eut soudain l'idée de semer un doute dans l'esprit d'Hugo.

— As-tu vu des traces de pas autour de la maison?

— Oui, justement, mentit Hugo, heureux d'avoir ainsi un alibi. C'est pour ça que je suis allé jusqu'en arrière.

— Inquiète-toi pas! C'est le gars du système d'alarme qui est venu poser les fils. Il a installé des détecteurs de mouvements dans toutes les pièces.

Le visage d'Hugo s'empourpra. S'il était entré aujourd'hui dans la maison par la chambre du côté nord, comme il l'avait déjà fait, il aurait pu se faire prendre.

En voyant son attitude, Doris décida d'en rajouter.

— Les voleurs vont être surpris parce que Dominique a demandé que ça fasse pas de bruit quand le système va se déclencher. C'est la centrale qui reçoit le signal et elle appelle automatiquement les policiers. Le premier répondant est un voisin, qui est un agent retraité. Il a des bonnes chances d'arriver avant ses confrères.

Hugo réalisa qu'il avait les aisselles trempées. Il ne voulait en aucun cas se faire pincer par les flics. Il était déjà sous le coup d'une probation pour une infraction commise 18 mois auparavant. S'il récidivait, il ferait face à de nouvelles accusations, en plus de celle d'avoir contrevenu à sa promesse de garder la paix. Il devrait jouer différemment sa partie et se méfier de celle que son oncle avait nommée comme procureure.

— J'aurai donc plus besoin de m'inquiéter pour ça! feignit-il. Comment vous aimez ça, à la résidence? demanda-t-il ensuite à Raoul afin de changer de sujet.

— Ça va plutôt bien. On est bien traités et les employés sont très gentils.

Raoul n'avait pas apprécié l'attitude du jeune homme et il le craignait d'autant plus. Il lui faudrait prendre du recul et l'éloigner de sa vie, car il se doutait que ce dernier ne pourrait que lui causer des problèmes. Il en parlerait bientôt à Dominique afin qu'elle soit aussi sur ses gardes.

— Tu vas m'excuser, mon jeune, mais je dois aller dans la maison pour y chercher des affaires qui me manquent. Il y a juste Doris et sa fille qui connaissent le code du système ! précisa-t-il en secondant sa sœur et en grimpant à son tour dans le bateau qu'elle avait si bien monté.

Hugo repartit donc en direction de son véhicule, en remerciant le Ciel de ne pas avoir squatté encore une fois la demeure du vieil homme. Il n'était vraiment pas chanceux ! Il devrait être plus prudent à l'avenir.

Doris se réjouissait du tour qu'elle venait de jouer à cet individu qu'elle redoutait grandement. Quand elle raconterait l'anecdote à sa fille, celle-ci rigolerait en se figurant l'attitude du magouilleur.

— Raoul, il serait temps que t'arrêtes d'appeler Hugo « mon jeune », parce que c'est plus un enfant. Si tu te rappelles bien, il est du même âge que mon Claude !

— T'as raison ! À son âge, j'avais une maison à moi et je gagnais ma vie.

— D'après moi, il pensait l'avoir un jour, ta maison ! C'est tout un profiteur !

— T'es une belle, toi, Doris ! T'as pas mal d'imagination. Comme ça, ma maison est protégée par un système d'alarme à la fine pointe de la technologie ! En t'écoutant, je me pensais dans un film de James Bond ! railla Raoul en riant de bon cœur.

Le frère et la sœur entrèrent dans la résidence et, en pénétrant dans le vestibule, Doris fit semblant d'appuyer sur un clavier fictif.

— Bip, bip, bip, bip ! Ça y est, c'est désarmé, monsieur Moreau ! s'amusa Doris.

— T'es folle, mais c'est comme ça que je t'aime! Je crois qu'Hugo viendra plus rôder pour une bonne secousse. Dernièrement, j'ai parlé avec Dominique et je lui ai demandé de s'occuper de vendre la maison le plus tôt possible. De toute façon, je pourrai plus jamais revenir vivre ici tout seul.

— T'en es bien sûr? s'informa Doris, souhaitant s'assurer que son frère ne prenne pas de décisions précipitées. T'aimes pas mieux attendre encore un peu? Y a rien qui te presse!

— Penses-y, Doris! J'ai failli mourir l'automne passé et ma santé me joue constamment des tours!

— T'as sûrement raison! Je devrais peut-être commencer à y voir, moi aussi!

— Tu dois pas te comparer à moi! On a quand même presque 10 ans de différence. Profite du bon temps qu'il te reste à vivre chez toi. Le moment de casser maison arrivera bien assez vite! Et puis tu as des enfants et des petits-enfants proches, et de la visite tous les jours.

— Ça me console quand tu me parles comme ça. Appelle-moi chaque fois où t'auras le goût de sortir et je viendrai te chercher ou mes filles ou mon gars le feront pour moi.

Raoul passa dans chacune des pièces de sa maison pour récupérer les quelques objets qu'il tenait à ravoir. Malgré tout, il avait le cœur serré en pensant aux bons moments qu'il y avait vécus. Il regarda partout en se disant qu'il serait peut-être mieux qu'il n'y revienne plus jamais. Il souhaitait vraiment tourner la page.

Rita attendait la visite de sa fille aujourd'hui et elle était fébrile. La dernière fois qu'elle l'avait vue, c'était en décembre et depuis, il s'était passé tant d'événements dans sa vie! Bien sûr, elle lui avait parlé au téléphone, mais elle éprouvait un besoin viscéral de la serrer dans ses bras.

— Bonjour, madame Blanchard! la salua gentiment la directrice. Qu'est-ce que vous faites toute seule dans le hall d'entrée? Attendez-vous de la visite?

— Oui, Sylvianne, ma fille, descend de l'Abitibi et elle devrait arriver d'une minute à l'autre!

— Quelle bonne nouvelle! J'aimerais bien avoir la chance de la rencontrer. Si vous avez le temps, passez à mon bureau pour me la présenter. C'est agréable pour moi de connaître les enfants de nos résidents.

— Ça va me faire plaisir. J'en ai juste une, mais j'en suis bien fière.

Rita se réinstalla dans le fauteuil avec l'intention de lire une revue, mais elle avait de la difficulté à se concentrer. Elle n'avait pas l'habitude d'être impatiente, mais cet après-midi, elle regardait les aiguilles de sa montre toutes les 20 secondes.

Quand elle vit Sylvianne s'approcher, elle se dirigea d'un pas chaloupé vers la porte pour lui éviter d'avoir à composer le code.

— Sylvianne, ma grande! s'exclama-t-elle en lui ouvrant les bras.

— Maman, répondit sa fille, fais attention pour pas tomber! T'as bien l'air énervée!

La femme était abasourdie de constater combien sa mère avait changé, en quelques mois à peine. Cette dame, habituellement droite et alerte, affichait aujourd'hui une démarche incertaine.

— C'est bien beau ici! On dirait qu'on arrive à l'hôtel! lança-t-elle, agréablement surprise.

— C'est vrai que c'est accueillant, mais attends de visiter ma chambre. Suis-moi, on va prendre l'ascenseur. C'est au troisième étage.

Sylvianne marchait aux côtés de sa mère, en la tenant par le bras, et elle regardait tout autour afin de graver dans sa mémoire chaque détail du décor.

En arrivant devant la chambre de Rita, elle vit une belle photo d'elle apposée sur la porte, avec son nom inscrit en grosses lettres.

— Impossible de te tromper d'endroit! blagua-t-elle.

— T'as bien raison! Pour les employés, c'est sûrement plus facile et je t'avoue que parfois, ça va mieux pour nous aussi. Toutes les entrées sont pareilles et c'est comme ça à tous les étages. L'autre jour, je me suis rendue au 2e et en arrivant devant la porte de ce que je croyais être ma chambre, j'ai bien réalisé que c'était pas ma face dans le cadre! J'ai viré de bord et j'ai monté d'un niveau!

— Arrête de me faire languir et ouvre! Tu m'en as déjà tellement parlé que j'ai hâte de visiter ton nouveau chez-vous!

— Tu vas voir! J'ai jamais rien eu d'aussi beau!

En entrant dans la pièce, Sylvianne fut éblouie par tant d'harmonie et de bon goût.

— On dirait une page de magazine de décoration! Je suis heureuse pour toi!

— Oui, je suis privilégiée que les neveux et nièces d'Hector m'aient fait ce cadeau-là. As-tu remarqué le *set* de chambre et le fauteuil berçant?

— C'est des meubles neufs! Tu m'avais expliqué qu'on te fournirait du mobilier, mais jamais j'avais pensé à quelque chose d'aussi moderne. J'adore les teintes pastel et les motifs fleuris sur la housse de couette et les rideaux.

— La belle-fille de Doris, la sœur d'Hector Moreau, est une designer d'intérieur, et elle sait où elle s'en va. Elle est venue me présenter des échantillons de tissu. On aurait cru qu'elle connaissait mes goûts! Tout ce qu'elle me montrait était beau!

— Ces gens-là sont des professionnels! J'ai une amie à La Sarre qui fait ce travail-là et je te dis que ça m'impressionne!

— Pour le lit et les bureaux, c'est les siens. Elle les avait juste depuis quelques années. Elle emménage avec son conjoint dans une nouvelle maison. Ils s'achètent du neuf!

— T'as une nouvelle télévision et même un vidéo!

— Ça, c'est un cadeau de Jean-Guy, le fils du pauvre Hector. Je te dis, des fois, j'en crois pas mes yeux. Il voulait que j'aie un lecteur de DVD, mais je lui ai expliqué que je louais jamais ça, des films.

— C'est certain que c'est plus utile pour toi d'avoir un magnétoscope pour enregistrer la messe et tes téléromans.

— T'aurais dû voir ça quand ils sont venus faire les travaux. Ils étaient trois hommes pour faire le plâtrage et la peinture. En deux jours, tout était complété. Ensuite, les femmes sont entrées dans la pièce et elles ont refusé que je revienne tant que tout a pas été terminé.

— Tu devais être excitée sans bon sens! J'aurais vraiment aimé ça être là pour participer à tout le projet. Les gens sont tellement bons!

— Inquiète-toi pas avec ça. Probablement que tu aides des gens dans ta région et tu vois, ici, il y en a d'autres qui se sont occupés de moi.

— On appelle ça la loi du retour! T'as raison et ça me console que tu penses comme ça.

— Assis-toi, qu'on jase un peu!

L'ambiance chaleureuse de la pièce était propice aux retrouvailles entre la mère et la fille. Ni l'une ni l'autre ne voulait revenir sur les événements qui avaient conduit Rita dans ce nouvel environnement.

— Avant que tu l'apprennes par d'autres, déclara Rita sur un ton solennel, je dois te dire que je me suis fait un ami.

Sylvianne figea momentanément, mais se ravisa aussitôt. Sa mère était suffisamment autonome pour savoir ce qu'elle faisait. Mais pourquoi donc ne lui en avait-elle pas glissé un mot au téléphone?

— Je t'ai toujours dit que je respecterais tes choix.

— Il est beaucoup plus jeune que moi. Si je t'en ai pas parlé, c'est parce que j'avais peur que tu sois contre.

— Beaucoup, ça veut dire quoi pour toi? s'informa Sylvianne, subitement inquiète de la perspective qu'un homme mal intentionné tourne autour de sa mère.

— Pas mal! Il s'appelle Bruno et il aura 11 ans en juillet! s'esclaffa Rita, heureuse d'avoir réussi la blague qu'elle préparait depuis quelques jours déjà.

— Maman! rétorqua Sylvianne en riant. Tu m'as encore eue!

— C'est le petit-fils de Doris Roy, un petit garçon adorable. C'est Évelyne, sa mère, qui a confectionné mes rideaux et ma housse de couette, et il l'accompagnait chaque fois qu'elle venait. Comme j'avais pas le droit de voir ma chambre avant que tout soit terminé, il passait du temps avec moi. On jouait aux cartes ou on faisait des casse-têtes. J'ai eu beaucoup de plaisir avec lui et il m'a promis qu'il reviendrait me visiter.

Sylvianne était heureuse que sa mère soit si bien entourée,

mais elle se disait que si elle avait déménagé près de chez elle, ce sont peut-être ses propres petits-enfants qui lui auraient apporté cette joie. C'était le choix de Rita de ne pas s'expatrier en Abitibi, comme cela avait été le sien, il y avait de cela plusieurs années.

— Si tu le veux bien, je vais aller te présenter la directrice. Elle m'a mentionné qu'elle aimerait ça te rencontrer. Ensuite, j'irai te faire visiter la place.

— C'est parfait, mais on est pas obligées de tout faire à soir. J'ai réservé une chambre dans un *bed and breakfast* de Sainte-Agathe-des-Monts et je vais passer deux ou trois jours dans la région. Mon mari s'occupe des enfants avec sa mère et il m'a offert une petite vacance. On va donc se voir tous les jours. J'en profiterai également pour aller visiter des amies.

— Tu peux rester le temps que tu voudras ! C'est pas moi qui vais te dire de partir !

＊

Francis et Marie-Ève avaient choisi de quitter l'ancienne demeure d'Hector Moreau, n'étant plus à l'aise de vivre dans une maison où rien n'était fonctionnel. Au tout début, ils avaient fait confiance à leur ami Robert, qui leur avait fait miroiter une belle petite résidence à rénover. Depuis, il y avait eu de gros changements.

Las d'habiter dans un tel chaos, ils avaient décidé de ne pas y rester un mois de plus. Ils avaient bien tenté d'appeler Monique pour la prévenir de leurs intentions, mais elle n'était pas souvent chez elle et elle n'avait pas de répondeur. Ils avaient aussi essayé d'aller la voir à la pharmacie, mais ils avaient été reçus par son patron. Ce dernier leur avait fait comprendre qu'il en avait assez que son employée traite ses affaires personnelles pendant ses heures de travail.

Lundi, en arrivant à la manufacture, son ami Robert vint le voir, afin de connaître la raison de son déménagement.

— Tu peux pas laisser le chantier comme ça! le sermonna-t-il. T'aurais dû voir Monique samedi quand elle s'est aperçue que vous aviez sacré le camp! Je pensais que tu l'aurais appelée avant de partir!

— Je t'aurais jamais fait ça à toi, mais ta Monique Moreau, c'est un méchant moineau! Je pouvais pas me figurer le jour où on aurait eu une maison convenable. Chaque fois qu'on défaisait un morceau, il y en avait un autre qui brisait à côté!

— Je sais qu'elle est pas facile, mais on peut pas arrêter les travaux là!

— Je m'excuse, Robert, mais le père de ma blonde va nous louer un logement dans son triplex et c'est flambant neuf. Il nous fournit le poêle, le frigidaire, la laveuse et la sécheuse, et il dit que si on veut, on pourrait devenir copropriétaires. J'ai un rendez-vous à la banque cette semaine. C'est vraiment un projet qui nous emballe tous les deux.

— Je te comprends, mais tu me mets dans l'embarras. J'aurais pas dû me mêler de vos affaires! se désola Robert.

— Monique avait juste à agir normalement quand on travaillait pour elle! Un soir, elle a fait brailler ma blonde en lui disant qu'elle avait l'air d'une greluche avec ses grands ongles. Tout ça parce que Marie-Ève avait de la difficulté à enlever de la tapisserie. Si je m'étais pas retenu, je l'aurais traitée à son tour de vieille maudite. Je me demande ce que tu fais avec une femme comme elle.

— Tu sais que je m'occupe de ma mère et que ça me

laisse pas beaucoup de temps. Monique est souvent toute seule et on en profite pour faire des petites sorties ou partager un repas. Ça me change du travail et de la routine de maison.

— Tu pourrais trouver beaucoup mieux. Si tu veux, quand on va être installés dans notre nouveau logement, on va t'inviter à l'occasion. Tu connaîtras d'autres personnes qui vont t'apporter un peu plus que cette folle-là.

— C'est quand même une bonne amie, avoua Robert, qui avait déjà pensé pouvoir faire sa vie avec elle.

— T'es pas trop exigeant!

— Peut-être que si elle était en couple, elle serait plus docile! Qui sait?

— D'après moi, à cet âge-là, les mauvais plis sont permanents. Marie-Ève me disait comment elle te trouvait bel homme! Monique, c'est pas une femme pour toi!

— Le genre de personne que j'aime vraiment est parti depuis longtemps et ça m'a fait assez de mal! confia Robert.

— Tu veux dire que tu as déjà eu une blonde sérieuse?

— Oui, et je devais me marier. On sortait ensemble depuis deux ans et on avait planifié nos noces, justement au mois de mai.

— Qu'est-ce qui s'est passé? Elle a changé d'idée à la dernière minute?

— Oui et non. Deux semaines avant le mariage, elle m'a annoncé qu'elle était enceinte.

— Dis-moi pas que ça t'a fait peur? Vous saviez sûrement que ça pouvait arriver!

— À d'autres, mais pas à moi! Quand j'étais jeune, j'ai eu les oreillons et après, l'infection s'est logée dans mes testicules. Ça m'a fait tellement mal que je m'en souviens comme si c'était hier! J'ai subi plus tard des examens et on m'a confirmé que j'étais stérile.

— Est-ce qu'elle t'a avoué avec qui elle avait eu une aventure?

— Oui, elle a pas eu le choix! Elle m'a pas donné le nom du gars, mais j'avais des doutes sur son ami d'enfance. Il venait skier l'hiver et il passait pas mal de temps à la maison.

— Ça prend juste un écœurant pour enlever la blonde d'un autre! s'exclama Francis.

— De toute façon, quand j'ai appris la nouvelle, je lui ai dit que je voulais pas partager ma femme avec quelqu'un d'autre.

— Est-ce que tu l'as revue après ça?

— Elle est déménagée à Montréal. Je l'ai vue de loin quelques fois, quand elle visitait ses parents à Val-Morin, mais j'y ai jamais reparlé! Depuis ce temps-là, j'ai fait une croix sur les projets à long terme. C'est pour ça que je suis ami avec une fille comme Monique. Elle a pas d'enfant, elle travaille et même si elle a mauvais caractère, je peux très bien m'en accommoder. Elle a son chez-eux et j'ai le mien!

— Il y a des hommes qui sont faits fort! J'ai côtoyé ta Monique pendant quelques semaines et j'ai quasiment fait une crise d'urticaire! C'est tout un personnage!

— T'es drôle, Francis! Quand tu seras rendu à mon âge et que t'auras parcouru ma route, tu m'en reparleras. À 25 ans, j'avais des rêves plein la tête et la peur, je connaissais pas ça! Maintenant, je profite de chaque instant qui passe, mais j'ai moins d'ambition. Pourtant, cette histoire-là de maison m'excitait! C'est triste que ça ait mal viré de même!

— T'as beau continuer, mais malheureusement, ma

blonde et moi, on veut pas être dans le barda sans savoir quand tout ça va se terminer.

— Je te comprends! T'aurais dû m'appeler par exemple quand t'as décidé de déménager. Je serais allé te donner un coup de main.

— J'ai eu de l'aide. Il y a un gars qui passait dans le coin et il a eu des problèmes avec sa voiture. Marie-Ève était partie au village avec notre camion parce qu'on manquait de boîtes vides. Il a frappé à la porte pour savoir s'il y avait quelqu'un. Il m'a demandé s'il pouvait téléphoner à un de ses amis pour se faire dépanner.

— C'est quoi le rapport avec ton déménagement?

— Il s'est offert pour m'aider. Il a travaillé avec nous autres le reste de la journée! Il voulait pas prendre d'argent, mais j'y ai donné 50 piastres quand même. Il était pas mal content!

— Il y a encore du bon monde sur la Terre! Est-ce qu'il t'a dit s'il restait dans le coin?

— C'est un gars de Lachute, mais il pense à s'installer dans la région. Je lui ai offert d'aller regarder le problème avec son auto et je l'ai démarrée du premier coup. Probablement que la batterie était faible.

— Je me suis donc sauvé d'un déménagement! conclut Robert en rigolant.

Les deux hommes se quittèrent en très bons termes. Ils travaillaient pour la même compagnie de fabrication d'armoires de cuisine et ils auraient à se côtoyer pendant encore plusieurs années. Il valait donc mieux que la bonne entente règne entre eux.

Hugo Fréchette jouait bien ses cartes. La maison de Raoul n'était pas la seule qui l'intéressait.

Il était allé rôder autour de celle d'Hector à plusieurs reprises, se disant qu'il n'avait sûrement pas apporté tous ses biens à la résidence.

Étant donné que le vieil homme était plus ou moins confus, il était possible qu'il ait caché de l'argent quelque part dans le sous-sol ou dans quelque recoin de la maison. Il attendait le moment propice pour se rendre à l'intérieur et procéder à une fouille de fond en comble. Il devait toutefois s'assurer que les voisins soient absents quand il déciderait d'y pénétrer.

Aujourd'hui, il avait été surpris de trouver des gens sur les lieux, mais il s'en était bien sorti. Arriver pendant que quelqu'un déménage, pour un voyou, cela peut être intéressant. Il s'était fait payer la nourriture et la bière, et il savait maintenant qu'à la fin de la soirée, la maison serait inhabitée!

À défaut de trouver de l'argent, il avait constaté que beaucoup d'outils avaient été laissés dans le cabanon et dans le sous-sol.

Il pourrait liquider la marchandise plutôt rapidement! Il avait de bons contacts dans la région.

Mariette ne voulait pas que son conjoint se fasse inutilement du souci avec son histoire d'héritage. Elle surveillait cependant ses affaires afin qu'il ne se fasse pas damer le pion par sa méchante sœur.

La fin du mois de mai approchait et personne n'avait encore évoqué l'inhumation du pauvre Hector.

— As-tu eu des nouvelles de Monique dernièrement? demanda Mariette à son conjoint.

— Pourquoi tu demandes ça à matin? Je suis assez bien quand j'y pense pas!

— Non, mais on a jamais su à quel moment ils mettraient le corps de ton père en terre.

— T'as bien raison! Je m'excuse d'être aussi bref quand on discute de ma sœur. As-tu remarqué qu'il y a jamais rien de facile avec elle?

— Tu devrais peut-être l'appeler pour t'informer.

— Elle va bien me le dire quand ça sera le temps.

— Veux-tu que je communique avec le presbytère pour savoir la date qui a été prévue? Comme ça, t'aurais pas besoin de lui parler.

— Ça, c'est une bonne idée, mais t'as assez d'ouvrage à faire de même! Trouve-moi juste le numéro de téléphone et je vais vérifier.

Jean-Guy s'installa donc à la table de la cuisine et il prit un papier pour noter les informations.

Quand la communication fut établie, il demanda à parler au vicaire de la paroisse, qu'il connaissait.

— Je sais pas si vous allez me replacer. Je suis Jean-Guy Moreau, le fils d'Hector.

— C'est certain que je vous reconnais! Je pensais bien avoir l'occasion de vous revoir après les funérailles de votre père, mais votre sœur m'a dit que vous demeuriez maintenant assez loin.

— Faut pas exagérer! Je reste à Labelle, à trois quarts d'heure de Val-David. Par contre, ma femme et moi, on a un restaurant et on travaille sept jours par semaine.

— J'espère que vous vous remettez de cette terrible épreuve que la vie vous a imposée!

— Oui, merci. On remonte la pente lentement. Heureusement qu'on a la foi parce que je vous dis que des fois, on aurait le goût de tout abandonner.

— Il ne faut surtout pas penser comme ça, Jean-Guy! Réconfortez-vous en songeant que vous auriez pu être plus gravement blessé dans cet accident!

— De quoi vous parlez? D'après moi, vous me confondez avec quelqu'un d'autre. Je suis le fils d'Hector Moreau, l'homme qui est mort dans le feu à la pension Bisaillon. Moi, j'étais pas là!

— Il y a deux semaines, votre sœur Monique m'a dit que vous aviez été impliqué dans une collision et que vous ne pouviez assister à la mise en terre du cercueil de votre père.

— Mon père a été enterré?

— Oui, à la demande de Monique. C'est elle qui avait signé tous les papiers.

— Il y avait personne d'autre?

— Juste une cousine à elle qui était là pour la soutenir. Elle a expliqué que c'était les volontés du défunt que tout se déroule dans la sobriété. Elle m'a alors parlé de votre incapacité à être présent. Consolez-vous, car elle a pris la peine de déposer deux roses sur la tombe, en mentionnant qu'elles symbolisaient les deux enfants que votre père avait eus.

— Merci, monsieur le curé, articula faiblement Jean-Guy, avant de mettre fin à la conversation.

Mariette se doutait bien de ce qui s'était passé. Elle regrettait cependant d'avoir abordé ce sujet aujourd'hui. Elle songea toutefois que son amoureux aurait appris la vérité tôt ou tard.

Jean-Guy se leva et il se prépara à sortir. Mariette l'interpella.

— Qu'est-ce que tu fais ?

— Je descends à Sainte-Agathe pour régler le compte de ma folle de sœur !

— Non ! Fais pas ça ! Ça donnera rien que tu ailles la voir tout de suite ! Reprends tes esprits avant, ça sera beaucoup mieux !

— Comment tu veux que je me calme quand mon pauvre père a été enterré sans que je sois là ? C'est comme si j'étais un sans-cœur ! s'exclama l'homme éploré.

— C'est pas de ta faute ! chercha à le réconforter sa conjointe. Je sais que t'es blessé, mais tu peux rien faire pour revenir en arrière. Encore une fois, ta sœur a été égale à elle-même !

— J'ai jamais été un homme violent, mais j'aurais le goût de la tuer, la vache ! hurla-t-il, en laissant couler des larmes de rage.

— Parle pas comme ça ! Fais confiance à la Providence ! La méchanceté a jamais été profitable à personne !

— Je te jure qu'elle l'emportera pas au paradis ! J'ai la mémoire longue ! Cette semaine, je vais aller à Sainte-Agathe pour faire dire une messe pour papa. Je vais aussi aller déposer des fleurs sur sa tombe. Il sera pas dit que Jean-Guy Moreau aura oublié son père !

— Ta tante Doris est sûrement pas au courant, ni ton oncle Raoul. Je me demande bien comment ils vont réagir. Ta sœur est vraiment incroyable !

Jean-Guy n'attendrait que le règlement final du testament pour bouger ! Dès que ce serait terminé, ce serait à son tour de prendre sa revanche !

CHAPITRE 5

Projet de voyage

(Mai 2008)

Il y a trois ans, un couple d'amis de Dominique et Patrick avait pris sa retraite et avait fait l'acquisition d'un véhicule récréatif. Depuis, ceux-ci partaient dès la mi-octobre pour la Floride et ne revenaient qu'à la fin du mois de mars.

L'automne dernier, ces amis avaient proposé à Dominique et Patrick de les accompagner dans leur périple projeté vers l'Ouest canadien. Leur véhicule récréatif était suffisamment grand pour accueillir confortablement quatre personnes.

Dans le passé, à l'époque où ils travaillaient tous, les deux couples avaient partagé des vacances au soleil. Ils avaient pour habitude de changer de destination tous les ans. Ils avaient de beaux souvenirs de séjours à Cuba, au Mexique et en République dominicaine, où ils étaient allés à quelques reprises.

Leurs périples s'étaient cependant toujours limités à des déplacements d'une semaine, ou d'au maximum 10 jours. Jamais ils n'avaient eu de différends. Cette fois-ci, le style d'excursion proposé était distinct et nécessitait, selon eux, un souper-rencontre. Ils souhaitaient établir ensemble l'itinéraire et la durée du circuit. Le départ était prévu pour les derniers jours de juillet.

Patrick avait réellement le goût d'être du voyage et il s'était abondamment documenté sur les provinces de l'Ouest. Une fois rendu à Vancouver, il aimerait descendre vers San Francisco, Los Angeles et Las Vegas, avant de revenir au Québec, en passant par le nord des États-Unis.

— Tu devrais voir toutes les informations que j'ai trouvées en fouillant sur Internet! expliqua-t-il à sa femme, pendant qu'il éparpillait toute sa documentation sur la table de la salle à manger.

— Ouais, répliqua Dominique machinalement, pendant qu'elle avait la tête complètement ailleurs.

— J'ai également fait préparer un itinéraire par le CAA[5]. Ça va nous permettre de faire des choix plus éclairés. On retournera peut-être plus jamais dans ce coin-là. Aussi bien en profiter au maximum!

— Tu parles de quoi, exactement? l'interrogea son épouse, comme si elle venait de revenir sur Terre.

— De notre voyage dans l'Ouest canadien! C'est samedi prochain qu'on doit souper avec nos amis pour en discuter. Je voulais jaser avec toi des démarches que j'ai entreprises. J'aimerais avoir ton avis.

— J'ai pas eu le temps de penser à ça, avoua Dominique à son mari. Qu'est-ce que tu dirais si on remettait ce voyage-là à plus tard? À la place, on pourrait aller passer un long week-end à Québec ou dans l'Outaouais.

Patrick n'était pas prêt à abandonner ce projet de vacances.

— J'espère que t'es pas sérieuse quand tu parles comme ça!

---

5   CAA: Association canadienne des automobilistes.

J'ai planifié ce voyage-là durant tout l'hiver et là, on est tout près du départ et tu m'annonces ça? Dis-moi donc ce qui te tracasse.

— J'ai pas vraiment le goût de m'en aller et de laisser mon oncle Raoul! avoua-t-elle de but en blanc.

— C'est pas vrai! balança Patrick, qui n'était cependant pas surpris de l'attitude de son épouse.

— Essaie de me comprendre! se défendit-elle.

— Je suis content que tu puisses t'occuper de ton parrain, mais pas au détriment de notre vie de couple. L'hiver passé, quand on a pris nos vacances dans le Sud, t'as pas parlé de la semaine. J'avais l'impression que ta tête était restée au Québec.

— Peut-être pas ma tête, mais mon cœur, oui! répliqua-t-elle fermement.

— Veux-tu me dire que tu tiens plus à lui qu'à moi? C'est pas normal, ça, Dominique! Tu m'as jamais dit qu'on mettrait notre vie en veilleuse parce que t'as accepté le mandat de voir au bien-être de ton vieil oncle!

— C'est trop long, partir quatre à six semaines! Tu te souviens qu'il a failli mourir en novembre dernier. S'il fallait qu'il ait besoin de moi pendant que je serais à l'autre bout du Canada! Pire encore, s'il décédait pendant ce temps-là, je me le pardonnerais jamais!

— Je pense que t'exagères! L'oncle Raoul est très bien dans sa nouvelle résidence et il a tous les soins nécessaires. Tu pourrais demander à ta sœur d'aller le voir pendant ton absence, et même à ta mère. Claude accepterait sûrement aussi de faire sa part. Tu pourrais l'appeler une ou deux fois par semaine, si t'es trop inquiète.

Dominique savait que son mari avait raison, mais elle était tiraillée.

— Cet après-midi, je dois aller lui porter des vêtements que j'ai fait nettoyer. J'en profiterai pour aborder le sujet avec lui. Je verrai alors comment il va réagir.

— Dominique, on dirait que tu veux rien entendre! J'ai l'impression de parler dans le vide! T'as pas à demander la permission à ton oncle pour prendre des vacances. T'as juste à le prévenir que tu vas t'absenter pour un temps, c'est tout. Il va très bien comprendre, c'est un homme intelligent. C'est pas lui, le problème, c'est toi! Tu joues à la mère poule et ça me tape sur les nerfs!

— C'est lourd de porter le poids d'une telle responsabilité. Je me disais que pour la première année, on aurait pu rester ici. L'an prochain, ça aurait été autre chose.

— Si tu réagis de cette façon-là, on va sûrement avoir des divergences d'opinions et des longs soupers-causeries. Il faudrait pas que pour aider un membre de ta famille, tu détruises ce qu'on a mis tant d'années à construire! ragea-t-il, en ramassant tous les documents qu'il avait étalés sur la table et sur lesquels Dominique n'avait pas daigné poser le regard.

— Je me sens vraiment déchirée! Il lui reste si peu d'années à vivre, alors que nous, on a tout le temps devant nous!

— De toute manière, t'en fais toujours plus que le client en demande! Faudrait que tu sois logique, pour une fois dans ta vie! Ton oncle est pas la première personne âgée de la Terre qui vit en résidence. C'est pas lui qui sera le dernier non plus, grogna le mari furieux en quittant la pièce pour se réfugier dans son bureau.

Dominique était triste de constater que son conjoint lui donnait un tel ultimatum.

Depuis qu'elle avait vu son parrain frôler la mort, elle

s'imaginait qu'il était en vie parce qu'elle l'accompagnait. Elle ne pouvait se résoudre à l'abandonner.

Décontenancée, elle se rendit à la salle de bain pour prendre sa douche. Elle irait ensuite parler avec Patrick. Il lui faudrait tenter d'apaiser sa colère. Elle lui demanderait de confirmer pour le souper prévu avec les amis.

Quand elle termina sa toilette, elle constata que son conjoint avait déjà quitté la maison, sans lui avoir écrit un mot. Ce n'était pas dans ses habitudes. Des larmes coulèrent sur ses joues alors qu'elle aurait eu le goût de crier sa peine.

Elle se prépara ensuite et, comme prévu, elle se rendit à la résidence de son parrain. Pendant le long trajet entre Lorraine et Sainte-Agathe-des-Monts, elle se forgea un scénario. Elle imagina que le vieil homme serait assis dans son fauteuil berçant et qu'il dormirait ou qu'il serait en train de prier. Comment réagirait-il quand elle lui parlerait de son prochain voyage?

À sa grande surprise, à son arrivée, son oncle n'était pas dans sa chambre. Elle le trouva dans l'immense salon, où avaient lieu occasionnellement des activités.

C'était l'après-midi et une professeure de musique à la retraite était venue jouer des airs connus sur le piano droit offert par un résident. Les aînés présents tenaient un cahier contenant les paroles de chansons de leur époque et ils étaient invités à chanter. Pour le moment, la majorité d'entre eux fredonnaient une pièce française, *Cerisiers roses et pommiers blancs*, qu'ils avaient entendu interpréter par Tino Rossi dans leurs jeunes années.

Dominique ne se fit pas voir et elle en profita pour observer à la dérobée l'attitude de son oncle. Il marquait la cadence avec ses pieds et il souriait en regardant ceux qui avaient peine à suivre le rythme de la chanson. Contrairement à d'autres personnes âgées, il restait un peu en retrait et ne partageait pas ses impressions avec ses voisins entre deux mélodies. Sa surdité l'empêchait de bien saisir les conversations quand trop de gens étaient présents. Si on lui adressait la parole, il répondait souvent par un léger signe de tête, acquiesçant tout simplement et évitant alors d'engager un dialogue.

Dominique songea que son parrain n'avait sûrement pas mis son appareil ce matin, car il savait qu'il y aurait beaucoup de bruit. Il semblait heureux.

Elle comprit dès lors qu'elle lui nuirait si elle se montrait trop accaparante envers lui. Elle devait lui laisser son autonomie et ainsi lui permettre de se lier d'amitié avec les préposés, les animateurs et les autres résidents de la Villa.

Patrick avait totalement raison. Quand son parrain fut de retour à sa chambre, Dominique en profita pour lui annoncer sa nouvelle.

— Vous savez, mon oncle, Patrick et moi, on avait prévu de faire un long voyage cet été. On devrait partir un peu plus de quatre semaines avec un couple d'amis qui possède un grand Winnebago. On doit aller visiter les provinces de l'Ouest! Patrick dit toujours qu'on va partout dans le monde et qu'on a pas encore vu notre propre pays!

— Il a bien raison! Je suis heureux pour toi, ma belle fille! Profites-en pendant que tu as ton mari avec toi. J'ai beaucoup aimé me promener avec Irène. Si on s'était connus plus jeunes, on aurait fait plus de randonnées nous aussi.

— Vous me rassurez beaucoup!

— Faut que tu penses que notre temps sur la Terre est

compté! C'est pourquoi il faut profiter de toutes les occasions pour vivre du bon temps!

— Vous êtes un sage, mon oncle. Depuis votre arrivée ici, vous avez réellement repris du poil de la bête[6], comme dirait maman!

— C'est certain que c'est pas comme chez nous, mais on peut pas tout avoir! Une bonne chose, c'est que je dors bien. Je suis plus jamais inquiet. Des fois, je me couche à 8 heures le soir et je me réveille à 5 heures du matin.

— Je suis contente! Faites-vous bien attention quand vous allez à la salle de bain la nuit?

— Tu m'as installé une petite veilleuse et je la laisse toujours allumée. C'est juste assez clair pour que je me rende d'une pièce à l'autre sans problème!

— C'est parfait! Il faut juste que vous pensiez à pas partir trop vite. Prenez le temps de vous asseoir sur le bord du lit avant de vous lever.

— L'infirmière qui vient *checker* ma pression m'a tout expliqué ça. Elle dit que si je me lève comme un *spring*, je peux être étourdi.

— Ils appellent ça des vertiges. Vous l'aimez bien, cette femme-là, hein?

— Oui! Elle a beaucoup d'expérience et on voit qu'elle sait de quoi elle parle. Avant d'arriver à la Villa, j'avais toujours des problèmes avec mes intestins. Ou bien j'étais constipé pendant une couple de jours ou j'avais de la diarrhée. Depuis que je suis ici, je suis réglé comme une horloge.

— C'est parce que vous mangez bien et surtout que vous buvez probablement plus d'eau.

— C'est pas ça! intervint Raoul, heureux de faire part à

---

6 Reprendre du poil de la bête : aller mieux après avoir été malade.

sa filleule de ce qu'il avait appris. Ginette, la garde-malade, avait vu que je gardais du lait de magnésie sur mon bureau. Elle m'a demandé ce que je faisais avec ça. Je lui ai dit que c'était pour être certain que mes intestins fonctionnent bien. Après, elle s'est informée de ce que je faisais quand j'avais de la diarrhée et je lui ai montré ma bouteille d'extrait de fraises. Elle m'a obligé à tout arrêter ça!

— Elle a tout à fait raison. Maman est pareille! Il faut pas prendre n'importe quoi quand on a des problèmes! À part de ça, vous avez pas eu d'autres malaises?

— Non. Je te le dis, je pense que j'ai rajeuni depuis que j'ai déménagé ici! Les journées passent vite et on a une belle routine de vie. Il y a bien des fois où je suis un peu marabout, mais ça dure jamais longtemps.

— Avec madame Durocher, comment ça va? s'inquiéta Dominique, en entendant son oncle parler de son humeur changeante.

— Pas mal! Il y a une dizaine de jours, je suis allé marcher avec elle. On a fait un tour au cimetière et après, on a arrêté au restaurant du coin pour prendre un café.

— Je suis contente que vous vous soyez réconciliés. Parfois, nos paroles dépassent notre pensée.

— Ça m'a pris une petite secousse pour m'accoutumer ici. J'ai fait subir mon caractère de vieux à du monde qui le méritait pas.

— C'est du passé, maintenant! Vous avez réglé tout ça rapidement. Vous m'avez rien dit à propos de madame Rita, celle qui était à la résidence de mon oncle Hector. Est-ce que vous la croisez, des fois?

— Je la vois, mais j'ai un peu de la misère à aller lui parler. Il me semble que ça me rappelle trop ce qui est arrivé à mon frère.

— C'est pas de sa faute, la pauvre! Il faut pas lui en tenir rigueur.

— Je lui en veux pas, mais ça me tord les tripes! Laisse-moi encore un peu de temps et je vais sûrement briser la glace.

Dominique était heureuse que son oncle aille bien aujourd'hui. Elle repartirait la tête en paix. D'une semaine à l'autre, il reprenait des forces. Il n'avait plus rien à voir avec l'homme qui avait reçu l'onction des malades quelques mois plus tôt.

— Avez-vous le goût de sortir dîner au restaurant avec moi ce midi? lui demanda-t-elle.

— J'aurais bien voulu, mais aujourd'hui, le *cook* nous fait des cigares au chou et j'adore ça! C'est justement madame Durocher qui lui en avait parlé! Je te dis qu'on est chanceux d'avoir un cuisinier qui aime les vieux. Il vient nous voir à la table et il nous joue même des tours. L'autre fois, j'avais dit à la préposée que j'avais pas une grosse faim, de pas me servir une grosse portion. Eh bien, le chef m'a envoyé du pâté chinois dans la plus petite assiette qu'il avait! Tout le monde a bien ri!

Dominique était maintenant convaincue: sa décision avait été la bonne! Son oncle était heureux à La Villa des Pommiers.

Ce soir, elle annoncerait à Patrick que c'était réglé! Ils pourraient partir pour faire ce grand voyage.

Elle avait aujourd'hui franchi un pas vers le fameux lâcher-prise.

Monique n'avait pas eu de nouvelles de son ami Robert depuis qu'elle s'était fâchée à propos du départ de ses locataires. À quelques reprises, elle avait pensé à le rappeler, mais elle s'était toujours ravisée. Elle n'était pas de ceux qui faisaient les premiers pas.

Ce soir, elle avait demandé à Suzanne si elle avait le goût de partager une pizza avec elle. Sa confidente avait accepté l'invitation.

En l'attendant, elle avait débouché une bouteille de vin. Elle l'avait ensuite transvidée dans une carafe, comme l'avait conseillé Jacques Orhon, le réputé sommelier. Elle avait l'habitude d'essayer tous les trucs proposés lors d'émissions de services. Elle était censée patienter une trentaine de minutes avant de le servir, mais elle tricha et s'en versa une coupe, qu'elle sirota avant l'arrivée de sa cousine.

Quand la sonnette retentit, elle ne se déplaça même pas. Elle cria de sa voix puissante.

— C'est ouvert!

Suzanne entra et elle se rendit directement dans la cuisine.

— Tu barres pas ta porte? lui lança-t-elle, en guise de salutation.

— Je savais que tu t'en venais et je voulais pas être obligée de me lever. On est en plein jour et chez nous, on a été élevés comme ça. Tout était ouvert de jour comme de nuit.

— Oui, mais c'était avant, ça! Je me permets de te rappeler qu'il y a quelques semaines, à Rivière-Ouelle, un malade est entré dans une résidence en pleine nuit et il a enlevé une femme. La malheureuse a été retrouvée morte dans la cave d'une maison abandonnée tout près de chez elle.

Suzanne avait suivi tout ce qui avait été raconté à propos de cet événement, survenu le 18 mai dernier. La victime, Nancy Michaud, attachée politique du ministre Claude Béchard, avait été froidement abattue.

— C'est pas parce que c'est arrivé une fois que ça peut se reproduire.

— Pauvre petite femme! Depuis cette affaire-là, j'ai de la misère à dormir! Je laisse des lumières allumées dans la cuisine et dans le salon.

— T'as raison, des fois, je suis insouciante, mais toi, on dirait que tu te nourris de toutes ces nouvelles macabres. C'est normal que tu passes tes nuits debout!

— Je tiens ça de maman, qui était abonnée au journal *Allô Police*. Quand elle le recevait, on était certains qu'on la perdait pour une secousse. Une vraie maniaque! Je suis moins pire qu'elle, par exemple.

— Mon frère achetait le *Photo Police* en cachette. Dans les pages du centre, il y avait des femmes quasiment toutes nues. Je te dis que ma mère lui avait passé un savon quand elle avait vu ça dans sa chambre!

— D'après moi, tous les gars ont fait des affaires de même, et les filles aussi! Comment ça se fait que t'étais au courant de ça? Il a fallu que tu le regardes pour le savoir!

— C'était assez sévère chez nous! Il fallait bien se trouver une façon pour se déniaiser un peu. De toute manière, veux-tu bien me dire pourquoi on parle de ça à soir?

— As-tu commandé le lunch?

— J'attendais après toi. La dernière fois, ça t'avait pris une éternité avant d'arriver!

Monique ne laissait jamais passer une occasion de critiquer les autres. Elle téléphona au restaurant et commanda une pizza moyenne, toute garnie, mais avec très peu de sauce, beaucoup de pepperoni, quelques poivrons et une tonne de mozzarella. Elle voulait que celle-ci soit chaude quand elle serait livrée. Elle spécifia également qu'elle souhaitait une petite boule de pain au centre pour éviter que le carton colle au fromage.

— J'ai même pas eu à donner mon nom et mon adresse, fit-elle remarquer à Suzanne. Cette fille-là a une méchante mémoire !

— Quand on est une cliente détestable, c'est rare qu'on nous oublie !

— Suzanne Pagé ! Si t'es venue ici pour rire de moi, tu peux t'en retourner !

— T'es donc bien à pic à soir ! Je t'ai juste dit la vérité !

— On passe à un autre appel ! balança Monique, qui ne souhaitait pas se chicaner avec sa cousine et amie. Elle ne pouvait compter que sur elle pour l'instant. Il valait mieux la ménager.

— J'ai rencontré ton cousin Hugo cet après-midi.

— Il est pas parent avec moi ! C'est le gars que mon oncle avait pris sous son aile quand il était plus jeune. Tu l'as vu où ? Je voulais justement savoir comment je pouvais le rejoindre.

— Il m'a demandé si la maison de ton père était à louer. Je lui ai répondu que je t'en parlerais.

— C'est plus à lui, asteure, c'est à moi ! Vous avez bien de la misère à vous rentrer ça dans la tête, coudonc !

— Je m'excuse, madame Moreau ! s'inclina Suzanne. De toute façon, je lui ai donné ton numéro de téléphone. Il va sûrement t'appeler. Il a commencé à travailler pour un paysagiste et il m'a dit qu'il restait chez un de ses amis à Val-David.

— De quoi il avait l'air ?

— Il était habillé proprement. Je veux dire, il portait des jeans et un chandail ordinaire, mais il paraissait bien. Il s'est coupé les cheveux et même la barbe.

— Je me demande s'il est habile de ses mains.

— Aurais-tu besoin d'un massage? la taquina la cousine.

— Hé que t'es niaiseuse! Je me disais que s'il savait travailler un peu, il pourrait continuer mes rénovations d'ici l'automne. Il faut vraiment que je décide ce que je vais faire.

— Penses-tu déménager là, à un moment donné?

— Ça va dépendre de l'argent qu'il va me rester de l'héritage. Si Jean-Guy me fait pas de trouble, je pourrai peut-être rendre la maison habitable. C'est certain que je devrais voyager, mais de Val-David à Sainte-Agathe-des-Monts, c'est pas très loin.

— Autrefois, le monde parcourait même cette distance-là à pied.

— Je t'avoue que ça me coûte cher, mon petit logement ici, et le propriétaire fait jamais de travaux. J'ai encore des vieux châssis d'aluminium qui sont difficiles à ouvrir comme le diable!

— À mon avis, tu changerais pas pour plus de luxe, mais au moins, tu serais chez vous.

— C'est Robert qui me dérange dans tout ça! Je pensais qu'il m'aiderait plus que ça. Depuis que le locataire est parti, il m'a même pas donné signe de vie.

— Tu lui avais sûrement chanté des bêtises pour qu'il arrête de te visiter. Je te connais assez bien quand tu pètes les plombs!

— Mais d'habitude, après quelques jours, il me rappelle. Je me demande s'il aurait pas rencontré quelqu'un d'autre.

— Vous étiez pas un couple *steady* de toute façon. Il aurait bien pu aller voir ailleurs.

— Si c'est ça, je pourrais faire pareil! menaça-t-elle.

Ce soir, Monique buvait du vin comme si c'était de l'eau et elle ne mangeait que quelques bouchées de son repas.

Suzanne faisait tout le contraire, se gavant comme une oie et prenant garde de ne pas trop s'enivrer. Elle devrait conduire sa voiture pour retourner chez elle.

Soudain la sonnerie du téléphone retentit et Monique répondit.

Son amie aurait aimé avoir la chance d'entendre la conversation. Elle voyait sa cousine grimacer en écoutant les propos de son interlocuteur. Celle-ci s'empara d'un crayon et nota quelques informations à l'intérieur de la boîte de pizza.

— C'était mon cousin Claude. Ils font une fête pour ma tante Doris, qui va avoir 80 ans, et ils m'invitent! Ils font ça dans sa maison neuve. Je voulais pas lui dire non à lui, mais je dois absolument me trouver une excuse.

— Ça te tente pas d'aller visiter le petit château qu'il a construit pour sa princesse?

— On dirait que t'es jalouse! C'est vrai que sa blonde a l'air hautaine, mais mon cousin est un homme ben simple.

— Pourquoi on en a pas rencontré, des gars comme ça, nous autres? On est des bonnes filles, travaillantes, honnêtes et quand même pas trop laides.

— J'ai arrêté de me poser la question il y a bien longtemps. De toute manière, quand tu regardes les couples se séparer les uns après les autres, tu remercies quasiment le Ciel de pas faire partie de la gang!

— Monique, tu imagineras jamais qui j'ai vu dans le village la semaine passée! enchaîna Suzanne.

— Non, mais tu peux me le dire!

— Ton oncle Raoul, qui marchait avec une petite femme

toute délicate. Une dame de son âge, probablement une résidente de La Villa des Pommiers. Il s'est vite acclimaté à sa nouvelle place, le bonhomme!

— Je sais pas ce que Dominique va penser de ça! Si elle vise son héritage, elle va peut-être frapper un nœud, si quelqu'un lui tourne autour!

— Il la tenait pas par la main, par exemple. Ils marchaient juste côte à côte.

— Ça a commencé comme ça entre mon père pis la bonne femme Blanchard!

— As-tu des potins de ta *job* à me raconter? questionna Suzanne, qui voulait changer de sujet.

De temps à autre, les deux filles s'amusaient à deviner l'état de santé et les maladies qui affligeaient les gens de la ville qu'elles connaissaient selon les ordonnances et les articles divers qu'ils se procuraient à la pharmacie.

— Non, on dirait que les préposées me parlent moins. J'ai quand même vu la plus vieille du chiro venir acheter des capotes.

— T'es pas sérieuse? Elle doit pas avoir plus que 14 ou 15 ans!

— Quand je l'ai croisée dans la rangée, je lui ai demandé si elle avait trouvé tout ce qu'elle cherchait, en regardant la boîte qu'elle tenait dans sa main. Elle m'a répondu oui!

— Tu devais avoir un grand sourire, je suppose?

— C'est certain! Ensuite, je lui ai mentionné que ce genre de produit là était pas échangeable ni remboursable! Je te dis que j'aimerais bien ça pogner la fille d'Évelyne à faire la même chose!

— Tu sais bien qu'elle viendrait pas à Sainte-Agathe pour acheter ça! Elle est pas folle!

— Non, mais je peux toujours rêver!

Les deux filles éclatèrent d'un rire malicieux. Monique continua de boire du vin, tandis que Suzanne ramassa la vaisselle et se prépara un café.

La soirée s'était bien déroulée, mais Monique était tout de même en train d'élaborer une machination. Elle devait rencontrer Hugo, mais elle ne voulait pas que Suzanne soit au courant.

Demain matin, elle aurait les idées plus claires. Elle devrait établir son plan d'action.

Il était dit que *la nuit porte toujours conseil*!

———

Depuis une dizaine de jours, Évelyne avait reçu plusieurs appels anonymes. Personne ne parlait et l'interlocuteur raccrochait dès qu'elle répondait. Ces curieux appels l'inquiétaient fortement. Elle en avait discuté avec son conjoint, qui lui avait suggéré de doter leur ligne téléphonique d'un afficheur, mais elle avait refusé.

— C'est peut-être des voleurs qui veulent savoir s'il y a quelqu'un à la maison.

— Est-ce que c'est toujours à la même heure que tu reçois ces appels-là?

— Non, à des heures différentes. C'est rendu que je fais le saut quand le téléphone sonne!

— T'as pas à te faire du mouron comme ça! Ferme le volume! On a une boîte vocale après tout.

— Je te dis que depuis qu'Hugo traîne dans le coin, j'ai pas la tête tranquille. Ce gars-là, c'est de la mauvaise graine!

— Tu parles comme ta mère! Si t'es trop inquiète, on peut faire installer un système d'alarme.

— Pas à ce point-là, quand même. Mais je voudrais pas que maman soit victime d'un homme malhonnête comme lui. On était si bien quand il restait loin! Je me demande pourquoi il est revenu.

— L'appât du gain, ma chère! Je vais trouver le moyen de lui tendre un piège!

— Arrange-toi pas pour nous mettre dans le trouble!

— C'est peut-être pas lui non plus. Faudrait pas que tu cèdes à la panique!

— On a vécu trop d'émotions dans la dernière année! J'aurais besoin d'un peu de répit! S'il fallait que ce soit les enfants qui répondent! Tu sais que Bruno est encore pas mal jeune.

— Oublie ça pour le moment. Demain, c'est dimanche. Qu'est-ce que tu dirais de faire la grasse matinée?

— Tu commences à y prendre goût, de paresser au lit!

— C'est pas vraiment ça comme les caresses qui m'attirent le plus, murmura le conjoint, en jouant dans les cheveux d'Évelyne. À moins qu'on prenne un peu d'avance ce soir?

— Toi là, quand tu me fais des petits yeux comme ça, on croirait que t'es en amour!

— Ça se pourrait bien! Mais je te dirai pas avec qui! la nargua-t-il.

Bruno regardait un film au sous-sol avec sa grande sœur et il était monté dans la cuisine pour se chercher des grignotines.

— Noémie, confia-t-il en riant à sa sœur, de retour auprès d'elle, j'ai surpris maman et papa qui se faisaient des minouches comme dans l'émission de mamie, *Les Feux de l'amour*!

— Avant d'être nos parents, c'était aussi un couple d'amoureux, lui expliqua-t-elle.

— Sais-tu pourquoi ils se sont jamais mariés ?

— Non, mais j'avoue que j'aurais voulu qu'ils le soient. Il me semble que j'aurais été moins inquiète qu'ils puissent divorcer, même si ça peut arriver quand même.

— Ça serait le *fun* qu'ils décident de le faire, même si on est grands maintenant. Il y en a qui le font.

— En tout cas, ça ferait un beau party ! Moi aussi, j'aimerais ça, me marier un jour et je pense que toutes les filles en rêvent, même si elles le disent pas toujours.

— Je connais pas ça, moi, les affaires de filles, reconnut le jeune Bruno. Quand je vais être assez vieux, si j'ai une blonde à mon goût, je vais lui demander de me marier, comme dans les films. Je vais faire comme papi a fait avec mamie. D'après moi, c'est eux autres qui avaient raison.

Cette discussion commençait à incommoder la jeune fille, qui avait une conscience beaucoup plus aiguisée des hauts et des bas que traversaient ses parents. Elle ne voulait pas pour autant apeurer son jeune frère.

— Je pense que tu vas faire un excellent mari, mais t'as des croûtes à manger avant ! le provoqua-t-elle.

— Pis toi, répliqua-t-il, frustré, il serait peut-être temps que t'arrêtes de bourrer ta brassière de Kleenex ! Je le sais, je t'ai vue faire !

L'harmonie fraternelle était rompue. Il y avait tout à parier qu'avant très longtemps, les parents seraient obligés de venir mettre un terme à leur querelle.

CHAPITRE 6

Triste anniversaire

(Juin 2008)

Laurence et Claude avaient emménagé dans leur nouvelle maison au mois de mai et depuis, ils vivaient un bonheur que bien des gens enviaient.

Ils avaient parachevé les travaux et tout était fin prêt pour recevoir des invités lors d'une heureuse occasion.

À la mi-mai, Doris avait célébré ses 80 ans et, d'un commun accord, ses enfants n'avaient pas souligné l'événement de façon très élaborée. Ils lui préparaient une grande fête, qui aurait lieu chez Claude. Les membres de la famille laisseraient entendre qu'ils allaient pendre la crémaillère afin de lui réserver l'effet de surprise.

Afin que tout semble plausible, le 16 mai, jour de l'anniversaire de Doris, Évelyne était passée dîner avec elle et elle lui avait offert une carte de souhaits dans laquelle elle avait inséré des billets de loterie.

— J'aurais bien aimé t'inviter à souper, mais ce soir, Xavier travaille et les enfants ont des cours. Ils viendront quand même te faire leur câlin après l'école. Je voudrais pas qu'ils oublient leur grand-mère le jour de sa fête !

— Changez pas vos plans pour moi! avait lancé Doris, qui était tout de même quelque peu déçue.

Elle se disait que ses enfants lui préparaient peut-être une surprise pour le week-end, mais c'était avant que sa fille n'éteigne son espoir.

— Samedi et dimanche, je fais l'inventaire à l'épicerie, avait-elle spécifié. Noémie va venir avec moi. C'est beaucoup d'ouvrage, mais le commerce va être fermé et on sera plusieurs pour compter toute la marchandise.

— Ça fait une bonne secousse que t'as pas travaillé la fin de semaine, avait observé Doris. Il me semble qu'avec les touristes, vous auriez pu faire ça un jour de semaine.

— C'est pas moi le *boss*! avait répondu Évelyne, qui avait remarqué que sa mère était contrariée.

En après-midi, c'est Dominique qui avait passé un peu de temps avec sa mère. Elle lui avait apporté un magnifique bouquet.

— Tu dis toujours que tu veux rien recevoir. J'ai donc décidé que des fleurs, ça ensoleillerait ta maison pendant quelques jours.

— C'était pas nécessaire, avait soupiré Doris, qui pensait qu'on avait 80 ans une seule fois dans une vie. À son avis, l'événement aurait bien mérité une petite rencontre familiale.

— En fin de semaine, on a été invités chez des amis à Coaticook, avait renchéri sa fille, qui regrettait tout de même de faire vivre ces moments de tiraillement à sa mère. Patrick a hâte de voir son copain d'enfance!

— Je suis heureuse pour lui! Claude et Laurence m'ont téléphoné pour que j'aille souper avec eux autres à soir, avait avoué Doris. Ils veulent m'emmener au restaurant Le Villageois.

— S'ils nous en avaient parlé, on serait peut-être allés

avec vous, s'était plainte Dominique, qui était de connivence avec son frère. J'adore ce restaurant!

— Il est peut-être pas trop tard. Appelle-le! avait insisté
l'aînée, qui avait vraiment le goût de célébrer le jour même
de sa fête.

— C'est impossible! Je dois retourner à la maison parce
que j'ai un rendez-vous en fin d'après-midi. On se reprendra
une autre fois.

Le jour de son 80ᵉ anniversaire de naissance, les enfants
de Doris avaient donc tous eu de belles attentions envers
leur mère, mais celle-ci s'en voulait d'avoir eu des attentes.
Ils étaient tous très occupés et c'était égoïste de sa part d'en
exiger plus.

Le samedi 7 juin, toute la famille Moreau-Roy était invitée
chez Laurence et Claude afin de pendre la crémaillère de
cette magnifique maison.

Toute la semaine, Doris s'était demandé comment elle
allait s'habiller et ce qu'elle pourrait bien leur offrir comme
cadeau.

— La blonde de Claude est bien gentille, mais je peux
dire qu'elle me gêne un peu, avait-elle confié à Évelyne,
quelques jours avant la soirée.

— C'est une idée que tu te fais parce que Laurence est
tout, sauf prétentieuse. Elle a du goût, mais elle est toujours
bien simple. Tu te demandes quoi porter pour cette soirée-
là? Pourquoi on irait pas magasiner à Saint-Sauveur?

— Me prends-tu pour Rockefeller? J'ai pas les moyens
d'aller dans ces boutiques-là!

— Maman, il y a du linge pour tous les âges et pour tous les prix! Suffit d'être dans les bons endroits, au bon moment! avait assuré Évelyne.

— Si tu le dis. Et qu'est-ce que je vais leur donner en cadeau? Ça se fait pas d'arriver les mains vides! Les jeunes, ils s'achètent à mesure ce qu'il leur faut.

— J'ai ma petite idée là-dessus! Laisse-moi faire!

Évelyne avait donc réussi à amener sa mère magasiner et elle lui avait trouvé un bel ensemble pantalon en tricot de coton. Elle lui avait aussi pris un rendez-vous chez sa coiffeuse et elle lui avait mentionné qu'elle irait la chercher avant le souper.

— Si tu veux, tu mangeras avec nous autres et on s'en ira chez Claude tout de suite après le repas. Pour ce qui est du cadeau, regarde ce que j'ai préparé! lui avait-elle dévoilé, en lui présentant un superbe encadrement d'une photo de ses parents au moment de leur rencontre.

— Où t'as pris ça? s'était informée Doris, sur la défensive. T'es venue fouiller dans mes albums?

— Oui, mais c'était pour une bonne cause. Je voulais un portrait de vous deux et j'avais besoin de le faire agrandir. J'en ai également fait une copie pour moi et une pour Dominique.

— Pis moi?

— T'as la petite chez vous! avait rétorqué Évelyne avec sérieux. Je l'ai remise à sa place dans le vieil album brun.

Évelyne avait anticipé le scénario et, dans les faits, elle avait acheté deux cadres identiques. Le soir venu, quand Doris offrirait son cadeau à Laurence et Claude, elle en recevrait un elle aussi.

Doris se disait qu'en temps et lieu, elle demanderait à Dominique de lui commander un autre exemplaire du bel encadrement. Elle ne souhaitait pas blesser Évelyne avec un tel détail, mais elle savait qu'elle aimerait bien accrocher ce souvenir bien en vue dans son salon.

Tout s'était déroulé comme prévu pour la suite des préparatifs et, le samedi suivant, c'est accompagnée de son petit-fils qu'elle arriva chez Claude.

Bruno tenait fièrement sa grand-mère par le bras, se sentant investi d'une grande responsabilité. Il avait mentionné à sa mère qu'il craignait qu'une si belle surprise fasse perdre connaissance à son aïeule.

— Mais inquiète-toi pas, l'avait-il rassurée en douce. Je vais rester près d'elle quand on va entrer. Comme ça, si elle se sent faible, je vais la retenir ou bien elle va tomber sur moi! Ça va dépendre de quel côté elle va pencher!

Évelyne avait rigolé en écoutant son fils élaborer son plan de sauvetage. Il avait une façon de s'exprimer qui l'amusait.

L'enfant et sa grand-mère sonnèrent à quelques reprises, quand tout à coup, la porte s'ouvrit et une dizaine de personnes, massées dans le vestibule, entonnèrent en chœur: *Ma chère Doris, c'est à ton tour, de te laisser parler d'amour!*

Doris mit un peu de temps à comprendre qu'elle s'était fait piéger!

Des bouquets de ballons décoraient différents endroits de la salle de séjour et une magnifique table était dressée, remplie de cadeaux.

Dans ce décor champêtre, il était aisé de ressentir tout ce que représentait pour Claude ce nouveau départ et la présence des siens ajoutait aux émotions.

— Bienvenue chez nous, madame Roy, et bon anniversaire! souhaita Laurence, en accueillant chaleureusement la mère de son conjoint.

— T'es bien gentille, ma belle enfant! C'était pas

nécessaire de faire tout ça pour moi! Vous avez travaillé si fort dans les derniers mois!

— On a pas tous les jours 80 ans! renchérit Claude, en prenant Doris dans ses bras. Je veux aussi te rassurer que si la tendance se maintient, tu seras pas obligée de m'héberger à nouveau! Je vais rester avec ma belle Laurence jusqu'à la fin de mes jours!

— T'as pas vu la face de ta blonde quand t'as dit ça! nargua Évelyne. Vous avez pas signé de contrat encore!

— Non, mais je vais tout faire pour qu'elle parte jamais! C'est ce que j'ai de plus précieux dans ma vie!

Laurence était gênée d'être ainsi le centre de l'attention et elle fit en sorte que tout l'intérêt soit redirigé vers sa belle-maman. Depuis qu'elle fréquentait Claude, elle avait développé une belle relation avec celle-ci. Elle se sentait très à l'aise de discuter avec elle de différents sujets d'actualité. Elle lui demandait aussi des conseils culinaires et elle voulait particulièrement connaître les plats préférés de son amoureux.

Raoul se leva pour offrir son fauteuil à sa sœur.

— Bon anniversaire, Doris! Si tu continues de vieillir comme ça, tu vas finir par me rattraper!

— Toi, mon vlimeux! T'avais bien gardé le secret! Je suis allée te voir cette semaine et t'as pas vendu la mèche!

— J'ai jamais été un bavard, tu devrais le savoir! Tu reconnais sûrement madame Rita, ajouta-t-il en présentant la dame assise à côté de lui.

— Oui, c'est certain. Bonjour, madame Blanchard! Je suis heureuse de vous rencontrer dans des circonstances plus joyeuses.

— Merci, madame Roy, et acceptez tous mes souhaits! Laurence et Claude ont eu la gentillesse de m'inviter à participer à cette soirée et j'ai pas été capable de refuser.

— Vous avez bien fait! Vous faites quasiment partie de la famille maintenant!

— Ça me touche beaucoup, ce que vous me dites là! J'étais justement en train de dire à monsieur Raoul que ça prenait un événement comme celui-ci pour qu'on ait le temps de jaser ensemble.

— J'ai toujours été assez timide avec les belles femmes! lança le vieil homme, heureux de voir que la glace était cassée avec madame Blanchard.

— Bonne fête, ma tante Doris! lança Jean-Guy, qui s'approcha de celle-ci en compagnie de sa conjointe.

— Vous vous êtes déplacés pour moi? s'étonna Doris, surprise qu'ils soient venus de Labelle pour l'occasion.

— Vous le méritez rien qu'en masse et en plus, vous êtes ma tante préférée! ajouta Jean-Guy, qui se montrait reconnaissant que les enfants de Doris aient pensé à les inviter.

— J'espère que vous aurez la chance de venir nous visiter cet été, suggéra Mariette. Je vous montrerai à quel point votre neveu fait du bon travail! Il a rénové une grande partie de mon restaurant.

— S'il est habile comme Hector, c'est pas surprenant! renchérit Doris. C'était un artiste, comme l'était notre père. Jean-Guy a dû vous dire qu'il avait participé à la construction de notre église, en 1920.

— Oui, je lui en ai parlé. Vous avez toute une mémoire, ma tante! C'est encourageant de voir que cette maudite maladie d'Alzheimer touche pas tout le monde. J'ai trouvé ça difficile de voir mon père régresser dans la dernière année.

— J'ai l'impression que l'ennui l'a pas aidé non plus. Moi, j'ai la chance d'être bien entourée, reconnut la jubilaire. Chez nous, la maison est toujours pleine! J'ai donc pas le temps de jongler.

— J'aurais aimé être plus présent pour mon père, se défendit Jean-Guy, qui se sentait visé par ce commentaire.

Monique lui reprochait constamment son absence, alors il croyait que tout le monde pensait de la sorte.

— Je voulais pas te faire de peine, Jean-Guy! se désola Doris. Je me suis encore mal exprimée! T'as fait ce que tu pouvais pour Hector, mais il avait un caractère particulier. Même quand ta mère vivait, on le voyait quasiment pas!

— Je vous en veux pas, ma tante. De toute façon, c'est trop tard pour les regrets. J'espère juste qu'on va pouvoir garder contact! Je m'excuse pour Monique, qui est pas venue souligner votre anniversaire. Je pense des fois qu'elle est si mal dans sa peau qu'elle peut pas affronter les siens. Elle a un méchant tempérament!

— Oui, inquiète-toi pas. Je suis pas *rancuneuse,* comme disait maman! J'ai pour mon dire que ça prend toutes sortes de monde pour faire un monde!

— Vous avez bien raison!

— En tout cas, si les enfants m'offrent d'aller dans votre coin l'été prochain, je vais embarquer! J'aimerais bien ça voir où vous êtes installés. C'est beau, ce coin-là des Laurentides.

— Je me porte volontaire pour te conduire, mais rappelle-moi-le! s'avança Dominique avec enthousiasme. Ça nous ramènerait au temps où on était jeunes. On allait pique-niquer là-bas. Papa nous emmenait souvent faire un tour le dimanche. On prenait des photos à côté du monument du curé Labelle, poursuivit-elle.

— Je m'en souviens! renchérit Évelyne. On s'était aussi chicanées parce que j'étais malade en auto et maman m'avait permis de m'asseoir en avant, au milieu. C'était tout un privilège!

— T'as toujours été plutôt gâtée! ajouta Claude, qui aimait bien taquiner sa jeune sœur.

— Vous l'avez pas mal tous été de la même manière, rétorqua Doris. Saviez-vous, les enfants, que votre père et moi, on était là quand ils ont dévoilé le monument? C'était toute une affaire! Ils fêtaient les 75 ans du village de Labelle. C'était dans les premiers jours du mois d'août 1955.

— Comment ça se fait que tu peux te souvenir de ça? s'informa Évelyne, surprise de la vivacité d'esprit de sa mère.

— J'ai une très bonne raison! J'étais enceinte de mon premier bébé et je voulais pas y aller parce que j'avais peur d'accoucher tellement j'étais grosse.

— Claude est venu au monde le 8 septembre, rectifia Dominique. C'était cinq semaines après. Qu'est-ce qui t'énervait autant? remarqua-t-elle simplement.

— Ça paraît que t'en as pas eu toi, des enfants! souligna encore une fois Doris, comme si Dominique ne pouvait rien comprendre à tout ce qui avait trait à la naissance des poupons.

Celle-ci ne répliqua pas, mais elle se leva doucement et se rendit à la salle d'eau, où elle s'enferma pour digérer l'affront que lui avait encore servi sa mère.

Depuis que Dominique était devenue adulte et qu'elle menait un certain train de vie, inconsciemment, Doris enviait son sort. Sa fille faisait avec son mari de magnifiques voyages et elle vivait dans une grande maison joliment décorée. Il lui semblait que cette dernière menait une existence de princesse, alors qu'elle avait consacré toute la sienne à sa famille. Il n'y avait qu'une seule chose qui manquait à Dominique et c'était des enfants, ce qu'elle n'hésitait jamais à le lui rappeler.

Habituée d'agir ainsi, Doris n'avait pas remarqué le malaise qu'elle avait causé et elle poursuivit son récit.

— Dans ces années-là, on savait pas exactement quand on était tombée enceinte. Un moment donné, on réalisait qu'on l'était et on attendait que la délivrance arrive. Aujourd'hui, ils peuvent quasiment connaître le jour et l'heure où le bébé a été conçu!

Tout le monde s'amusa des commentaires colorés de la vieille dame.

— Votre père se moquait de moi en radotant que j'avais la *bédaine* aussi grosse que le curé Labelle!

— Ça devait être énervant! répliqua Laurence, qui avait écouté avec attention les propos de sa belle-maman.

— Ma mère me répétait à chaque grossesse que la pomme tombe de l'arbre seulement quand le fruit est mûr.

— Si ça vous dérange pas, je vais faire visiter la maison à Jean-Guy, Mariette, Dominique et Patrick, intervint Claude. Les autres sont déjà venus dernièrement et ils ont tout vu.

— C'est correct. Je vais rester assise pour pas perdre ma place.

— Oui, mamie! Tu le dis toujours: *qui va à la chasse perd sa place*! ajouta le jeune Bruno.

Doris rit de bon cœur, confortablement installée dans une magnifique chaise bergère, comme elle en avait admiré dans les revues de décoration. Elle en profita pour demander à Noémie de venir lui faire la conversation. Elle trouvait qu'elle avait beaucoup changé durant la dernière année scolaire.

— T'es allée faire l'inventaire de l'épicerie avec ta mère? As-tu aimé ça?

— Oui, mais c'était assez long. On devait compter les

paquets de gomme un par un, chaque bouteille qui était dans les frigidaires, les cartons de cigarettes, tout ce qu'il y avait dans les congélateurs à crème glacée! C'était débile! J'ai calculé assez de *popsicles* que j'avais les doigts quasiment gelés!

— C'est comme ça que ça doit être fait. Même les gros magasins le font. As-tu idée de combien ça doit prendre de temps!

— Mais au moins, c'est juste une fois par année. C'est quand même pas si pire. En plus, j'étais payée 10 piastres de l'heure et on a travaillé deux jours!

— Qu'est-ce que tu vas faire avec tout cet argent-là?

— J'ai un compte de banque et j'en ai déposé une bonne partie. Quand je vais vouloir quelque chose de spécial, j'aurai une réserve.

— Ça va te donner le goût d'avoir une *job* cet été!

— Justement, le nouveau propriétaire m'a demandé si j'étais intéressée à placer de la marchandise de temps en temps les fins de semaine. Ils vont ensuite me montrer à m'occuper de la caisse. J'ai une bonne chance d'avoir du travail durant les vacances.

Le temps avait fait en sorte que la jeune fille avait gagné de la maturité. Sa relation avec sa mère était plus stable et elle discutait beaucoup avec son père. Ils avaient maintenant une belle complicité, nourrie par la confiance qu'il lui avait témoignée un jour.

Bruno avait hâte que le gâteau soit présenté. Il était allé voir Laurence deux ou trois fois, mais elle lui avait dit qu'il devait patienter.

La conversation reprit gaiement, Mariette et Jean-Guy racontant des anecdotes reliées au restaurant.

— Une journée, la serveuse est venue nous avertir qu'elle

avait surpris une femme en train de licher le goulot du pot de sirop d'érable.

— Vous êtes pas sérieuse, Mariette ? rétorqua Doris, particulièrement enjouée.

— Il y a aussi eu un homme qui volait des rouleaux de papier de toilette à chacune de ses visites. Lui, il nous a fallu un peu plus de temps avant de le pincer !

— Ça prend quelqu'un d'assez spécial pour faire ça ! s'esclaffa Évelyne.

Les gens s'amusaient, sauf Dominique, que tous avaient oubliée, et Patrick, qui s'inquiétait pour elle. Il était là quand elle était sortie de la salle d'eau. Son maquillage était défraîchi et elle avait le teint pâle.

— T'as pas l'air de filer ! avait observé tendrement son conjoint. Aimerais-tu mieux t'en aller ?

— Non, ça ferait de la peine à maman. On a pas servi le gâteau encore et elle a pas ouvert ses cadeaux.

— Tu veux pas la blesser, mais tu acceptes qu'elle t'en fasse baver chaque fois que tu la vois ! avait ragé Patrick, qui en avait assez des propos insignifiants de sa belle-mère.

— Laisse faire, c'est pas grave ! Ça doit être ma ménopause qui me rend si fébrile.

— Faudrait que tu lui dises comment ça te déchire quand elle te fait ses remarques plates ! Il y a des mères de famille qui maltraitent leurs propres enfants ! Toi, t'as toujours été bonne avec nos neveux et nos nièces et même avec les petits de nos amis.

— Faudrait tout simplement que je m'endurcisse ! Rendue à mon âge, de toute façon, il est trop tard pour régler mes comptes avec ma mère.

— Peut-être qu'il serait temps d'arrêter d'ouvrir la blessure, par exemple. Une journée, c'est moi qui vais l'apostropher et je mettrai pas de gants blancs. Je t'en passe un papier[7]!

— Mêle-toi pas de ça, Patrick! C'est mes affaires!

— Ça me regarde aussi quand quelqu'un fait de la peine à ma petite femme chérie! avait ajouté le conjoint triste, en prenant sa femme dans ses bras.

— Qu'est-ce que vous faites là, les amoureux? interrogea Bruno, qui avait hâte qu'on ouvre les cadeaux et qu'on serve le dessert.

— On se donnait un baiser, avant de t'embrasser à ton tour! répondit Dominique en empoignant son neveu pour lui bécoter le cou à répétition, sachant qu'il était très chatouilleux.

La fête se poursuivit. Plus tard dans la soirée, on découpa finalement un superbe gâteau au chocolat décoré du nombre 80 tracé en minuscules roses jaunes et blanches et portant l'inscription *Bonne Fête Maman*!

Bruno fut le premier assis sur un tabouret au comptoir de cuisine et Doris le servit tout de suite après Rita, qui était, selon elle, une invitée toute particulière.

La soirée ne se termina pas très tard pour Dominique, qui avait avisé son oncle et madame Rita qu'ils partiraient immédiatement après le déballage des cadeaux. Une fois qu'ils furent tous trois rendus à La Villa des Pommiers, elle leur alloua le temps nécessaire pour rentrer à la résidence. Elle souhaitait les reconduire à leur chambre respective, s'assurant ainsi qu'ils seraient bien installés.

Elle reprit ensuite la route avec Patrick, heureuse de retourner chez elle, à Lorraine.

Cette soirée avait été éprouvante pour elle. De plus,

---

7   Je t'en passe un papier: je te le garantis.

depuis quelques semaines, elle n'avait pas d'énergie et elle se disputait avec Patrick pour des peccadilles.

Elle devrait apprendre à relaxer. Avant tout, il lui faudrait arrêter de s'en faire autant pour le ménage qu'elle n'avait pas toujours le temps de faire comme avant!

Charles avait passé l'hiver en Floride. Il ne souhaitait pas remettre les pieds au Québec tant que l'enquête sur l'incendie de la résidence qui appartenait à son ex-conjointe, Élizabeth Bisaillon, ne serait pas conclue.

Il n'avait eu aucun contact avec les petits trafiquants qu'il avait fréquentés à l'époque. Il craignait de se voir retracé et impliqué dans le délit. Il savait qu'il était considéré comme un suspect par la Sûreté du Québec et qu'un mandat d'arrestation pancanadien avait été lancé contre lui. Il était innocent et refusait catégoriquement de retourner en prison.

— C'est impossible que tu sois accusé! avait attesté l'ami qui l'hébergeait. T'étais ici, avec nous autres, quand tout ça est arrivé.

— Es-tu prêt à venir témoigner pour moi? s'était enquis Charles, qui connaissait très bien la réponse qu'il recevrait.

— Tu sais bien que je veux plus aller dans le bureau des *beus*! J'ai la mèche courte avec ces gars-là! De toute façon, en regardant mon *pedigree*, ils me croiraient pas! Pour eux autres, quand t'arrives là, t'es noir ou t'es blanc. Il y a rien entre les deux.

— Tu vas pas aller te mêler de ses affaires! s'était interposée son épouse. Asteure que t'as eu ton pardon, tu vas te tenir tranquille! Ça fait trois ans qu'on descend en Floride quand on veut et que tu peux passer les douanes sans avoir peur de te faire fouiller. On vit comme du monde ordinaire. Tu vas pas *scrapper* notre vie pour un chum qui vient te voir seulement quand il est dans la marde!

— T'as une belle opinion de moi! avait réagi Charles.

— Occupe-toi z'en pas! Elle a quand même raison sur un point. J'ai pas le goût de revenir en arrière. Plus jeune, ça m'excitait d'avoir un coup d'argent à faire, pis asteure, si mon compte d'électricité est en retard, je fais des ulcères d'estomac.

— T'es rendu pas mal moumoune! Remarque bien que je te comprends, mais je peux pas rester en Floride tout le temps! Dans pas grand temps, ici aussi, je vais être illégal. Déjà que j'ai travaillé au noir une partie de l'hiver.

— Le mieux, ce serait que la police arrête le vrai coupable. Après, tu pourrais te réinstaller au Québec. Si tu veux un conseil, à ta place, j'éviterais de retourner à Sainte-Agathe, mais il y a plein d'autres coins tranquilles où tu pourrais refaire ta vie.

Ils avaient eu ce genre de discussion à plusieurs reprises durant les dernières semaines.

Un soir où il avait vraiment le cafard, Charles s'était couché et il s'était revu, enfant, quand sa mère tentait de le ramener dans le droit chemin.

— Mon gars, si tu continues à faire des mauvais coups, tu vas devenir un *bum*! T'as juste 11 ans et tu te tiens déjà avec des petits voleurs de 14-15 ans.

— Je suis tout seul à la maison. Je peux toujours bien pas faire du ménage avec toi! Je suis pas une petite fille! s'était défendu le jeune.

— Non, mais t'es pas obligé de faire des niaiseries pour

autant! Quand tu fais ta prière le soir, demande à ton père de te conseiller. Dis-y que tu veux être un bon garçon!

Elle lui avait répété ce discours maintes et maintes fois et ce soir, il aurait aimé qu'elle soit là pour le lui servir une dernière fois.

— Papa, prononça-t-il en s'adressant au plafond, si c'est vrai que tu peux me guider, c'est le temps, là! Je sais plus quoi faire! Fais-moi signe au plus sacrant!

Il se souvenait que sa mère lui faisait promettre de dire des prières s'il était exaucé.

— Cette fois-là, si tu règles mon problème, je vais aller te voir! Dans le courant de l'été, je pourrais descendre à Percé, là où t'es enterré, et aller te porter des fleurs et même te payer une messe.

Charles était sincère dans ses propos et voulait croire qu'il serait entendu.

C'est vrai qu'il n'aimait pas les vieux de la résidence de sa conjointe, mais jamais il n'aurait souhaité que l'un d'eux périsse dans les flammes.

Le lendemain matin, il se réveilla avec la ferme intention de retourner au Québec. Il prépara son mince bagage et confia à son ami ce qu'il comptait faire.

— T'es bien certain de ta décision? demanda ce dernier.

— Oui, il faut que je règle mes affaires une fois pour toutes. J'ai pas l'intention de me cacher toute ma vie. Je suis innocent et je vais me battre pour qu'on me croie.

— T'aurais plus de chance si tu te faisais pas ramasser sur un mandat. Comment tu penses retourner au pays?

— Comme je suis venu! J'ai des chums *truckers*. Je vais en trouver un qui va me donner une *ride*.

— Je t'aurais bien offert de revenir au Québec avec nous deux, mais ma femme demanderait le divorce!

— Je sais que je lui ai plutôt tapé sur les nerfs durant les dernières semaines, mais je la comprends. T'es chanceux d'avoir une bonne femme comme ça.

— Oui, parce que j'y en ai fait passer, du *rough time*!

— En tout cas, merci pour tout ce que vous avez fait pour moi! Je vous oublierai jamais!

Charles partit sans se retourner. Il irait s'asseoir dans un petit café sur le bord de la mer, à Hollywood. Certains de ses copains camionneurs se rendaient là, à l'occasion, entre deux voyages.

Charles avait quitté la Floride à la fin de l'après-midi. On était en juin et la majorité des Québécois qui y passaient l'hiver étaient déjà retournés au pays depuis un bon moment. Il avait eu la chance de monter à bord du véhicule d'un travailleur qui transportait des fruits et légumes ainsi que des produits congelés vers le Québec.

Le chauffeur n'avait pas l'habitude d'accueillir des passagers à bord de son véhicule. Il n'en avait d'ailleurs pas le droit. Il avait toutefois rencontré Charles à l'heure du dîner. En jasant, ils avaient réalisé qu'ils avaient plusieurs connaissances communes dans le métier.

Le type s'était dit que la route lui paraîtrait moins longue s'il avait de la compagnie. Il arriverait peut-être plus tôt chez lui, puisqu'il ne serait pas tenu d'arrêter aussi souvent que lorsqu'il était seul et qu'il s'endormait. Sa jeune femme venait d'accoucher le mois précédent et il avait bien hâte d'être à nouveau à la maison.

Le destin de Charles croisa aujourd'hui celui du camionneur.

— C'est sûrement toi, papa, qui me l'a envoyé! songea-t-il en montant dans le camion semi-remorque. J'aurai donc pas le choix d'aller te voir!

Charles avait bien raison, mais ce n'était pas à Percé qu'ils se rencontreraient et leurs retrouvailles n'auraient pas lieu l'été suivant.

Vers 21 heures, ce soir-là, un bouchon de circulation se forma sur l'Interstate 95, au nord de Saint Augustine, dans l'État de la Floride. Le camionneur ne put freiner suffisamment vite pour empêcher une collision. La dernière manœuvre effectuée visa à éviter un trop grand nombre de voitures. Il perdit cependant le contrôle et percuta de plein fouet l'immense pilier de ciment d'un viaduc.

Quand les secours arrivèrent sur les lieux, ils ne purent que constater le décès du conducteur et de son passager. Heureusement, il n'y avait pas eu d'incendie et les corps étaient demeurés intacts. On pourrait ainsi facilement les identifier.

À Saint-Lazare, une jeune maman attendrait en vain le retour de son amoureux et un petit enfant ne connaîtrait jamais son père.

À Sainte-Agathe-des-Monts, on apprendrait éventuellement que l'ex-conjoint d'Élizabeth Bisaillon était mort dans un accident de la route. Celui que l'on considérait comme le suspect numéro un dans l'incendie de la résidence pour personnes âgées ne serait donc jamais jugé !

Monique et Jean-Guy seraient probablement heureux que l'histoire de l'incendie soit terminée. Ailleurs, un individu aurait encore sur la conscience d'avoir causé le décès d'un vieil homme sans défense et blessé plusieurs personnes !

CHAPITRE 7

Sentiments partagés

(Juin – juillet 2008)

Il y aurait bientôt quatre mois que la résidence d'Élizabeth Bisaillon avait été le théâtre d'un crime sordide. L'incendie était survenu le soir du 29 février alors que, pour une rare fois, celle-ci avait décidé de se coucher tôt.

La propriétaire avait à ce moment-là de sérieux problèmes de sommeil et, sur les conseils d'une copine, elle avait pris une pilule pour dormir. Elle n'avait ainsi pas entendu le malfaiteur entrer et se rendre dans la chambre de Rita Blanchard. Si elle avait été réveillée comme d'habitude, elle aurait peut-être pu venir au secours d'Hector et de son amie.

L'incendie qui s'était déclaré par la suite avait fait des dommages si considérables à sa maison qu'elle avait dû être démolie. Auparavant, les enquêteurs des crimes majeurs de la Sûreté du Québec avaient scruté la scène avec le Service de l'identité judiciaire et ils avaient recueilli les preuves nécessaires à la poursuite de leur travail.

Élizabeth avait collaboré avec les agents, leur racontant tout ce qui s'était passé dans les semaines et les mois précédant le drame. Elle ne savait pas où se cachait son ex-conjoint, mais elle leur avait dit que la dernière fois où elle lui avait parlé, celui-ci lui avait annoncé qu'il s'en allait dans le Sud.

Sa crainte des représailles de la part de l'individu qui trafiquait de la drogue avec Charles était encore bien présente. Elle avait pu décrire l'homme qui était venu lui faire des menaces quelque temps avant le crime, mais elle ne l'avait pas reconnu lors d'une parade d'identification à laquelle elle avait été conviée.

Comme l'avait découvert madame Blanchard en classant les papiers de la propriétaire, l'assurance habitation n'avait pas été renouvelée.

Dans les premiers jours suivant le drame, Élizabeth avait été hébergée chez une voisine, à qui elle avait rendu de nombreux services. Par la suite, elle s'était présentée dans un bureau gouvernemental pour faire une demande d'aide sociale. Elle n'était pas en mesure de travailler, son état mental étant très affecté.

À deux reprises, elle était allée visiter Rita Blanchard à La Villa des Pommiers. La première fois, elle avait beaucoup pleuré en la voyant, regrettant amèrement tout ce qui s'était passé. La vieille dame l'avait cependant rassurée. Elle lui avait précisé que ce qui était arrivé était attribuable au destin et qu'elle n'avait pas à se sentir coupable.

Lors de sa deuxième visite, l'ambiance avait été plus paisible. Les deux femmes s'étaient remémoré les beaux moments passés ensemble du temps où elles vivaient dans la même maison.

À cette époque, Élizabeth n'avait pas toujours été d'accord avec la vieille dame. Elle réalisait toutefois aujourd'hui qu'elle aurait dû l'écouter quand cette dernière l'avait prévenue que Charles n'était pas un homme pour elle.

La peur et la honte l'empêchaient maintenant d'évoluer normalement. Elle faisait constamment des cauchemars la nuit, imaginant le trafiquant de drogue qui la talonnait jusqu'à ce qu'elle s'éveille en sueurs.

Élizabeth se retrouvait sans le sou et elle était incapable de respecter les échéances relatives au paiement de ses emprunts. Elle avait été contrainte de consulter un syndic de faillite. Une vraie descente aux enfers pour la femme, qui avait réalisé un rêve le jour où elle avait acquis sa résidence de personnes âgées.

Les policiers étaient venus discuter avec elle à plusieurs reprises de l'incendie et elle devait rester disponible pour les fins du dossier. Elle ne fut donc pas surprise quand elle aperçut deux enquêteurs à la porte de son nouveau logement.

— Madame Élizabeth Bisaillon? questionna le plus grand.

— Oui, c'est moi! répondit-elle sur un ton froid. Elle aurait tant souhaité que tout cela soit fini ou plutôt que rien ne soit arrivé!

— On vient vous voir à propos de votre conjoint, Charles Ouellette.

— Mon ex-conjoint! rétorqua-t-elle sèchement. Je veux plus rien savoir de lui! ajouta-t-elle avec dégoût.

— Monsieur Ouellette a été victime d'un accident de la route aux États-Unis, alors qu'il était passager dans un camion qui transportait des produits vers le Canada.

Élizabeth était complètement désabusée. Plus rien ne pouvait l'atteindre. Encore moins le décès de celui qui avait été la cause de tous ses problèmes.

— J'ai plus rien à voir avec lui. Trouvez-lui de la famille, si vous le pouvez, mais moi, j'essaie maintenant de survivre. Il a gâché ma vie!

Le policier lui expliqua les circonstances de l'accident, mais elle n'écoutait que par politesse. Dès qu'ils seraient partis, elle essaierait de tout oublier.

— Est-ce que ça veut dire que vous allez fermer le dossier de l'incendie de ma résidence?

— Pas nécessairement. On a un autre suspect. On allait d'ailleurs vous appeler cette semaine pour avoir un détail.

— J'ai déjà tout raconté à vos collègues. J'ai perdu 25 livres depuis que ma maison a passé au feu et le médecin dit que je suis en dépression majeure! Est-ce que vous croyez que j'ai encore le goût de me faire interroger?

— On sait que vous avez collaboré à l'enquête chaque fois qu'on vous l'a demandé, mais on a de nouvelles informations sur l'homme qui était venu vous menacer. Vous savez, celui avec la veste de cuir, les jeans et les bottes de moto. Pourriez-vous nous décrire ses bottes?

Élizabeth aurait pleuré toutes les larmes de son corps, mais elle devait se rendre jusqu'au bout de ses efforts en lien avec les demandes des policiers. Si le moindre détail pouvait permettre aux forces de l'ordre de mettre la main au collet de cet individu, elle parviendrait peut-être à trouver la paix de l'esprit.

Elle retourna donc facilement au creux de sa mémoire, la journée où cet homme s'était présenté chez elle. Elle était en train de récurer le plancher de sa salle de bain et elle avait cru que c'était Charles qui était revenu plus tôt.

— Je me rappelle qu'il était très grand. Sûrement autant que vous, spécifia-t-elle en pointant du doigt l'un des enquêteurs. Des cheveux longs et foncés et une barbiche poivre et sel.

— Mais vous avez parlé de bottes de motard. Est-ce que vous pouvez nous les décrire?

Élizabeth était toujours concentrée sur le jour fatidique. De son subconscient, elle extrayait les images les unes après les autres, comme si elle avait tourné les pages d'un album. Elle voyait le blouson, le jeans serré et des bottes de cuir noir mat. Elles étaient grandes, sûrement de taille 12 ou 13. Leur bout arrondi était doté d'une pièce de métal.

Elle raconta tous ces détails au policier, qui eut l'air satisfait de la description qu'elle faisait.

— Seriez-vous disponible pour une autre parade d'identification? On croit bien détenir le suspect. Il avait dû se terrer quelque part, mais il vient de faire un pas de côté.

— Quand? Est-ce que c'est possible tout de suite?

— D'ici une heure, le temps de préparer le tout.

— J'y serai! confirma Élizabeth qui souhaitait que ses efforts puissent mettre un terme à une partie de sa souffrance.

⟡

Doris se disait que l'an dernier, Claude avait passé tout l'été avec elle, alors que cette année, elle était seule dans sa maison. Ses filles venaient la visiter souvent et elle avait ses voisines et amies, qui passaient à l'occasion pour faire un brin de jasette. Il lui semblait toutefois qu'elle avait besoin de plus.

Elle avait fait des sorties avec Bernard Leclair, cette connaissance qu'elle avait retrouvée lors de funérailles au village. Elle le trouvait gentil et très avenant. Ils s'étaient revus à quelques occasions, pour prendre un café dans un resto en milieu d'après-midi. C'était toujours très intéressant. Ils parlaient de ce qu'ils avaient fait dans leurs vies et le temps passait chaque fois à la vitesse de l'éclair.

Le matin de son 80e anniversaire de naissance, il lui avait fait parvenir une douzaine de roses avec une simple carte imprimée, sur laquelle il était écrit : *Bonne fête.* Il avait signé : *Ton ami Bernard.*

Doris avait été très surprise, mais aussi gênée. Elle se disait qu'elle était sûrement trop vieille pour s'attacher à un homme, mais elle réalisait que leurs rencontres lui apportaient beaucoup. Elle avait toujours hâte à la prochaine.

Elle avait tout de suite déposé ses fleurs dans un vase et elle les avait installées sur le bureau dans sa chambre. Elle ne voulait pas que ses visiteurs lui posent des questions quant à leur provenance.

Évelyne et Dominique la taquinaient déjà suffisamment sur ses petites sorties amicales.

Depuis deux semaines, Bernard avait franchi une autre étape en prenant la liberté de l'appeler chaque avant-midi pour lui souhaiter une agréable journée.

Elle devrait peut-être laisser paraître son intérêt grandissant et ne pas faire reposer sur les seules épaules de l'homme tout le fardeau de leur relation.

Quand le téléphone sonna vers 9 heures, ce jour-là, elle décida de jouer une carte !

— Bon matin, ma belle Doris ! lui dit son ami, avec une voix enthousiaste.

— Bonjour, Bernard ! Je pensais justement à toi ! s'avança-t-elle.

— Viens pas me raconter que t'as fait un cauchemar et que c'est de ma faute ! blagua-t-il.

— Non, mais j'ai une proposition à te faire. Comme dans l'émission *Le Banquier*, t'es libre d'accepter ou de refuser.

— Est-ce que je serais mieux de m'asseoir ou je peux rester debout ?

Bernard était un homme qui aimait rigoler et tout était matière à taquiner celle qu'il lorgnait depuis si longtemps.

— Mon neveu Jean-Guy et sa femme Mariette possèdent un restaurant à Labelle. Ils sont venus à mon anniversaire et ils m'ont demandé d'aller les visiter quand j'en aurais la chance. Je me disais qu'une journée, la semaine prochaine, on pourrait monter dans le Nord et aller dîner là.

— C'est une très bonne idée ! Je suis toujours partant pour des petites sorties. La semaine prochaine, j'ai un rendez-vous chez mon médecin le mardi, mais les autres jours, je suis libre comme l'air !

Doris était surprise que Bernard ait sauté sur l'occasion de la sorte. Elle s'était monté un scénario au cas où il refuserait, mais elle n'avait pas eu besoin de l'utiliser.

— Je suis bien contente ! Je pense qu'on pourrait y aller le jeudi.

— Ça serait parfait. Les routes sont moins achalandées que la fin de semaine.

— Là tu me fais plaisir !

— En attendant, poursuivit Bernard, j'avais pensé t'inviter à souper à soir au restaurant du village. C'est la soirée steak et frites. Ça te tente-tu ?

— C'est certain ! Dis-moi à quelle heure tu vas venir me chercher.

— Il faudrait qu'on soit là pas plus tard que 5 h 30, sinon on aura pas une bonne place.

— Je t'offre de venir prendre l'apéro chez nous vers 4 heures. On aura juste à traverser la rue pour se rendre au resto.

Après avoir mis fin à la communication, Doris se sentit énergisée. Elle décida de prendre toute la journée pour se préparer. Elle commencerait par prendre une douche et se laver les cheveux. Ensuite, elle mettrait ses bigoudis et, pendant que ses cheveux sécheraient, elle ferait sa manucure tout en écoutant un film à Canal Vie.

Afin de ne pas être dérangée, elle baissa les stores de sa cuisine et ferma sa contre-porte.

Ce soir, elle porterait une toute nouvelle robe chemisier qu'Évelyne lui avait fait acheter lors de leur dernière journée de magasinage.

Doris se félicitait d'avoir osé proposer une sortie à Bernard ce matin. Elle avait pris l'habitude de vivre en fonction de ses enfants, mais ils étaient tous très occupés. Elle avait elle aussi un besoin de tendresse à combler. Pendant quelques années, ses petits-enfants lui avaient apporté cette chaleur nécessaire pour réchauffer son cœur. Ils avaient toutefois grandi et il ne restait plus que Bruno qui venait encore lui rendre visite. Elle avait donc du temps à consacrer à son ami.

Doris se surprit à fredonner la chanson de Jean Ferrat, *C'est beau la vie*! Il y avait un bon moment que cela ne lui était pas arrivé!

Il n'y avait pas le moindre espace de la nouvelle maison de Claude qui n'était pas agrémenté d'accessoires décoratifs de qualité. Quand on ouvrait la pièce-penderie de la chambre principale, on avait l'impression de pénétrer dans un grand magasin. Il y avait de jolies boîtes sur les tablettes, dans lesquelles Laurence avait rangé certains articles saisonniers. Sur le mur à l'entrée de sa chambre, on trouvait un montage de jolis crochets sur lesquels étaient accrochés ses colliers et bracelets.

On retrouvait autant de soin dans l'aménagement du garage, qui était paré d'armoires de rangement, d'étagères et d'une multitude de cadres représentant Claude et Laurence dans leur jeunesse, alors qu'ils participaient à différentes activités sportives.

Lorsque sa conjointe lui demanda s'il pouvait l'aider à effectuer encore des travaux, un samedi, Claude se montra très surpris.

— Je voudrais bien connaître tes projets, mon bel amour! Ça fait à peine un mois qu'on a emménagé et tout est déjà à sa place.

— C'est qu'on doit s'adapter à l'évolution de notre couple! se défendit Laurence sur un ton mystérieux.

— Explique-toi parce que là, je te comprends pas pan-toute! Est-ce qu'on aurait oublié ou mal fait quelque chose?

— Non, mais on pouvait pas vraiment tout prévoir, ou plutôt, toi, tu y as pas pensé!

Claude était surpris de cette requête. Il se souvint alors des incessantes demandes de sa première femme, qui n'était jamais satisfaite des efforts qu'il déployait pourtant pour la rendre heureuse. Son inquiétude était palpable.

— T'es en partie responsable, Claude! continua

Laurence sur un ton moralisateur. On est deux là-dedans! Il faudra que tu me supportes dans ce projet-là!

— Arrête de parler en parabole! Ou bien je suis encore endormi ce matin, ou bien tu es en train de me monter un bateau!

Laurence se mit à rire de bon cœur et elle s'approcha de son homme pour lui faire une délicate caresse et l'embrasser.

— J'aimerais ça que tu m'aides à redécorer la chambre d'ami pour qu'elle devienne celle de notre petit bébé!

— Es-tu sérieuse? demanda Claude, la gorge nouée par l'émotion. On va avoir un enfant? Dis-moi quand!

— En février prochain! Notre poupon va passer une partie de son premier hiver bien au chaud! minauda-t-elle en se frottant le ventre encore tout plat.

— Il va falloir que tu lui fasses de la place, parce qu'en grandissant, il va avoir besoin de s'étirer et de commencer à bouger. C'est long, trois saisons, dans la *bédaine* de sa maman!

— Je crois que ça va aller vite, mais je souhaite goûter chaque minute de ces 40 semaines. Je veux aussi partager tous les instants de magie avec toi! C'est pas mon bébé, tu sais, c'est le nôtre.

— Je t'aime, Laurence! Je sais qu'on va être de bons parents! Je te promets de toujours être là pour vous deux!

— Et si c'était nous trois ou nous quatre, qu'est-ce que tu dirais? blagua-t-elle.

— Pourquoi tu dis ça? Y a-tu des jumeaux ou des triplets dans ta famille?

— Ben non, arrête-moi ça! On va commencer par un, si tu le veux bien. Tu sais, je vais bientôt avoir 36 ans! Je commence à être un peu vieille pour commencer une famille.

Je voudrais pas que tu sois obligé de prendre ta retraite à 80 ans.

— Je suis d'accord avec toi. De toute manière, je peux plus m'obstiner, maintenant que vous êtes deux contre moi! lança le futur père en rigolant.

Claude était l'homme le plus heureux de la Terre. Depuis le premier jour où il avait rencontré Laurence, chaque minute avait été ensoleillée de bonheur. Plus jamais il n'avait eu d'épisode d'angoisse ou d'anxiété. Elle avait été son remède miracle.

—

Durant la fin de semaine, Laurence et Claude avaient fait le tour de la famille et des amis pour annoncer la bonne nouvelle.

Doris avait été très heureuse d'apprendre qu'elle aurait à nouveau un beau bébé à câliner. Elle avait déjà en tête de sortir ses patrons pour commencer à lui tricoter des petits bonnets et des chaussettes assorties. Elle devrait également lui confectionner une courtepointe, comme elle en avait cousu à Noémie et à Bruno. Elle ne faisait pas de passe-droit entre ses enfants et encore moins entre ses petits-enfants.

Claude n'avait pas été en mesure de rencontrer sa sœur Dominique, mais il l'avait appelée. Elle l'avait félicité et lui avait demandé d'inscrire son nom sur la liste des gardiennes potentielles, même si elle demeurait plus loin.

Évelyne, pour sa part, était très heureuse que son frère vive enfin de si merveilleux instants. Il avait traversé des périodes difficiles et elle l'avait toujours soutenu. Il était maintenant temps qu'il puisse profiter lui aussi d'une saine vie de couple.

Elle avait cependant songé qu'il ne fréquentait pas Laurence depuis très longtemps. Était-il possible que les futurs parents ne prennent pas une bonne décision ou tout simplement qu'ils aillent trop vite?

— Doris Roy, sors de ce corps! s'était-elle surprise à prononcer très fort en riant. Comme dirait Xavier, pourquoi voir des problèmes où il y en a pas?

CHAPITRE 8

Des alliés

(Juillet 2008)

Le nouvel emploi d'Hugo Fréchette l'occupait pendant plus de 40 heures par semaine. Il y avait longtemps qu'il n'avait pas travaillé autant, mais il était heureux. Il n'était embêté par aucune routine, puisqu'il travaillait successivement auprès d'un client ou d'un autre pour aménager leurs terrains avec de beaux arbres, des plantes et des fleurs.

À travers toutes ces obligations, Hugo devrait trouver un moment pour aller voir Monique afin de savoir si elle accepterait de lui louer la maison qui avait appartenu à son défunt père. Il en avait assez de squatter de tous les côtés.

Il avait décidé d'aller de l'avant et il l'avait appelée un soir afin de prendre rendez-vous directement à l'ancienne demeure du vieil Hector. Monique lui avait proposé une rencontre pour le lendemain à 19 heures.

Elle arriva sur place bien avant l'heure prévue. Elle avait pris le temps de faire le tour de chacune des pièces afin d'évaluer les travaux à compléter. Cela ferait partie des négociations.

— Toc, toc, toc, cria Hugo pour faire connaître sa présence à Monique, alors qu'il entrait dans la cuisine.

— Bonsoir, Hugo, comment tu vas? s'enquit-elle sur un ton amical.

— Super bien! J'aurais dû revenir dans le coin avant aujourd'hui. Des fois, on a le don de s'expatrier en pensant que ça va être mieux ailleurs. C'est pas une bien bonne idée! En tout cas, ça l'a pas été pour moi.

— Ça dépend de ce qu'on cherche. Je trouve qu'il y a pas grand-chose dans notre village ni même dans le grand Sainte-Agathe.

— Tu devrais partir d'ici pour un bout de temps. En revenant, tu apprécierais peut-être plus ton coin.

— T'as peut-être raison, et je t'avoue que ça m'est arrivé d'y penser. Surtout depuis que papa est décédé.

— C'est-tu vrai qu'ils ont arrêté le suspect de l'incendie?

— Ça a l'air que oui, mais la police m'a pas encore contactée. Élizabeth Bisaillon, la propriétaire de la résidence, l'aurait identifié. La semaine passée, je l'ai rencontrée au *Dollarama*. Elle a eu le malheur de me demander comment j'allais.

— T'as pas dû y faire trop de façon!

— Non! J'y ai dit ma façon de penser! Devant tout le monde du magasin, j'y ai fait savoir que si elle était pas restée avec un vendeur de dope, y a rien de tout ça qui serait arrivé!

— Elle devait être rouge comme une tomate!

— Oui et c'est là qu'elle m'a dit que la police avait un suspect dans sa mire et qu'elle l'avait reconnu. Je voudrais pas être dans ses culottes. Les vendeurs de drogue, c'est pas des enfants de chœur!

— As-tu une idée de qui c'est? C'est-tu un gars de chez nous?

— Il s'appellerait Hulk! C'est certain que c'est son

surnom, mais ça a l'air que les agents de la Sûreté du Québec ont eu affaire à lui assez souvent.

— Je sais c'est qui! avoua Hugo, qui avait cheminé suffisamment longtemps dans ce milieu pour fréquenter plusieurs mauvais garçons. Il a un dossier bien garni, mais il est pas très haut placé. C'est un méné.

— C'est quand même lui qui a tué mon père!

— Je m'excuse, je me suis mal exprimé! Ce que je voulais dire, c'est justement que les gros bonnets de la gang, y font faire les sales *jobs* par ces gars-là. Ils sont pas moins méchants pour autant.

Monique était exaspérée d'entendre parler de cet épisode de sa vie. Elle avait hâte de pouvoir enfin oublier le passé et reprendre le cours de son existence. Elle fit donc en sorte de faire dévier la conversation vers le but de leur rencontre.

— Comme ça, tu te cherches une maison?

— Oui, j'en avais glissé un mot à ta cousine Suzanne.

— C'est drôle! Elle m'a rien dit! mentit-elle.

— Je pensais qu'étant donné qu'il te reste des travaux à faire ici, ça t'arrangerait peut-être qu'il y ait quelqu'un dans la place. J'ai de l'ouvrage cet été, mais à partir du mois d'octobre, je vais tomber sur le chômage et je pourrais te faire pas mal de petites choses.

— J'ai déjà rencontré un entrepreneur, mais avec les vacances de la construction...

— Oui, tout est fermé dans ce temps-là.

— Si t'es mal pris, tu pourrais emménager, pourvu que tu fasses des travaux. Es-tu habile dans la charpenterie?

— C'est là-dedans que je gagnais ma vie à Lachute! inventa Hugo. On a rénové une maison centenaire et au début, je t'avoue qu'on pensait devoir la démolir.

— Ici, la salle de bain est pratiquement terminée. C'est

la cuisine qu'y reste à faire et les planchers. J'ai acheté un lot de plancher flottant et j'ai dans l'idée d'en installer à la grandeur de la maison.

— Ça va être beau! En plus, c'est quelque chose de facile à faire. Ça s'installe les doigts dans le nez!

— Quand est-ce que tu serais prêt à déménager?

— Aujourd'hui, si c'est possible. Je suis en chambre chez un de mes chums et sa blonde me tape sur les nerfs.

— C'est vite, ça! Combien tu penses payer pour vivre dans une maison comme ici?

— Combien tu chargeais au jeune couple qui est parti?

Monique et Hugo étaient bien de la même race: ni l'un ni l'autre ne voulait perdre la face.

— C'était 400 piastres par mois, dû le premier! Pas le 2, le 3 ou le 15!

— L'électricité est comprise là-dedans?

— Oui, mais quand les travaux vont être terminés, le prix va changer. Tu décideras si tu restes ou si tu pars, mais d'ici ce temps-là, si tout a bien été, je te maganerai pas! avança-t-elle, en sachant pertinemment que si l'ouvrage était fait à son goût, c'est elle qui viendrait emménager dans la maison.

— C'est un *deal*! Je vais m'installer à soir! Enfin, je vais avoir la paix!

— T'as besoin de pas faire d'affaires louches, par exemple, sinon je te mets à la porte! Tu me connais, moi, ça me ferait pas peur de te *stooler*[8]!

— C'est fini, ce temps-là! Je suis tranquille depuis que j'ai des bonnes *jobs*. Je vieillis moi aussi et j'ai plus le goût d'avoir des problèmes.

---

8 *Stooler*: dénoncer.

— Je vais te donner une clé et te laisser t'installer. Je veux aller voir mon oncle Raoul après-midi. Ça fait déjà une secousse que je suis pas allée à la résidence.

— Moi non plus, j'y ai pas été! Depuis que Dominique s'en occupe, il est moins facile d'approche.

— C'est vrai! On croirait qu'elle lui a fait un lavage de cerveau! ajouta Monique. Je te dis que quand quelqu'un a une couple de piastres de côté, ça dérange le monde. Elle est pourtant pas à plaindre, avec son mari qui travaille à la caisse populaire!

— Non, mais ce monde-là, ils en ont jamais assez! J'ai pas été chanceux dans la vie, mais j'ai toujours gagné chaque cenne que j'ai dépensée! se vanta le vilain.

— Comme moi! Je peux pas encore prendre ma retraite et j'ai pourtant 10 ans de plus qu'elle!

— Es-tu bien certaine? l'encensa-t-il. J'étais convaincu qu'on avait à peu près le même âge. Je vais avoir 53 ans en décembre.

— T'es gras dur, parce que moi, je vais avoir 61 ans au mois d'octobre.

— T'as pas l'air de ça! C'est vrai que tu travailles en pharmacie, t'es bien placée pour acheter des produits de bonne qualité. On voit que t'es une femme soignée.

Hugo savait jouer du violon, mieux que le regretté Ti-Blanc Richard! Il souhaitait se faire l'allié de Monique et profiter de sa malignité pour soutirer des sous à ce cher Raoul. Il fallait agir, car le temps filait à la vitesse de l'éclair.

Rita avait bien vu que Raoul allait prendre des marches avec madame Durocher, et elle l'enviait. De son côté, elle n'avait encore rencontré personne avec qui elle aurait pu se lier d'amitié.

Bien sûr, elle avait mis un peu de temps à s'adapter à sa nouvelle situation, sa santé étant fragile. Après la visite de sa fille, elle avait accepté de retourner avec elle en Abitibi, afin de passer quelque temps avec ses petits-enfants. Elle y était finalement restée 10 jours. Au retour, elle s'était sentie beaucoup plus en forme, mais pour ce qui était de fraterniser avec les autres pensionnaires, il lui semblait que c'était moins évident.

Dès que l'automne arriverait, elle comptait s'impliquer dans les activités hebdomadaires. Pour l'instant, elle n'assistait qu'à la messe le samedi matin.

Heureusement que le jeune Bruno venait la visiter à l'occasion. Quand sa mère avait des courses à faire à Sainte-Agathe-des-Monts, l'enfant en profitait pour passer du temps avec elle. Si elle n'était pas là, il allait voir son grand-oncle Raoul.

C'était un garçon intelligent et il savait tenir une bonne conversation. Rita aimait entendre ses récits. Elle avait l'impression que les histoires de Bruno lui permettaient de rester jeune.

En prenant l'ascenseur, ce midi-là, elle se retrouva en présence de Raoul, qui semblait particulièrement enjoué. Ils ne s'étaient pas beaucoup parlé depuis qu'ils étaient allés ensemble à la fête de Doris.

— Bonjour, monsieur Raoul! s'avança-t-elle. On se croise souvent, mais on a jamais le temps de se parler pour la peine. Faut dire qu'ici, j'ai parfois peur de vous déranger quand vous êtes avec vos amis.

— C'est plus des connaissances que des amis. Moi aussi, j'hésitais à vous déranger. Vous avez l'air d'une femme si réservée. Vous aimez toujours votre chambre ?

— C'est très bien ! J'ai l'impression de vivre la vie de château !

— Laurence m'a dit qu'elle avait eu beaucoup de plaisir à la mettre toute belle, avec la gang !

— Oui ! Vous autres, les Moreau et les Roy, vous êtes des gens dépareillés !

— On est venus au monde de même ! blagua Raoul.

— Vous avez l'air en forme et vous êtes toujours souriant.

— J'ai été assez longtemps à broyer du noir après le décès de mon frère.

— Le pauvre homme, il méritait mieux ! Sa maladie avait quand même progressé assez rapidement. Moi, qui étais toujours avec lui, je pouvais voir le changement d'une journée à l'autre. Ce qui me fait le plus de peine, c'est qu'il a eu une mort atroce !

— Sa façon de partir a été tout à son honneur. Il est allé à votre secours et c'est un beau geste !

— Je l'apprécie beaucoup ! Quand vous aurez une chance, j'aimerais ça que vous veniez visiter ma chambre. Laurence, l'amie de votre neveu Claude, m'a installée comme une reine !

— Ça me ferait plaisir de voir ça ! Si ça vous adonne, je pourrais monter chez vous juste avant la pause-café.

— Je vous attendrai, assura Rita, heureuse d'avoir enfin réussi à faire les premiers pas.

De son côté, Raoul était content de son invitation. Il y avait longtemps qu'il souhaitait fraterniser davantage, mais il hésitait. La glace était maintenant cassée.

Après l'arrestation du dénommé Hulk et son inculpation, les journaux rapportèrent que l'individu avait comparu sous une kyrielle de chefs d'accusation. Il était question de séquestration, de meurtre, de tentative de meurtre, d'incendie criminel et d'autres méfaits.

Le suspect avait plaidé non coupable et le procès aurait lieu ultérieurement. Les gens étaient toutefois rassurés de savoir qu'il était maintenant sous les verrous.

Dans les Laurentides, les personnes âgées avaient été troublées par ce drame au cours duquel l'un des leurs avait perdu la vie. Ils étaient plus craintifs et plusieurs hésitaient à sortir le soir. La population en général souhaitait que le suspect reçoive une peine exemplaire pour dissuader les malfaiteurs.

Laurence et Claude en avaient discuté au moment où l'arrestation avait été médiatisée.

— Chéri, t'es pas inquiet que ta mère vive toute seule dans sa grande maison?

— Non, je crois pas que ce soit dangereux. On l'a tous prévenue de garder ses portes barrées et de pas ouvrir si des gens inconnus se présentent chez elle.

— Est-ce que tu penses qu'elle répondrait à une fille de mon âge qui frapperait à 7 heures le soir?

— Sûrement! Je te vois venir, ma belle! Tu cherches à m'inquiéter!

— Non, mais s'il fallait qu'il lui arrive quelque chose, on s'en mordrait les pouces!

— Sa cuisine est toujours pleine de monde! Mais t'as raison, ça prend rien qu'une fois pour que le mal soit fait!

— On aurait dû construire une maison intergénérationnelle! Ça aurait réglé le cas!

— T'aurais voulu vivre avec ta belle-mère? avait répliqué Claude, très surpris de l'intervention de sa conjointe.

— Pourquoi pas? J'ai tout de suite beaucoup aimé cette femme-là! Elle me fait penser à ma grand-mère. En plus, on a des atomes crochus.

— Oui, mais ça fait pas une éternité que vous vous connaissez.

— Quand tout le monde a ses espaces, il me semble que c'est possible. Le plus important, d'après moi, c'est de se respecter les uns les autres et j'aurais aucune inquiétude avec la belle Doris!

— Tu sais que ce serait encore faisable, avait avoué Claude.

— Pensons-y avant d'en parler, mais c'est vrai que ça pourrait être intéressant, pour elle comme pour nous!

— Je pense que c'est nos enfants qui seraient privilégiés dans tout ça.

— T'as bien dit «nos enfants»?

— J'ai dit ça, moi?

Le couple filait le parfait bonheur et il avait des projets plein la tête. Laurence et Claude n'avaient tout simplement pas pensé que la vie nous réserve parfois des surprises!

CHAPITRE 9

Voyager à la retraite

(Juillet 2008)

Le souper-rencontre avec les amis de Patrick et Dominique à propos du voyage projeté dans l'Ouest eut lieu à la fin de juin. Dominique s'était résignée à y prendre part.

— On est partis avec eux cinq ou six fois pour aller dans les îles. Tu t'en souviens pas à quel point on avait eu du plaisir? avait argumenté Patrick avant le souper, pour amener sa conjointe à s'enthousiasmer pour ces vacances.

— T'es pas réaliste! Tu peux pas comparer ces petits voyages-là avec ce qu'on s'apprête à faire! Il faudrait cohabiter pendant plus d'un mois alors qu'avant, on allait une semaine de temps en temps dans un tout-inclus! avait répliqué Dominique.

— Je vois pas ce qui t'inquiète tant! C'est des gens comme nous. Ils sont simples et nous ont jamais déçus.

— On les connaît pas vraiment. En voyage, on avait chacun nos chambres et on avait pas de repas à préparer, tandis qu'en motorisé, ça serait une tout autre dynamique. De toute manière, j'ai jamais fait de camping de ma vie!

— Commençons par profiter de ce repas entre amis et après, on avisera, si ça va pas.

Les retraités avaient insisté pour recevoir Patrick et Dominique chez eux en spécifiant que ce serait sûrement plus convivial. Ils ne souhaitaient pas se retrouver dans un restaurant pour discuter et consulter des cartes routières et des livres de référence.

En arrivant sur les lieux, une grande surprise attendait Dominique et Patrick. Leurs amis avaient choisi de simuler la vie de vacances en les recevant dans leur véhicule motorisé de 27 pieds qui était stationné dans leur entrée privée. Ils avaient ouvert l'auvent et installé des chaises et une table où ils prévoyaient servir l'apéro.

Ils avaient également mis l'emphase sur leur habillement.

Pour l'occasion, ils avaient revêtu des tenues qu'ils portaient habituellement en voyage dans le Sud. Lui avait endossé une chemise très colorée, en coton, avec des motifs variés d'animaux marins et des sandales de plage. Sa femme avait opté pour une robe bustier jaune ornée de dessins de fleurs et de feuilles de palmier.

Dominique et Patrick n'avaient pas osé se regarder de crainte d'avoir un fou rire.

Les hôtes avaient poussé l'audace jusqu'à accueillir leurs invités en leur déposant un collier de fleurs autour du cou.

Ils leur avaient ensuite servi des cocktails corsés, à saveur de rhum. Les boissons étaient décorées d'ananas et de petits parapluies en papier rouge et orangé.

Dominique avait l'impression de faire un mauvais rêve, dans lequel elle se serait retrouvée en compagnie des *Joyeux naufragés*, sur *L'Île de Gilligan*. Elle ne savait pas encore que le repas principal serait servi dans la minuscule salle à manger du véhicule.

Une fois à table, les amis racontèrent en détail les moindres péripéties de leur dernier voyage en Floride. Ils inondèrent leurs invités de photographies. Ils étaient si enthousiastes en relatant le genre de vie qu'ils menaient qu'ils songeaient à vendre leur maison pour vivre à l'année dans un plus grand véhicule récréatif.

— Depuis quelques années, on passe trois mois dans le Sud. L'an prochain, on devrait y être durant tout l'hiver. On a prévu un trajet différent qui nous permettra d'aller à Memphis, au Tennessee. Ma femme veut absolument aller visiter Graceland, la résidence d'Elvis Presley.

— Vous êtes chanceux! déclara Patrick. J'aimerais bien pouvoir en faire autant!

— Dis-moi pas que t'as pas les moyens! rétorqua son ami.

— Je suis pas prêt à prendre ma retraite maintenant. Il me reste au moins trois ans à travailler. J'ai quand même presque deux mois de vacances par année, quand j'ajoute les journées fériées.

— J'ai préparé un itinéraire avec tous les endroits à visiter. Quand on aura pris notre dessert, je vais vous montrer la carte routière, où j'ai fait le tracé final. Hésitez pas à nous le dire si quelque chose vous déplaît. On est pas du monde compliqué. En plus de ça, avec deux femmes dans le motorisé, on aura pas grand-chose à faire, mon Patrick! railla l'homme.

Dominique haïssait ces répliques sexistes. En écoutant le monologue de l'ami de son conjoint, elle avait l'impression qu'il les avait conviés pour la forme, souhaitant simplement raconter leurs anecdotes. Elle était convaincue qu'elle ne pourrait voyager avec eux.

Patrick était toutefois envoûté par la perspective de partir à l'aventure. Il faisait fi des concessions qu'ils devraient faire, lui et Dominique, pour vivre avec des étrangers dans un espace aussi restreint.

— On va être sur la route pour au moins six semaines. Je sais que c'est un peu plus long que ce qu'on avait prévu au départ, mais tant qu'à être dans ces régions-là…

— On a pensé qu'il faudrait en profiter pour visiter! compléta son épouse.

— C'est beaucoup trop long pour nous! s'exclama Dominique, sans prendre la peine de regarder son mari.

— On pourrait peut-être s'arranger! s'interposa Patrick, qui n'avait pourtant pas l'habitude de contredire sa femme.

— T'es pas sérieux! intervint Dominique avec exaspération.

— Oui! Je pourrais demander un congé sans solde de deux mois! insista-t-il.

— Je m'excuse, Patrick, mais c'est pas ce qui était convenu. On avait parlé de quatre semaines au maximum.

— C'est une belle chance qui se présente là! Tu devrais être raisonnable, Dominique!

— Désolée, les amis, mais on va régler la situation chez nous et non à votre table.

— Soyez bien à l'aise! intervint l'hôtesse, qui réalisait que son mari avait été plutôt envahissant avec son exposé. Je propose qu'on s'assoie au salon et qu'on change de sujet de conversation, le temps de prendre un digestif.

Patrick était si déçu qu'il ressemblait à un enfant à qui on venait d'enlever un jouet. Il avait abusé du vin pendant le repas et il ne mesura pas les paroles qu'il réservait à sa conjointe.

— Tout à fait d'accord pour qu'on discute d'autre chose. Pour faire plaisir à ma femme chérie, je propose qu'on parle du vieillissement de la population et de la vie des personnes âgées en résidence.

Dominique se leva instantanément, la rage au cœur. Le dossier de l'Ouest canadien venait d'être relégué aux oubliettes, du moins en ce qui la concernait.

Elle salua les amis et les remercia pour le bon repas.

— Finalement, je suis heureuse de la tournure des événements. Imaginez-vous si c'était arrivé alors qu'on aurait été à quelques milliers de kilomètres de chez nous. J'ai réalisé ce soir que je ne pourrais pas vivre en groupe dans une immense boîte de conserve! lança-t-elle hardiment.

Puis, Dominique sortit, en se disant que si son mari la suivait dans les cinq prochaines minutes, elle le ramènerait à la maison. Dans le cas contraire, il lui faudrait trouver un moyen de transport pour rentrer!

━

Depuis qu'ils s'étaient disputés au printemps, Robert Ducharme n'avait pas communiqué avec Monique. Ce n'était pas la première fois qu'elle le traitait de la sorte et il se disait qu'il ne supporterait plus autant de méchanceté de sa part.

En outre, il avait été très occupé avec sa mère, âgée de 89 ans, qui avait été admise à l'hôpital à répétition. À l'intérieur de sept semaines, elle y était allée à quatre reprises. Paula, la sœur de Robert, qui demeurait à Orleans, près d'Ottawa, était venue l'aider. Elle était mariée et avait trois enfants. Constatant l'état de santé précaire de sa mère, elle avait décidé de passer ses derniers moments avec elle.

C'est toutefois dans les bras de son fils que la pauvre dame était décédée.

Lorsque Monique avait appris que la mère de Robert avait rendu l'âme, elle l'avait immédiatement appelé pour lui offrir ses condoléances.

— Je sais ce que tu peux ressentir! lui confia-t-elle avec sincérité. Tu as été si bon pour elle!

— Merci, Monique, j'apprécie beaucoup. Effectivement, tu as vécu les mêmes émotions il y a très peu de temps.

— Voudrais-tu venir faire un tour à la maison? lui demanda-t-elle, heureuse d'avoir cette occasion pour renouer avec lui.

— Non merci. T'es bien gentille, mais ma sœur est ici avec moi et on a organisé les funérailles. Maman sera pas exposée, puisque notre famille est vraiment petite. La cérémonie aura lieu vendredi matin.

— Tu peux compter sur ma présence. Si ça te dit, en fin de semaine, on pourrait faire une activité. Ça te changerait les idées.

— Je serai pas dans le coin. Je vais aller passer du temps chez Paula. J'aime bien ses enfants et j'ai pas la chance de les voir souvent.

— Quand tu reviendras, appelle-moi, si t'as le goût, naturellement.

— Pour l'instant, j'ai beaucoup de choses à régler. Je serai pas vraiment disponible.

La conversation s'était terminée ainsi, mais Monique ne s'en était pas formalisée. Robert vivait probablement de grandes émotions et sa sœur était avec lui. Elle serait patiente. Quand il se retrouverait seul entre quatre murs, il lui donnerait sûrement signe de vie.

Robert était fier d'avoir parlé avec son amie Monique,

mais il savait que rien ne serait plus pareil entre eux. Il était maintenant libre. Au cours des semaines où il avait fréquenté l'hôpital, il avait fait la connaissance d'une gentille préposée aux bénéficiaires. Elle s'était beaucoup occupée de sa mère et ils avaient passé de longues heures à discuter. Ils avaient les mêmes affinités pour la tranquillité et pour la nature. Ils avaient prévu se revoir lorsque Robert serait de retour de chez sa sœur.

Aussitôt la vieille dame partie, il semblait au fils orphelin que celle-ci lui avait envoyé quelqu'un pour prendre soin de lui! C'est du moins le signe qu'il avait perçu.

⬤

C'était calme au restaurant ce midi, mais Jean-Guy n'était pas déçu pour autant. Pour une fois qu'il n'avait pas à prendre les bouchées doubles!

Leur commerce, à Mariette et lui, était florissant, mais ils devraient songer très bientôt à engager plus de personnel.

— On est rendus là, Jean-Guy! C'est pas normal que tu aies autant de travail, reconnut sa conjointe.

— J'aime ça, mais c'est vrai que depuis une secousse, je termine mes journées assez tard.

— On ferme le resto à 3 heures, mais tu reviens jamais à la maison avant 5 ou 6 heures.

— Et toi, tu te couches à 8 heures. Comme ça, on a pas le temps de se chicaner!

— J'ai pas le choix, je me lève à 4 heures du matin! se défendit Mariette.

— Tu pourrais pas demander à Lucette d'ouvrir à ta place de temps en temps? Tu l'appelles toujours ta *partner*, mais tu lui confies pas assez de responsabilités. Elle travaille avec toi depuis assez longtemps qu'elle sait comment tout fonctionne.

— Lucette me l'a offert souvent, mais je serais debout, de toute manière. Non, je pense qu'on va plutôt engager quelqu'un d'une compagnie d'entretien pour faire le ménage après la journée. Juste de nettoyer les planchers et les deux salles de bain, c'est de la grosse ouvrage!

— Tu veux m'enlever ma *job*! se désola Jean-Guy.

— T'en as assez à faire avec les commissions et à t'occuper de la bâtisse. J'aimerais ça que tu aies un peu de temps pour profiter de ton nouveau *char*. On l'a pris juste deux fois pour aller à Val-David et depuis ce temps-là, tu l'as laissé dans la cour!

— Des fois, je me dis que c'est pas mal d'argent que j'ai dépensé pour un gars comme moi. J'avais pas vraiment besoin de ça!

— Une *luck* de même, ça passe pas tous les jours. Monsieur Pigeon avait acheté sa BMW flambant neuve et il en prenait soin comme de la prunelle de ses yeux!

— Je me demande bien pourquoi il l'a changée. Un *char* de cinq ans avec 45 000 kilomètres au compteur, c'est quasiment neuf!

— Moi, je crois que s'il a les moyens de le faire, y fait bien! Ce gars-là a travaillé toute sa vie et il est rendu à 78 ans. C'est pas le temps de faire des placements! Lui, il aime pas ça, voyager ou se payer des restaurants à des prix de fous. Il vient déjeuner ici tous les matins depuis que le restaurant est ouvert.

— Pis c'est pas rare qu'il vienne dîner aussi. Je l'aime bien, ce bonhomme-là! En tout cas, je sais qu'il nous a fait un bon prix! J'en ai parlé avec mon cousin Claude et il m'a confirmé que j'avais fait une bonne affaire. Je pourrais la revendre demain matin et même faire un profit!

— Que je te voie! menaça Mariette. Toi aussi, t'as travaillé depuis que t'es tout jeune et t'as jamais été un dépensier. Je trouve que c'est un beau cadeau qu'on s'est fait là! Oublie pas qu'on travaille 7 jours sur 7.

— T'as bien raison! Mariette, il est midi et demi et il reste juste cinq tables où il y a du monde! C'est quasiment la récréation!

— Parle pas trop vite! Regarde le beau *char* qui arrive dans le stationnement.

— C'est une Toyota Camry de l'année. C'est vraiment un beau modèle, ça.

— Ah ben! T'imagineras jamais qui c'est qui s'en vient nous voir! Ta tante Doris!

Jean-Guy se leva d'un trait pour aller l'accueillir.

— Bonjour, ma tante! Vous nous faites toute une surprise là!

— Allô, Jean-Guy, allô, Mariette! Je vous présente un bon ami à moi, Bernard Leclair.

— Bienvenue chez nous! s'exclama Mariette, en s'avançant pour embrasser ses visiteurs.

— Si j'avais attendu que mes enfants aient le temps de m'amener, je serais peut-être jamais venue vous voir!

— On parlait justement de ça avant que vous arriviez, indiqua Jean-Guy. On se demande comment on fait pour se rendre à la fin de chaque journée. Heureusement, depuis ce matin, c'est tranquille. On va pouvoir jaser en masse.

— Installez-vous où vous voulez! les invita Mariette. Vous allez dîner avec nous! Jean-Guy va s'asseoir avec vous pendant que je vais finir de servir nos clients. Tout de suite après, on barre la porte.

Doris était contente de l'accueil chaleureux qui lui était réservé. Elle regardait partout, impressionnée par la dimension du commerce et la décoration attrayante des lieux. Son neveu et sa conjointe avaient toute son admiration.

— Vous avez pas trouvé la route trop longue? s'informa Jean-Guy.

— Pantoute! Je suis venu dans le coin ici rien qu'en masse! Mon oncle avait un chalet au lac Labelle et on montait passer des fins de semaine complètes avec eux autres. J'étais un maniaque de pêche! Après que j'ai été marié, on a continué la tradition, mais à un moment donné, la gang est devenue trop grosse. Ça doit faire 15 ans que j'étais pas monté par icitte.

— Pensez-vous que vous pourriez reconnaître l'endroit où était ce chalet-là?

— Sûrement! Le voisin du frère de mon père était un dénommé Morin. Il avait construit une croix de bois haute d'environ 12 à 15 pieds et il l'avait installée entre le camp et le bord de la route. Tous les printemps, il plantait des bulbes de différentes plantes qui faisaient en sorte que c'était fleuri durant tout l'été.

— C'est une drôle de place! D'habitude, les gens installaient des croix à la croisée des chemins, mentionna Jean-Guy.

Bernard expliqua la raison qui avait incité cet homme à poser ce geste.

— Sa femme était très pieuse et elle lui avait demandé de construire une croix pour remercier le Bon Dieu d'avoir sauvé son jeune fils de la noyade.

— Le monde avait des bonnes valeurs dans ce temps-là! nota Doris, qui aimait bien ces histoires de famille. Pas étonnant que vous étiez si heureux!

— On a eu assez de plaisir à ce chalet-là! On organisait des tournois de fer et on jouait à la cachette avec les enfants. Aussitôt que le soleil se couchait, on faisait des feux au bord du lac, avec les voisins des alentours, les Chapleau et les Carignan.

— J'ai pas connu ça, moi, parce que mon mari travaillait chez Kenworth, à Boisbriand, et il voyageait soir et matin. Je te dis que la fin de semaine, c'était pas le gars pour aller faire un tour de *char*! Par contre, chaque été, on faisait une escapade aux États-Unis.

— Oui et je vous dis qu'on vous enviait! s'exclama Jean-Guy à la suite de l'intervention de sa tante. Nous autres, on a jamais eu la chance de voyager et je suis certain pourtant que papa aurait eu les moyens. On est pas obligés de faire des dépenses folles pour sortir de sa cour!

— Je suppose que vous alliez à Old Orchard? demanda Bernard à sa compagne.

— Oui, mais avant, on se rendait au lac George, dans l'État de New York. C'était moins loin quand les enfants étaient plus jeunes.

Cette visite de Doris et Bernard était un cadeau pour Jean-Guy, que la mort de son père avait beaucoup affecté. Il répétait souvent qu'il avait une part de responsabilité dans le drame qui était survenu.

— Tu sais, Jean-Guy, quand tu m'as appris que Monique avait fait enterrer mon frère sans nous en parler, j'ai eu le goût d'aller lui rendre visite pour lui dire ma façon de penser, confia Doris. Après, j'ai bien réfléchi à mon affaire et j'ai réalisé que ça lui ferait trop plaisir de savoir à quel point ça nous avait fait mal. Tu vas m'excuser, mais ta sœur, c'est la vraie Jacqueline en peinture! Ta mère était aussi malicieuse que ça!

— Excusez-vous pas, ma tante. Je le sais trop bien! Mon père l'a pas eu facile. Mon oncle Raoul a mal pris ça, lui aussi. Je lui ai dit que la prochaine fois que j'irais à Val-David, je vais faire préparer un bel arrangement floral et on va aller tous les trois sur sa tombe. On pourrait faire comme si c'était notre cérémonie à nous.

— T'es fin de penser à ça! Il me semble que ça va apaiser ma peine.

— Aujourd'hui, je vais vous annoncer quelque chose de plus gai! Ma tante, sans le savoir, vous êtes arrivée juste à point.

— Comment ça? Avez-vous des patates à éplucher ou un tas de vaisselle à laver? balança-t-elle avec un grand sourire aux lèvres.

— Dans moins de deux mois, Mariette et moi, on va se marier!

— Mes félicitations, les enfants! Je suis heureuse pour vous deux!

— On va faire ça le samedi 6 septembre. Juste après le week-end de la fête du Travail. On va fermer le restaurant pour trois jours, spécifia Jean-Guy.

— Ça va être la première fois que le commerce sera pas ouvert en 20 ans! J'ai quand même pas exagéré! se défendit Mariette, qui avait été plutôt difficile à convaincre.

— Non, et là, c'est pour une très bonne raison! acquiesça Doris.

— Ce sera une cérémonie quand même assez simple, dans une auberge du lac Nominingue. Comme on fera pas de voyage de noces, on va demeurer sur place pour la fin de semaine.

— Ma tante, j'avais pensé demander à mon oncle Raoul d'être mon témoin. Par contre, s'il était pas suffisamment en forme pour assister au mariage, accepteriez-vous de le remplacer?

— Avec un grand plaisir! répondit Doris. Mais si Raoul est bien, ça lui reviendrait de droit, par exemple. Il a pas eu d'enfant et il a été bon avec chacun de vous.

— Plus que vous pouvez l'imaginer! lança Jean-Guy en songeant aux 15 000 dollars que sa sœur et lui avaient reçus l'année précédente.

— Vous devriez recevoir votre faire-part pour les noces très bientôt. C'est Janie, la fille de Mariette, qui est en train de les préparer. On manquait de temps! Vous aussi, Bernard, vous êtes invité, si ma tante Doris le veut bien.

— Vous me faites tout un honneur! répliqua le vieil homme, très heureux de l'évolution de sa relation avec Doris.

— Dominique, Évelyne et Claude vont également recevoir leur invitation, précisa Mariette. La famille de Jean-Guy est pas grosse, mais on espère que tout le monde va pouvoir venir. On a eu assez de peine cette année qu'on souhaite être tous ensemble dans des circonstances plus joyeuses.

— Vous direz à Évelyne d'emmener ses jeunes! indiqua Jean-Guy. J'aime assez son petit Bruno, un vrai clown! Sa Noémie aussi est une belle adolescente.

— Je suis fière de mes petits-enfants! Pis quand je pense que je vais en avoir un troisième cet hiver! J'ai bon espoir que le pire est en arrière de nous autres. Les drames auront au moins servi à ce qu'on se rapproche.

— C'est votre fête, ma tante, qui nous a convaincus de faire une plus grosse noce. On avait parlé de se marier discrètement au palais de justice et d'aller ensuite manger au resto. On a finalement décidé d'en faire un jour mémorable.

Les deux couples avaient passé un bel après-midi. Jean-Guy leur avait fait visiter sa maison et expliqué toutes les rénovations qu'il avait effectuées. Il était ensuite allé faire essayer sa BMW à monsieur Leclair.

Mariette et Jean-Guy avaient grandement insisté pour que la tante et son ami restent pour souper, mais ceux-ci souhaitaient partir avant que le soleil ne se couche.

Le couple était ensuite remonté dans son logement, heureux de cette visite imprévue.

— Il me semble que j'ai encore plus hâte de me marier! confia le futur époux à sa conjointe. Il va y avoir des Roy et des Moreau à mes noces! C'est pas que j'étais jaloux de toi, qui as des enfants, mais... Je sais pas si tu me comprends.

— Oui! Inquiète-toi pas! C'est humain et tout à fait normal! On a été élevés à une époque où les liens familiaux avaient une place très importante.

— Je suis pas sûr que ma sœur va venir, par exemple.

— Elle va recevoir son faire-part comme les autres! La balle sera dans son camp! T'es certain que tu veux quand même qu'elle assiste à nos noces après ce qu'elle t'a fait?

— Je suis pas *rancuneux*, comme disait ma mère!

— On est pas fait du même bois, mais je respecte ton choix.

— Elle va probablement me demander pourquoi j'ai invité les enfants de ma tante Doris. Je pense que je vais aussi inviter ma cousine Suzanne.

— C'est pas deux de plus ou de moins qui vont changer quelque chose. Ça va leur donner un sujet de plus à critiquer, mais je m'en fous!

— Si au moins les affaires étaient réglées pour le testament de papa, mais on attend encore des papiers du gouvernement. En tout cas, c'est ça que la secrétaire du notaire m'a dit. C'est long sans bon sens cette affaire-là !

— Tu devais aller dans la maison de ton père pour faire un inventaire et tu l'as toujours pas fait. Il avait de bons outils qui te seraient peut-être utiles. Qu'est-ce que ta sœur en ferait, de toute façon ?

— T'as raison ! Il faut que je prenne un après-midi et que je descende là-bas. Mais je vais appeler Monique avant parce que tout est fermé à clé. Pis je suis pas certain que je vais être bien reçu !

— Arrête de le dire et fais-le ! On dirait que t'en as peur ! C'est pas la reine d'Angleterre, c'est juste Monique Moreau !

CHAPITRE 10

Famille éloignée

(Juillet 2008)

Depuis qu'il était arrivé au Québec, en 1987, Xavier n'avait jamais exprimé le souhait de retourner dans le pays de son enfance. Il racontait qu'il avait pris un jour cette décision et qu'il n'avait jamais éprouvé de regrets par la suite.

Sa mère était décédée alors qu'il n'avait que huit ans. Ce dont il se souvenait d'elle, c'est qu'elle était très souvent alitée. Il devait la laisser se reposer et personne ne pouvait parler fort dans la maison. On lui avait raconté plus tard qu'elle était morte de faiblesse. Il n'avait jamais cherché à en savoir plus.

Au décès de sa mère, son père s'était montré inconsolable et il ne s'était pas soucié de la peine que vivaient aussi ses enfants. Il s'était mis à fréquenter les brasseries de plus en plus régulièrement. Heureusement, son frère aîné, Arnaud, était là pour prendre soin de lui. Il veillait à ce qu'ils mangent trois repas par jour et il s'occupait de voir à la bonne marche de la maison lorsque leur père ne rentrait pas.

Monsieur Leroy était décédé une douzaine d'années plus tard d'une cirrhose du foie. À ce moment-là, Arnaud avait quitté la maison pour aller travailler comme menuisier et Xavier était parti faire son service militaire.

À 20 ans, Xavier s'était donc retrouvé orphelin et n'avait qu'un seul frère, de quatre ans son aîné, avec qui il n'avait pas développé d'atomes crochus en vieillissant. Ils n'avaient jamais vécu de conflits majeurs, mais ils ne s'ennuyaient pas l'un de l'autre quand ils passaient du temps sans se retrouver.

Cela faisait deux ans que Xavier vivait au Canada quand il avait communiqué avec Arnaud pour la première fois depuis son départ et celui-ci ne lui avait pas semblé surpris outre mesure. Xavier avait mentionné à son frère qu'il le rappellerait quand il aurait un domicile fixe. Ce n'est toutefois qu'en 1991 qu'il l'avait à nouveau contacté pour lui annoncer qu'il avait une amoureuse, qu'elle s'appelait Évelyne et qu'il comptait vivre avec elle prochainement.

À partir de cette époque, il avait pris l'habitude d'appeler son frère dans le temps des fêtes. S'il n'arrivait pas à le joindre au moment où il tentait de le faire, il était possible qu'il ne lui parle que l'année suivante.

Évelyne ne comprenait pas que les deux frères n'aient jamais le goût de se parler à d'autres moments dans l'année.

— J'ai déjà vu des frères plus proches que ça! lui reprochait-elle parfois avec vigueur.

— Ça veut pas dire que je l'aime pas, même si on se parle pas tous les mois ou toutes les semaines, comme vous autres!

— De votre côté, c'est loin d'être tous les mois! Ça arrive juste une fois par année et tu trouves le moyen de l'oublier, des fois!

— S'il se passait quelque chose d'important du côté de mon frère, je le saurais! Quand sa femme est décédée, enceinte de son deuxième bébé, il nous a tout de même appelés ! Si tu t'en souviens bien, il était assez énervé qu'il avait pas pensé au décalage horaire. Il était 4 heures du matin quand le téléphone avait sonné ici !

— Oui, je m'en souviens très bien ! Il avait besoin que tu lui envoies de l'argent pour enterrer son épouse et le bébé. C'était pas vraiment un appel réjouissant !

— Peut-être pas, mais de toute manière, au téléphone, on a rien à se dire ! Il a une fille et à tous ses anniversaires, on lui envoie une carte avec un chèque ! Pénélope sait qu'on existe et peut-être qu'un jour, on la verra. On peut pas tous être tissés serré comme vous autres, les enfants de Doris !

— C'est-tu un reproche ? Je voudrais pas être séparée de Dominique ou de Claude comme vous autres. Une famille, c'est uni d'habitude !

— Non, c'est pas toujours comme ça ! Disons que nous autres, on est très distants et vous autres, vous couchez quasiment dans le même lit !

— On va pas se chicaner parce que tu parles pas à ton frère ! Si t'aimes ça de même, continue !

Ces discussions entre Évelyne et Xavier reprenaient à peu près une fois l'an, mais elles s'étaient espacées avec les années. La vie de famille et le travail occupaient maintenant tout leur temps.

Ce serait l'anniversaire de Pénélope le mois prochain et comme d'habitude, Évelyne lui avait choisi une belle carte de souhaits. Un samedi matin, après qu'ils eurent déjeuné, elle en profita pour montrer son achat à son conjoint.

— Ta nièce va avoir 21 ans. C'est spécial ! J'aimerais ça que tu lui écrives un petit mot.

— Pas déjà 21 ans ! Dieu que le temps passe vite ! Ça veut dire que ça fait 21 ans que je suis arrivé au Québec.

Ma belle-sœur était en cloque de quelques mois quand je suis parti.

— C'est une femme, maintenant, ta Pénélope! On devrait lui faire un chèque un petit peu plus gros, cette fois-ci. À cet âge-là, tout ce qu'on veut, c'est de l'argent et habituellement, nous, les filles, c'est pour acheter des vêtements. Qu'est-ce que t'en penses?

— Donne-moi le numéro de téléphone de mon frère. Je vais l'appeler pendant qu'on en parle.

— À matin, comme ça?

— Oui! Ça me tente de lui parler. C'est drôle, j'ai pensé à lui une partie de la semaine. Peut-être que c'est parce que lui aussi pensait à moi!

Évelyne sortit donc son calepin et donna le numéro à son mari, qui s'empressa de le composer. Au même moment, Bruno rentrait dans la maison, le visage tout couvert de boue.

— Xavier, va parler au téléphone dans la chambre, pour être plus tranquille. Je vais m'occuper de notre clown!

— Pourquoi tu m'appelles comme ça? demanda le jeune garçon, qui n'avait pas aimé le ton employé par sa mère.

— Tu t'es pas vu? Arrête de t'épivarder[9] de même! Tu vas salir toute la maison! Viens dehors avec moi! Je vais te rincer avec la *hose*!

— C'est de ta faute! Ils montraient des femmes qui se faisaient envelopper de bouette hier à la télévision, à ton émission *Deux filles le matin*. Tu dis toujours que c'est instructif.

En soupirant, Évelyne sortit de la maison pour nettoyer la figure de son garçon. Elle lui fit ensuite enlever son

---

9   S'épivarder: bouger beaucoup de façon excitée.

chandail, son short et ses chaussettes, qui étaient tous couverts de terre et mouillés, et le jeune rentra dans la maison en sous-vêtements.

— Va-t’en tout de suite dans la douche et barre pas la porte. Je vais aller te porter des vêtements propres, lança Évelyne.

— Laisse pas rentrer personne dans la salle de bain, par exemple. Je te fais confiance! rétorqua Bruno sérieusement.

— Après ça, tu te demandes pourquoi je t’appelle mon clown! répliqua sa mère en riant.

— Quand je vais avoir fini, je veux aller faire un tour chez mamie! Elle est supposée faire des *egg rolls* après-midi.

Le jeune garçon avait le don d’organiser ses journées afin de profiter de toutes les occasions. Évelyne se disait qu’il ferait sûrement son chemin dans la vie.

Quand Xavier revint dans la cuisine, sa femme lui trouva le teint blafard.

— Est-ce que t’as appris une mauvaise nouvelle? On dirait que t’as vu un fantôme!

— C’est mon frère! balbutia l’homme avec peine.

— Qu’est-ce qu’il a, ton frère? Dis-moi!

— Il a la leucémie et il semble qu’il passera pas au travers! avoua-t-il avec un grand désarroi.

— À qui t’as parlé? À ta nièce?

— Oui. Je te dis qu’elle en mène pas large, la môme! Arnaud voulait pas qu’elle me le dise. C’est pas pour rien que je pensais autant à lui cette semaine! Quand mon frère allait plutôt mal, en mai dernier, elle a essayé de nous téléphoner à quelques reprises, mais elle raccrochait quand tu répondais. Elle s’est excusée. Elle m’a dit qu’elle savait pas quoi dire.

— Au moins, on sait que c'était pas des appels d'un voleur! Arnaud est-tu à l'hôpital?

— Non. Il est chez lui depuis une quinzaine de jours, mais il va pas bien. Je vais le rappeler un peu plus tard. Je pensais jamais que ça me mettrait autant à l'envers! Ça fait 21 ans qu'on s'est pas vus et là, j'ai peur qu'il meure! avoua Xavier en épongeant ses yeux.

— Pourquoi tu irais pas le voir? Je pense que ça te ferait du bien et Pénélope serait heureuse que tu sois avec elle.

— Je vais appeler mon *boss* et voir ce que je peux faire. Merci, Évelyne, d'être aussi bonne avec moi. Je me suis souvent moqué de toi et de ta famille, mais aujourd'hui, c'est moi qui suis inquiet.

— T'as pas à t'en faire! Des fois, on parle à travers notre chapeau! Je sais que t'as le cœur à la bonne place, inquiète-toi pas! J'ai envie d'appeler la femme de l'agence de voyages pour m'informer pour l'achat d'un billet d'avion.

— J'apprécierais beaucoup! Si c'était possible, je voudrais pouvoir être à l'agence dans la prochaine heure. Je me suis jamais senti aussi loin de chez nous!

———

Quelques jours après sa dernière rencontre avec Rita, Raoul était monté à la chambre de cette dernière, en réponse à son invitation. Il avait auparavant pris le temps de faire un brin de toilette, se rasant de près et s'aspergeant d'un peu d'eau de Cologne. Il avait toujours été fier et il souhaitait faire bonne impression.

En approchant de la porte, avant de frapper, il se demanda s'il avait le droit de visiter ainsi cette dame. Il ne voulait pas qu'elle croie qu'il s'imposait ou qu'il avait des attentes envers elle. Il décida de mettre fin à cette réflexion.

Il cogna doucement. Il avait à peine donné le troisième petit coup que Rita vint lui ouvrir.

— Bonjour, Raoul! Vous êtes un gars de parole, j'aime ça!

— J'ai jamais été très patient et naturellement, je m'arrange pour être à l'heure quand j'ai un rendez-vous!

— Entrez! Je suis heureuse que vous veniez visiter mon humble demeure! ajouta l'hôtesse avec un sourire invitant.

Raoul appréciait les décors modestes, mais raffinés. Il fut agréablement surpris qu'une simple chambre puisse avoir autant de classe. Rita lui offrit de s'asseoir dans son fauteuil pendant qu'elle prenait place sur une chaise droite près de sa table d'appoint.

— C'est très plaisant comme endroit et les teintes sont si apaisantes. Vous devez vous sentir bien ici!

— Oui, tout à fait! Depuis que j'ai emménagé, il me semble que mon énergie revient jour après jour. J'ai toutefois de la difficulté à me lier d'amitié avec les résidents. On dirait qu'ils me regardent drôlement. Peut-être aussi que je fabule.

— C'est une idée que vous vous faites. Je le sais parce que j'ai pensé la même affaire en arrivant. Je crois que c'est nous qui sommes sur la défensive. C'est pas évident de se retrouver avec autant de monde autour, alors qu'auparavant, on vivait souvent comme des ermites dans nos maisons.

— Vous avez sûrement raison. Monsieur Raoul, pendant qu'on est tout seuls, j'aimerais qu'on puisse mettre une chose au clair à propos de votre frère. Hector était pour moi rien qu'un ami, sans plus.

— Chère madame Rita! Vous vous en faites pour rien.

Je sais que vous vous occupiez de lui parce qu'il avait besoin d'aide.

— Au début, on allait aussi marcher ensemble dans les rues autour de la résidence. On a aussi passé plusieurs soirées à jouer aux cartes ou à écouter de la musique.

— Vous croyez pas qu'à notre âge, on pourrait arrêter de s'en faire avec ce que les gens peuvent penser ? Vous avez fait de mal à personne ! Vous avez même fait beaucoup de bien à mon frère en lui apportant un peu de bonheur. La solitude est parfois si difficile à supporter.

— Vous me réconfortez ! J'avais peur que vous me jugiez ! La fille d'Hector était si froide et parfois même méchante avec moi ! J'ai pensé qu'elle aurait pu vous raconter des affaires qui étaient pas vraies.

— Il faut pas vous en faire avec elle ! Elle a pas de crédibilité dans la famille, on la connaît trop bien. Vaut mieux rester loin d'elle, sinon elle risque de contaminer l'air qu'on respire ! lança Raoul en rigolant.

— Vous êtes drôle ! Ça fait du bien de s'amuser un peu.

— Ça sert à rien de prendre la vie trop au sérieux, disait un sage, car personne en est sorti vivant !

— Raoul, j'espère qu'on aura la chance de parler encore comme ça. En attendant, si on descendait à la salle à manger, on pourrait aller déguster un bon muffin aux bleuets avec une tasse de thé.

— C'est une excellente idée !

Les deux résidents étaient heureux de cette familiarité amicale qui s'installait entre eux. Ils seraient plus à l'aise maintenant pour discuter ensemble quand ils se rencontreraient dans les espaces communs ou sur les galeries dotées de balançoires et de chaises de patio.

Raoul avait hâte que Dominique vienne le visiter pour

lui parler de cette dame. Il souhaitait savoir ce qu'elle en pensait.

—

Hugo s'était installé dans l'ancienne maison d'Hector et il y avait vite fait son nid. Cette demeure était meublée, mais très sobrement. Quand le vieil homme était entré en pension, Monique y avait laissé tout ce qui s'y trouvait, sauf les biens personnels qui pouvaient avoir de la valeur.

Certains articles avaient été empaquetés durant les travaux, mais Hugo avait fouillé et avait retrouvé tout ce dont il avait besoin.

Monique lui avait demandé de peindre la salle de bain avant d'entreprendre d'autres rénovations. Hugo n'avait pas l'intention de remettre la maison en état, mais il tenterait d'y rester le plus longtemps possible. Entre-temps, il irait visiter Raoul en souhaitant que ce dernier envisage de le considérer comme un héritier. Sa santé était plutôt précaire et il n'en avait sûrement pas pour plusieurs années encore à vivre. En jouant sur les sentiments du vieil homme, il y parviendrait peut-être !

Pour débuter, Hugo avait eu l'idée d'aller chercher Raoul pour venir lui montrer dans quel état Monique avait laissé la résidence de son père. Il la dénigrerait autant qu'il le pourrait, lui laissant entendre qu'elle était incapable de gérer quoi que ce soit. Il croyait ainsi qu'il arriverait à éliminer une héritière potentielle. Il tenterait ensuite de discréditer les autres membres de la famille auprès de Raoul, mais ce serait plus difficile.

Hugo avait commencé à fouiller dans la maison afin de

trouver de l'argent qui aurait pu y être caché. Il avait ratissé la chambre d'Hector au complet sans rien découvrir. Il était bien déterminé à passer toutes les pièces au peigne fin.

Plusieurs boîtes de carton devaient être vérifiées. Quand il ciblait des articles qui avaient un peu de valeur, il les mettait de côté pour éventuellement aller les vendre à un copain au marché aux puces. Il lui avait déjà apporté un bon lot d'outils, qui prenaient la poussière dans le cabanon ainsi que dans le sous-sol. Il en avait obtenu 200 dollars. Ce n'était pas beaucoup, mais pour de telles vieilleries, le montant lui convenait. La semaine prochaine, il irait vendre la scie à chaîne et les deux haches à une autre connaissance.

Hugo devait manœuvrer doucement afin que Monique ne s'aperçoive de rien. Pour s'assurer qu'elle ait confiance en lui, il peindrait la salle de bain, comme elle le lui avait demandé. Il prendrait son temps. Il pourrait très bien justifier les délais par la surcharge de travail qu'il avait avec son emploi de paysagiste.

— Je pourrai pas te faire ça avant l'automne ! l'avait-il avertie.

Pour faire bonne figure, il avait toutefois coupé la pelouse à l'avant de la maison et transplanté quelques arbustes qu'il avait subtilisés chez un client.

— Ma chère Monique, t'as manipulé ton pauvre père, mais t'as pas gagné la médaille dans le domaine ! Attends de voir ce que je vais faire ici avant de disparaître !

CHAPITRE 11

Jalousie maudite

(Juillet 2008)

Lors de sa plus récente visite à La Villa des Pommiers, Dominique avait trouvé que son protégé était particulièrement en forme. À son arrivée, il était assis sur la galerie, dans une chaise berçante, entre madame Durocher et madame Blanchard.

— Bonjour, mon oncle ! Ça a bien l'air que vous m'attendiez pas aujourd'hui !

— Bonjour, ma belle fille ! Tu m'avais dit que tu partirais en voyage pour un petit bout de temps, c'est pour ça que je suis surpris. Tu connais bien madame Blanchard, mais est-ce que t'as déjà rencontré madame Durocher ?

Dominique se retint pour ne pas rire. Elle se souvenait très bien de la dame que son oncle avait insultée durant ses premières semaines à la résidence.

— Oui ! Bonjour, c'est vous qui mangez toujours à la même table que mon oncle.

— C'est ça, répondit cette dernière en étirant le cou. On va aussi faire une marche à l'occasion, ajouta-t-elle pour se donner de l'importance aux yeux de la nièce de son ami, tout en narguant madame Blanchard qu'elle voyait, telle une empoisonneuse, s'immiscer entre eux.

— Comment va votre mère? s'interposa gentiment Rita. J'aime bien cette femme si généreuse et attentionnée.

— Maman est bien. Elle remonte la pente lentement, après le choc du décès de son frère. Elle sort de temps à autre avec un ami et j'ai remarqué que depuis, elle est beaucoup plus enjouée.

— C'est comme votre oncle! intervint madame Durocher. Quand on va prendre un café au restaurant ou qu'on va faire un tour au cimetière, il est toujours d'excellente humeur. La solitude, c'est pas bon pour personne!

— Si j'étais à votre place, je changerais d'endroit pour aller me promener, spécifia Rita. Quand on visite trop les morts, on perd le goût à la vie!

Raoul ne put faire autrement que sourire à la dernière réplique, tandis que Dominique lui fit un clin d'œil complice.

Les deux vieilles avaient le béguin pour le beau Raoul et elles jouaient leurs cartes chacune à sa manière.

— Mon oncle, je suis venue vous chercher pour qu'on aille faire des commissions.

— Quels genres de magasinage tu veux me faire faire? Tu sais, j'ai pas besoin de grand-chose ici.

Dominique ne souhaitait pas révéler devant les deux femmes qu'elle avait pris un rendez-vous pour faire ajuster sa prothèse auditive. Elle jugeait que c'était inutile de raconter toute sa vie, surtout dans un endroit comme celui-là.

— On va être absents environ deux heures. Puis vous savez que maman aime toujours ça quand on passe la voir.

— T'as bien raison! Je vais aller à ma chambre et après, on pourra partir. Vous allez m'excuser, mesdames, mais j'ai une nièce qui peut pas se passer de moi! lança le vieil homme avec fierté.

— C'est exactement ça! confirma Dominique, pour mettre un terme à la discussion. Je vous accompagne. Je vais vous le ramener pas trop tard, c'est promis! ajouta-t-elle avec une pointe d'ironie.

Lorsque Raoul fut parti, les deux aînées restèrent assises sur la galerie, avec une chaise vide entre elles. Une ambiance de compétition était tangible. Le silence dura pendant un moment avant que madame Durocher prenne la parole.

— Vous savez, madame Blanchard, que je connaissais Raoul bien avant vous!

— J'en suis pas si certaine! répliqua Rita.

— Aussitôt qu'il est arrivé ici, on a été placés ensemble à la même table. Ça a pas été long qu'on a développé des affinités.

— Je suis bien heureuse pour vous! Avant d'emménager à La Villa des Pommiers, il venait parfois visiter son frère, qui demeurait à la même résidence que moi. On discutait de plein de sujets. Vous avez raison, c'est un homme très intéressant.

— Au début, c'est moi qui lui ai montré comment mettre son appareil pour les oreilles.

— Je sais, il m'a raconté que vous aviez de la misère à trouver le bon sens pour l'installer. C'est bien normal, vous en avez pas, vous! En passant, avez-vous des enfants, des neveux ou des nièces?

— Non, j'ai pas eu d'enfant. C'est pour ça que j'ai toujours gardé une taille aussi svelte. J'ai par contre des tas de neveux et de nièces! J'en ai un qui est avocat et un qui est policier! se vanta-t-elle.

— C'est drôle qu'on les voie pas souvent! Raoul m'a dit

que vous aviez jamais été mariée. Vous avez pas trouvé un bon parti?

— Vous vous pensez plus fine que moi! ragea madame Durocher. Moi, je suis pas arrivée ici par charité. Je suis rentrée par la porte d'en avant!

— Je suis peut-être passée par la porte d'en arrière, comme vous dites, mais je me suis jamais chicanée avec les autres résidents de la place. Monsieur Trudel et monsieur Brazeau me racontaient récemment que vous leur parliez plus et c'est la même chose pour la dame anglophone qui mange à côté de vous, à votre table. C'est vrai qu'elle, vous la comprenez peut-être pas! C'est pas donné à tout le monde d'être bilingue! répliqua Rita Blanchard.

— En tout cas, je peux vous dire que c'est pas avec vous que Raoul va sortir! Je vous en passe un papier. Je vous le laisserai pas! Je suis arrivée avant! prévint madame Durocher.

— J'aurais le goût de vous répéter ce que Raoul vous a déjà dit!

— De quoi vous parlez?

— Je suis pas certaine, mais ça sonnait comme: «Ferme ta gueule!»

Madame Durocher se donna un élan pour gifler Rita, qui avait dépassé les bornes, mais celle-ci se recula sur les entrefaites. Madame Durocher passa tout droit et perdit l'équilibre. Elle se retrouva allongée par terre, se plaignant d'une douleur au bras.

— Voulez-vous que j'aille chercher de l'aide? demanda Rita avec un grand sourire. Vous faites pitié, couchée comme ça, sur la galerie. Si Raoul vous voyait!

Depuis qu'il faisait de la rénovation et de la construction, Claude avait toujours mille et un projets à proposer à son associé Alain. Il aimait bien relever des défis de taille. Les deux compères avaient une bonne réputation et ils ne refusaient aucune demande.

— Qu'est-ce que tu dirais si on faisait une offre à mon oncle Raoul pour sa maison? lui demanda-t-il un jour.

— Elle est pas mal vieille, celle-là! T'as pas peur qu'on perde de l'argent là-dedans?

— On en fera peut-être pas gros, mais au pire, on va finir *kif-kif*[10].

— Penses-tu qu'il est décidé à vendre? Ça fait pas si longtemps qu'il est rentré en résidence.

— Je suis certain qu'il va vouloir s'en départir. Ça doit être difficile de réaliser que t'as encore une maison quand tu sais que tu y retourneras jamais.

— T'as raison, vu comme ça.

— On pourrait peut-être aussi avoir celle de mon oncle Hector. Monique peut pas s'en occuper et il y a plein d'ouvrage à faire dedans. Ses anciens locataires avaient commencé à démolir, mais ils sont partis et il y a rien de fini.

— Tu voudrais qu'on achète les deux? Tu penses pas que ça serait trop en même temps? Ça va demander pas mal de liquidités!

— Je pense pas. Ça sera pas des gros montants. C'est des petites maisons qui ont été rallongées avec les années.

---

10 *Kif-kif*: pareil, équivalent, sans perdre d'argent.

Les agrandissements ont été faits avec des restants de bois. Fie-toi sur moi!

— Toi, tu les connais, ces maisons-là.

— Je me dis qu'on doit saisir les occasions quand elles se présentent. Je suis certain que ça traînera pas. Aussitôt qu'une maison va être retapée, elle va se vendre rapidement. Quand Laurence va les avoir décorées, ça restera pas long-temps sur le marché!

— J'aime ton leadership! C'est stimulant de travailler avec un gars comme toi. On fait un maudit bon *team*! s'en-thousiasma Alain.

— Je vais voir ma sœur Dominique cet après-midi et demain, je vais m'occuper de Monique. Je pense que ma cousine me vendrait juste parce que je suis son préféré!

— Dis-moi pas que tu lui fais les yeux doux!

— Non, mais je suis le seul de la gang qui prend le temps de l'écouter. Des fois, je trouve qu'elle fait pitié. Elle est pas méchante. En fait, oui, elle est méchante, mais c'est héréditaire dans son cas. Sa mère était détestable et son père en avait pas de reste.

— Ouais, ils forment une belle famille! En tout cas, je te laisse ça entre les mains. Vas-y, mon champion!

— Je le savais que j'étais le meilleur, mais ça me fait plaisir de te l'entendre dire! rigola Claude pour clore la discussion.

⬤

Patrick était déçu de ne pas avoir pu faire son voyage dans l'Ouest canadien, mais il était encore plus triste de s'être disputé avec sa femme. Avec du recul, il avait réalisé qu'il n'aurait pas été plaisant pour lui de se retrouver avec ses amis dans un espace aussi restreint qu'un véhicule récréatif. Il avait dû se rendre à l'évidence.

Il était envieux de ceux qui avaient maintenant atteint cette étape de leur vie où ils étaient davantage maîtres de leur horaire. Ils pouvaient partir à l'aventure sans se préoccuper des tracas du quotidien.

Le mandat que son épouse avait accepté concernant son oncle était également très accaparant et Patrick s'en trouvait déstabilisé. Il en avait discuté avec une collègue de bureau.

— Je peux pas dire ça à ma femme, comme je le pense, parce qu'elle péterait les plombs, mais je réalise qu'on avait pas besoin de ça! Je veux bien croire que c'est son parrain, mais elle est pas obligée de le tenir par la main. Elle a carrément mis notre vie en veilleuse!

— Patrick, as-tu déjà essayé de te placer dans la peau du pauvre homme? l'avait fait réfléchir sa collègue. Ce que tu m'as raconté depuis le début, c'est qu'il est diminué par une surdité sévère. Il y a peu de temps encore, il restait tout seul dans une maison où il se sentait inquiet.

— T'es une confidente qui a pas mal de mémoire, toi!

— Le vieux monsieur a failli mourir et il s'est vu contraint d'aller vivre en résidence. Il a été obligé d'abandonner la demeure pour laquelle il avait travaillé durement. Il y avait vécu durant un grand nombre d'années et elle contenait la majorité de ses souvenirs d'adulte.

— T'es en train de me faire tout un portrait de mon oncle Raoul! avait reconnu Patrick. Oui, c'est vrai qu'il a dû renoncer à tout ça.

— Ses avoirs se résument probablement à un lit, un bureau, une télévision et un fauteuil. Le tout dans une petite pièce dans laquelle il est maintenant confiné la plupart du temps. Quand il sort de là, il est entouré de gens qu'il connaît pas ou si peu !

— Où tu veux en venir ?

— Quand Dominique a constaté que son oncle était tout seul et qu'il était en perte d'autonomie, ça a été plus fort qu'elle. Elle s'est proposée pour lui venir en aide.

— Je suis d'accord, mais pourquoi en faire autant ? Au début, je trouvais ça correct qu'on le fête et qu'on s'en occupe un peu. Maintenant, ma femme refuse de partir en voyage avec moi pour pas s'éloigner de lui ! s'était plaint Patrick.

— Est-ce que tu laisserais un enfant tout seul dans la rue ou est-ce que tu lui tendrais la main ? Ton oncle Raoul est aujourd'hui comme un petit. Il faut l'accompagner jusqu'à la fin, qui peut être très proche. Est-ce que Dominique est heureuse dans la situation ou elle est contrariée ?

— Ma femme est bien quand elle s'occupe de lui, mais je suis convaincu qu'elle est tiraillée parce qu'elle sait qu'elle me néglige, avait précisé Patrick.

— Est-ce qu'elle t'a souvent abandonné durant votre vie de couple ?

— Non, avait-il répondu en souriant. Arrête, tu veux me faire réaliser que j'agis en égoïste ! C'est toi qui as raison. J'ai bien fait de t'en parler. Faut maintenant que je corrige mes erreurs des dernières semaines.

— Je peux t'aider ! Pour les fêtes du 400ᵉ de la ville de Québec, le 22 août prochain, Céline Dion donne un spectacle sur les Plaines d'Abraham. C'est un vendredi ! Pourquoi tu réserverais pas un superbe hôtel et que tu irais pas passer le week-end là-bas avec ta belle Dominique ?

— T'es une championne !

— C'est normal, je suis une femme! avait rétorqué la collègue, heureuse de son idée.

—❦—

Jean-Guy souhaitait abattre des arbres derrière le restaurant. L'hiver dernier, des épisodes de verglas avaient brisé de nombreuses branches. Il avait décidé de ne plus garder d'aussi gros végétaux près de la bâtisse.

La semaine prochaine, il devrait aller à Saint-Jérôme. En passant, il arrêterait voir si le cabanon de la maison de son père était verrouillé et si oui, il appellerait sa sœur. Il lui demanderait par la même occasion de récupérer les outils de son paternel ou du moins ceux qu'elle ne voulait pas conserver. Après tout, elle ne s'en servirait sûrement jamais! Sa femme l'avait sermonné suffisamment pour qu'il règle cette histoire-là une fois pour toutes.

Il aurait plaisir à travailler avec un rabot utilisé par son vieux père ou une hache avec laquelle celui-ci lui avait montré à fendre du bois quand il avait à peine une douzaine d'années.

Jean-Guy se préparait à vivre une fort désagréable surprise et sa sœur aussi!

—❦—

Noémie adorait son travail à l'épicerie et son patron était très fier d'elle. Elle n'avait pas d'expérience préalable dans le domaine, mais elle était très attentive et vigilante.

Monsieur Godin lui remettait souvent des commandes

complètes de produits livrés à vérifier. Elle avait un bon œil pour détecter les erreurs que les fournisseurs commettaient dans leurs envois. Elle était dynamique et avide d'apprendre chaque composante de la vente au détail.

— Monsieur Godin, j'aurais une question à vous poser, lui lança-t-elle un jour.

— Dis-moi! Tu veux avoir une fin de semaine de congé? Tu trouves que je te fais travailler trop d'heures?

— Non, c'est pas ça! J'aime vraiment ce que je fais. Je viendrais ici même les jours où je suis en congé. On s'ennuie jamais! On rencontre plein de gens et le personnel est super *cool* avec moi.

— T'as pas trop de misère avec mon garçon? interrogea l'épicier. Des fois, il peut être capricieux. J'en ai juste un, ça fait qu'il est pas mal gâté. C'est pour ça que j'insiste pour qu'il travaille avec moi. Il faut qu'il apprenne la valeur de l'argent.

— Votre fils est très gentil et on s'entend très bien! Quand on place de la marchandise ensemble, je vous dis que c'est pas une traînerie!

— Pose-moi donc ta question asteure.

— C'est à propos de la margarine. Il y a des clients qui me demandent si c'est vrai qu'on va enfin pouvoir en avoir de la jaune et je sais jamais quoi leur répondre. J'ai entendu dire aux nouvelles que le gouvernement a décidé que la margarine et le beurre pourraient maintenant avoir la même couleur. Ils discutent de ça comme si c'était une affaire super importante.

— C'est vrai, ça fait plus de 20 ans que le débat dure et il s'est réglé au début du mois. Si on savait combien d'argent a été dépensé juste pour ce dossier-là, on serait sûrement bien fâchés!

— Une dame me racontait que sa sœur allait en Ontario pour chercher sa margarine. C'est pas des farces!

— Il y a seulement au Québec que c'était interdit de la colorer. Je suis bien heureux que ce soit terminé, une fois pour toutes!

Monsieur Godin était content de la curiosité que témoignait sa nouvelle employée envers un sujet d'actualité. Ses parents n'étaient sûrement pas étrangers à cette soif d'apprendre dont elle faisait preuve.

Le garçon du propriétaire, Kevin, avait le même âge que Noémie. Il jouait au baseball, faisait de la bicyclette et adorait s'adonner à la randonnée pédestre. Il semblait démontrer plus d'ardeur au travail depuis que la jeune fille avait été embauchée.

— Tu as de l'expérience! lui avait lancé l'adolescente en le voyant manipuler les boîtes et les bons de livraison.

— J'ai commencé à travailler dans le domaine à 12 ans. Mon père voulait que je fasse au moins une dizaine d'heures par semaine durant les deux premières années. C'était correct parce que le vendredi, on montait dans le Nord.

— Cette année, tu travailles autant d'heures que moi!

— C'est parce que tu peux pas les faire toute seule! l'avait-il taquinée.

— Si tu penses, toi! Laisse-moi encore un peu de temps et l'épicerie aura plus beaucoup de secrets pour bibi!

— J'aime mieux travailler ici qu'à Laval, avait avoué le garçon.

— C'est bien normal, tu côtoies la fille la plus intelligente de Val-David!

Les deux jeunes s'agaçaient toujours ainsi, ce qui mettait de l'ambiance dans le commerce et trouvait écho auprès des autres employés.

Noémie était heureuse de la tournure qu'avait prise sa vie récemment. Quand elle croisait le fameux Élie Tremblay, celui qui avait tenté de l'impliquer dans son trafic de stupéfiants, elle remerciait le Ciel que son père ait découvert ce qui se passait. Il l'avait remise dans le droit chemin tout juste avant qu'elle ne tombe dans le panneau.

En arrivant à la maison, ce soir-là, Noémie était particulièrement gaie. Il était prévu qu'après le souper, elle aille au cinéma Pine à Sainte-Adèle avec des amies d'école.

— Allô, maman! Qu'est-ce que tu fais à te bercer devant la fenêtre de la cuisine? Est-ce que tu attends quelqu'un?

— Non! répliqua Évelyne sèchement. Bruno est encore parti chez ta grand-mère! ajouta-t-elle.

— Qu'est-ce qu'on mange à soir?

— J'ai pas d'idée!

— Maman, il y a quelque chose qui va pas?

Évelyne ne répondit pas. Elle avait les yeux qui fixaient l'horizon.

Noémie en avait assez de la voir se lamenter pour tout et pour rien. Depuis que son père était parti pour la France, elle avait l'impression que sa mère s'apitoyait sur son sort.

— Est-ce que t'as dîné?

— Non, j'avais pas faim!

— As-tu téléphoné à papa?

— J'y ai parlé hier après-midi et il m'a dit que c'est lui qui me rappellerait. Je te dis qu'il était pas jasant!

— Est-ce qu'il sait quand il doit revenir? s'informa la jeune fille, qui souhaitait que l'absence de son père ne dure pas trop longtemps.

— Non. Il dit que ça va dépendre de l'état de santé de son frère. Il a demandé à son *boss* un congé sans solde. Ça veut dire qu'il sera peut-être parti longtemps! Des fois, je me demande même s'il va revenir!

— Tu penses pas que t'exagères? Avant de partir, papa disait que ça allait vraiment pas bien pour mon oncle.

— Non et ton père a décidé de faire un don de moelle osseuse pour que son frère reçoive une greffe. Aujourd'hui, il allait à l'hôpital pour passer des examens et savoir s'il était compatible avec Arnaud. Comme s'il y en avait pas assez d'un qui est malade!

— Maman, c'est sûrement pas dangereux si les médecins font ça.

— C'est ça que tu penses, toi? Attends quand ça sera ton mari qui s'en ira au bout du monde pour se faire charcuter!

— Pour commencer, Xavier, c'est ton conjoint, mais c'est aussi mon père! Moi non plus, je veux pas le perdre! Je suis tannée que tu dramatises toujours les affaires! Si t'avais confiance en lui, tu accepterais sa décision et tu l'encouragerais plutôt que de brailler quand tu lui parles au téléphone. Tu te demandes après pourquoi il te parle pas beaucoup!

Noémie tourna le dos à sa mère et se précipita dans sa chambre.

Évelyne avait été secouée par le ton employé par sa fille. Elle réalisait qu'elle était fautive. Elle sécha ses larmes et se rendit à la salle de bain, où elle s'examina dans la glace.

Elle vit là une femme dont les yeux étaient rougis et les cheveux en bataille. Elle ne se reconnaissait plus. Il était 17 heures et elle était encore en pyjama. Elle se rendit dans sa chambre pour y chercher des vêtements et décida de prendre sa douche pour retrouver ses esprits.

Sur les entrefaites, Claude sonna à la porte et c'est Noémie qui lui répondit.

— Allô, mon oncle!

— Salut, Noémie! Ta mère est pas là?

L'adolescente entreprit de lui raconter l'altercation qu'elle venait d'avoir avec sa mère. Elle lui confia aussi que le climat était vraiment invivable dans la maison depuis que son père était parti.

— C'est justement pour ça que je venais faire un tour. J'étais chez maman tantôt quand Bruno est arrivé et elle m'en a glissé un mot. Elle avait parlé à Évelyne au téléphone un peu plus tôt. Elle dit que ta mère est très inquiète pour l'intervention que ton père s'apprête à subir.

— En tout cas, je comprends Bruno de sacrer son camp chez mamie!

— Je sais que c'est difficile, mais j'aimerais que tu sois proche de ta mère dans cette épreuve. À deux, vous pourrez être plus fortes. Je m'en viens vous chercher pour souper à la maison. Une des amies de Laurence a déjà reçu une greffe de cellules souches et elle pourra en parler avec Évelyne. Elle comprendra peut-être mieux.

— J'aimerais ça, mon oncle, mais j'avais prévu aller au cinéma avec des amies. Je vais juste manger un sandwich ici.

— On se reprendra d'abord! répondit Claude. Il sortit alors un billet de 20 dollars de son portefeuille et le remit à sa nièce.

— Pourquoi tu me donnes ça?

— Plutôt que de te faire un lunch, tu pourrais peut-être arrêter au resto pour manger une bouchée avant d'aller retrouver tes chums.

Claude avait toujours été très généreux avec son neveu et sa nièce, qu'il adorait. Il savait que Noémie se comportait comme une bonne fille et il était heureux de l'encourager.

Évelyne arriva alors dans la cuisine, vêtue d'une jolie robe soleil. Elle avait remonté ses cheveux et s'était maquillée.

— Qu'est-ce que vous complotiez? demanda-t-elle en souriant.

— Mon oncle me paie le resto et il t'invite à souper chez lui! répondit Noémie avec enthousiasme.

— Est-ce que c'est pour moi que tu t'es mise aussi belle, ma sœur?

— Non! C'est juste que ma fille m'a fait la leçon cet après-midi, avoua-t-elle en faisant un clin d'œil à Noémie. Ces jours-ci, j'ai perdu les pédales un peu. Heureusement qu'elle est là pour me ramener dans le droit chemin!

— J'espère que t'as compris ta leçon! Si je te chicane, c'est pour ton bien! se moqua Noémie, en imitant le ton de sa mère.

CHAPITRE 12

Surprise de la vie

(Août 2008)

Pénélope ne connaissait le frère de son père que par la correspondance qui lui parvenait une fois par année. Elle recevait toujours de très belles cartes de souhaits et elle les avait toutes conservées. Elle n'avait que très peu de famille et elle avait grandi auprès d'un père aimant, mais aussi très réservé.

Depuis les quatre dernières années, elle avait dû mettre de côté ses études pour s'occuper de lui. Au début, elle avait travaillé au guichet d'un cinéma situé près de chez elle, mais durant les derniers mois, elle avait dû laisser cet emploi, l'état de son père s'étant aggravé.

Elle avait peu d'amis et n'avait pas le cœur à la réjouissance ces temps-ci.

Quand son oncle s'était installé chez eux, elle avait d'abord ressenti un grand réconfort. Ils seraient maintenant deux pour traverser cette épreuve. Ils ne s'étaient jamais rencontrés, mais ils avaient tout de suite réalisé qu'ils avaient de grandes affinités.

Son père avait été très heureux de l'arrivée inopinée de son frère et les retrouvailles entre eux avaient été touchantes.

Pénélope ne l'avait jamais vu aussi émotif. Elle s'était volontairement absentée de la maison afin de laisser les deux hommes vivre ces moments en toute intimité.

À son retour, son père dormait calmement et elle avait pu discuter avec son oncle. Il lui avait assuré qu'il serait toujours là pour elle.

Arnaud avait dû être hospitalisé quelques jours plus tard, ses forces ayant diminué considérablement.

Xavier avait rencontré l'oncologue du Centre Henri-Becquerel, à Rouen, en compagnie de sa nièce. Ce dernier lui avait expliqué précisément la situation et c'est à ce moment-là qu'il avait appris que l'ultime chance de sauver son frère serait qu'il soit donneur pour une greffe de cellules souches. Sans hésiter, il avait donné son accord pour subir les examens nécessaires afin de vérifier sa compatibilité.

À partir du moment où il avait constaté à quel point son frère était fragilisé par cette terrible maladie, Xavier avait pris la décision qu'il ferait tout ce qu'il pourrait pour lui venir en aide. Il n'avait pas jugé bon d'en discuter avec Évelyne, considérant que c'était un choix personnel. Il n'avait pas été surpris qu'elle réagisse fortement à la nouvelle, mais elle n'aurait pu en aucun cas le faire changer d'idée.

Les examens avaient été concluants et Arnaud avait été informé qu'il pourrait subir une greffe de moelle. Malheureusement, le pauvre homme était décédé dans la nuit, tout juste avant que le processus ne soit enclenché.

— Si je lui avais téléphoné plus tôt aussi! se reprocha Xavier.

— Tu pouvais pas savoir, mon oncle! C'était sûrement ce qui devait arriver. Il faut pas te culpabiliser, tenta de le réconforter Pénélope.

— Comment peux-tu être là à me consoler, quand c'est

toi qui viens de perdre ton père? Je devrais être le plus fort des deux!

— C'est pas une question de courage! Il faut que tu réalises que ça fait quatre ans que papa souffre. Toi, tu l'as appris à la dure! Tout comme moi, tu dois accepter qu'il est maintenant libéré de toutes ses douleurs.

— T'as raison! J'ai perdu mon frangin, mais ce qui me console, c'est que j'ai gagné une gentille nièce. Je tiens absolument à ce qu'on reste en contact. Au fil du temps, tu pourras me parler d'Arnaud, de votre vie, de ce qui le faisait rire ou de ce qui le passionnait.

— Je suis tout à fait d'accord. On communiquera par Internet. Je te le promets.

— Je partirai pas d'ici avant que tout soit réglé pour toi.

— T'as une famille au Canada! objecta Pénélope. J'aime bien que tu sois là, avec moi, mais tu crois pas qu'ils vont avoir hâte que tu rentres à la maison?

— Une chose à la fois, ma belle Pénélope. J'ai une proposition à te faire. On termine les papiers de la succession et ensuite tu m'accompagnes au Québec.

— C'est pas possible. Je vais devoir me trouver un boulot à temps plein! Je pourrai pas survivre avec la petite somme que papa m'a léguée.

— Tu m'as déjà dit que tu comptais déménager. Laisse-moi m'entendre avec ton proprio. On vend tout ce que tu possèdes et tu viens avec moi. Il sera toujours temps pour toi de revenir ici quand tu en ressentiras le besoin.

— Je t'avoue que j'ai le goût d'accepter, mais je connais personne chez toi!

— Je constate que tu étais pas si bien entourée que ça ici, à part quelques amis. La famille, c'est important, et j'ai pas le goût de t'abandonner, confirma l'oncle qui souhaitait protéger sa nièce.

———

Dès que le mois d'août s'amorçait, Doris se disait que tout allait trop rapidement depuis quelques années. Ce n'était plus les semaines qui se succédaient à la vitesse de l'éclair, mais bien les saisons.

Elle n'avait pas vu Évelyne depuis plusieurs jours, ce qui n'était pas normal. Un après-midi, Bruno était arrivé en expliquant que sa mère avait encore les bleus.

— Dans ce temps-là, j'aime mieux m'en venir ici, avec toi! C'est plus *cool*! Je pense que des fois, elle a vraiment un méchant caractère!

— C'est pas très gentil de parler comme ça de ta mère! T'es certain que vous l'avez pas fait enrager, ta sœur ou toi?

— Non! Depuis que Noémie sort avec Kevin, le gars de l'épicerie, je trouve qu'elle est plus fine.

— Oui, c'est possible, répliqua Doris en souriant.

— Pour maman, ça a commencé quand papa est parti voir son frère en France. D'habitude, ses sautes d'humeur se replacent assez vite, mais là, on dirait qu'elle est de plus en plus marabout.

— Elle doit s'inquiéter, c'est pour ça. Tu sais les femmes...

— Papa dit que les femmes ont des journées dans le mois où il faut savoir les prendre avec des pincettes! Il dit aussi que le problème, c'est qu'il est trop tard quand on s'en aperçoit!

Doris ne pouvait s'empêcher de rire quand son petit-fils

lui racontait de telles histoires. Elle n'avait jamais vu un enfant aussi allumé que celui-là !

Elle adorait passer du temps en sa compagnie. Il écoutait les mêmes émissions qu'elle et cette année, il avait découvert Columbo et en avait fait son idole. Doris aurait souhaité que Bruno ne grandisse jamais.

Quand il repartait, elle s'ennuyait. La semaine, elle avait moins de visite depuis qu'elle sortait assez régulièrement avec Bernard. Ses filles lui avaient dit qu'elle faisait bien de profiter de la présence de son ami et qu'elle ne devait pas rester à la maison au cas où des gens passeraient la voir.

— Ils ont juste à appeler, s'ils veulent que tu sois là quand ils viendront. C'est ce que je fais, moi, lui avait mentionné Dominique.

Claude avait fait part à sa sœur de la discussion qu'il avait eue avec Laurence à propos de leur mère, qui vivait dans cette grande maison seule. D'un commun accord, ils lui donnaient tous un coup de fil à différentes heures de la journée.

Ce matin, Doris avait préparé des galettes au beurre, les préférées de Dominique. Celle-ci l'avait prévenue qu'elle viendrait prendre un café au milieu de l'après-midi avec l'oncle Raoul. Doris en avait profité pour communiquer avec Évelyne et lui suggérer de se joindre à eux. Celle-ci avait décliné l'invitation en spécifiant qu'elle avait un rendez-vous chez le dentiste avec Bruno.

Dominique et Raoul arrivèrent en ricanant comme des enfants.

— Voulez-vous bien me dire ce qui vous fait rire comme ça ?

— Je sais pas si on devrait t'en parler ! répliqua sa fille, qui souhaitait agacer sa mère.

— Raoul, t'es pas censé avoir des secrets pour ta petite sœur! rétorqua Doris.

— Faudrait pas que tu répètes ça à personne, par exemple! prévint le vieil homme.

— Je suis pas une bavarde! Tu me connais trop bien! assura sa sœur.

Entre deux ricanements, Dominique raconta la compétition à laquelle se livraient Rita et madame Durocher pour s'asseoir le plus près possible de son parrain.

— Tu me croiras pas, Doris, mais je commence à avoir peur d'être agressé! blagua Raoul.

— T'exagères pas un peu, mon frère? Je sais que t'es un beau bonhomme, mais de là à ce que les femmes sautent sur toi!

— Dites-y, mon oncle, ce que madame Durocher a fait hier!

— Doris, écoute ça! Madame Durocher est allée chez Rita pour lui faire une crise de jalousie. Elle criait tellement que la préposée à l'étage a demandé à la directrice de s'en mêler!

— Et qu'est-ce que madame Rita a fait? s'informa sa sœur, qui aimait bien cette dame.

— Elle a rien fait, mais elle avait peur que l'autre la frappe. Madame Durocher lui répétait qu'elle était là depuis bien avant elle et qu'elle voulait pas qu'elle se mette le nez dans ses affaires.

— Qui t'a conté tout ça?

— La préposée au lavage, qui était tout près quand c'est arrivé. J'ai eu droit à tous les détails. Elle m'a dit que j'étais mieux de faire attention à moi!

— Tu crois pas qu'elle exagère?

— Non, parce qu'après le souper hier, Rita m'a téléphoné

et je suis allée la voir à sa chambre. Elle m'a raconté toute l'aventure. C'était la même version que l'employée de la résidence.

— Pensez-vous que la directrice va prendre des mesures contre madame Durocher? s'informa Dominique qui, bien qu'elle eût rigolé, ne souhaitait pas que son oncle vive des problèmes avec une bonne femme hystérique.

— Elle est venue discuter avec elle à matin, avant le déjeuner. Il semble que cette dame-là aurait déjà fait des scènes semblables auparavant. Elle a jamais été mariée, mais à mon avis, c'était une vieille fille qui avait la patte légère! ricana Raoul.

Dominique était heureuse de constater que le frère et la sœur s'amusaient de la sorte.

— À part de ça, Raoul, t'as l'air en forme, attesta Doris.

— Ça garde un homme alerte d'avoir deux femmes! Non, c'est vrai que je me sens mieux. Les journées passent vite et je vais dehors tous les jours. On mange bien et je me repose beaucoup. Le premier mois, je pense que je dormais 12 heures par jour. Quand j'étais dans ma maison, je sommeillais seulement, tandis qu'à la Villa, je dors profondément.

— Je suis heureuse de vous entendre dire ça! C'est pas facile de prendre ce genre de décision là! Je pense qu'à date, j'ai fait des bons choix!

— T'es la meilleure, Dominique! As-tu parlé à ta mère à propos de la rencontre qu'on a eue avec ton frère? demanda l'oncle Raoul.

— Non, c'est vos affaires et je les rapporte pas à tout le monde. Si vous avez le goût d'en discuter, libre à vous de le faire.

— Arrêtez de tourner autour du pot et dites-moi ce qui se passe! réclama Doris.

— Claude va acheter la maison de mon oncle pour la rénover. Après, il va la louer ou la vendre, selon ce qui se présentera à lui.

— C'est-tu une offre qui fait ton affaire? s'informa Doris, inquiète que ce projet puisse causer de la bisbille avec les autres.

— Il a même ajouté 5 000 piastres au montant que je lui avais demandé, confirma Raoul. Il dit justement que c'est pour éviter du mémérage. Cette maison-là a été raboudinée[11] d'un bout à l'autre. C'est un vrai nic à feu[12]!

— C'est certain que Claude et son associé vont la retaper de la cave au grenier, l'assura Dominique. L'important, pour vous, c'est que vous allez arrêter de vous casser la tête avec cette maison-là!

Doris aperçut la voiture de son copain Bernard, qui entrait dans son stationnement.

— Mon ami arrive. J'aimerais ça qu'on parle pas de ces affaires-là devant lui. C'est des histoires familiales et j'ai pas le goût que tout le monde soit au courant des détails.

— T'as toujours été pas mal secrète, maman! lui reprocha Dominique, qui apprenait parfois des nouvelles de sa sœur, alors qu'elle aurait désiré être mise au courant directement.

— Je pense pas que ce soit un défaut, se défendit Doris.

— De toute façon, on en fera pas un plat! termina sa fille, pour ne pas créer de malaise inutilement.

---

11 Raboudinée: réparée avec des moyens de fortune.
12 Nic à feu: ou nid à feu, piège à feu.

Cela ne serait pas la première fois qu'elle aurait un différend avec sa mère.

⌇

Monique avait bien spécifié à Hugo qu'il devait lui payer son loyer le premier du mois, mais on était déjà le 5 août et elle n'avait pas encore eu de ses nouvelles.

Aujourd'hui, elle s'était rendue à la maison de son père, mais Hugo ne s'y trouvait pas. Le terrain autour de la résidence était cependant impeccable. Monique se dit qu'elle attendrait encore quelques jours et que, si elle ne rejoignait pas son locataire, elle irait directement à son travail. Elle ne voulait pas entrer dans la maison pendant qu'il était absent, comme elle l'avait fait pour les précédents locataires. Elle craignait les représailles d'Hugo. Après tout, il avait seulement cinq jours de retard.

Alors qu'elle s'apprêtait à partir, un camion arriva derrière sa voiture et elle reconnut son cousin.

— Bonjour, Claude! Qu'est-ce que tu fais dans le coin?

— Je demeure pas loin d'ici, lui rappela-t-il. C'est vrai que t'es pas encore venue à ma nouvelle maison. Il faudrait que t'arrêtes, une bonne journée!

— Oui, ça serait le *fun*! Je l'ai vue durant la construction. En tout cas, elle est belle de l'extérieur. Je te dis que tu y as mis le paquet! Je suis fière de toi!

— Ça fait plaisir à entendre! Je suis content de te croiser comme ça! Je me demandais si tu voudrais vendre ta maison. Tu sais que je fais de la rénovation et ça me ferait un projet pour l'hiver prochain.

Monique était tout à coup surprise que cette offre lui soit

faite justement ce jour-là. Elle avait scruté les journaux dans l'intention de trouver un courtier immobilier. Elle n'en pouvait plus de tous les problèmes qu'elle vivait avec cette satanée maison !

— Faudrait que je m'informe de combien elle vaut, répondit-elle d'un air désintéressé. Je pourrais peut-être vérifier l'évaluation municipale.

— Moi, je vais te faire un prix et tu me diras si ça te convient. Si c'était pas suffisant et que tu préférais la rénover toi-même pour avoir plus, on serait pas plus mauvais amis ! Je veux juste pas faire de surenchère. Je connais la maison de ton père et je sais les travaux qu'il faudrait y faire pour qu'elle soit vraiment habitable.

Claude fit une offre à sa cousine et lui spécifia qu'elle devrait lui fournir une réponse rapidement.

— Tu me comprendras, j'ai d'autres chats à fouetter. Si c'est pas celle-là que j'achète, ce sera une autre, expliqua-t-il.

Comme d'habitude, en arrivant chez elle, Monique appela sa cousine et amie Suzanne afin de lui raconter ses déboires.

— Je te dis que je suis embarquée dans un méchant bateau ! Le beau Hugo est pas rejoignable et il a pas payé son loyer du mois d'août ! Si je l'ai pas rejoint d'ici le 15, je sors ses affaires dehors et je change les serrures !

— Tu parles d'un drôle de moineau ! Tu prends la peine de lui proposer une solution à ses problèmes d'hébergement et à la première occasion, il respecte pas votre entente.

— Si je me tanne, je vais tout vendre ! avoua-t-elle, dans le but de préparer sa cousine à sa prochaine décision.

— À ta place, c'est ça que je ferais. Une maison, c'est rien que des casse-têtes ! On est bien mieux à loyer ! Quand il y a un trouble, t'appelles le propriétaire et si ça marche pas à ton goût, tu déménages!

— En tout cas, si j'avais eu un frère qui a de l'allure, il m'aurait supportée dans tout ça, mais c'est rien qu'un sans-cœur! se plaignit Monique.

— Changement de sujet, as-tu reçu ton faire-part pour ses noces? interrogea Suzanne.

— Non. Dis-moi pas qu'il fait ça en grand?

— Ça a bien l'air! J'ai pas encore reçu le mien, mais Mariette m'a appelée pour avoir mon adresse complète. As-tu su que ta tante Doris était allée les visiter dernièrement?

— Avec Madame La Marquise, je suppose! rétorqua Monique, en laissant entendre qu'elle se serait rendue à Labelle avec Dominique.

— T'es à côté de la *track*, ma belle! Elle est allée les voir avec son chum, Bernard Leclair! Je t'en bouche un coin, là, hein?

— Quand je pense qu'on a de la misère à sortir avec un gars à notre âge et que cette vieille grébiche-là s'en est ramassé un!

— Fais pas ta jalouse, Monique! C'est rien qu'un ami! Mais j'ai entendu dire qu'il viendrait aux noces de Jean-Guy.

— Il est pas question que j'aille faire rire de moi là-bas, surtout que l'histoire du testament est pas encore réglée.

— Tu sais bien que Jean-Guy est assez diplomate pour pas te parler de ça cette journée-là!

— C'est encore drôle! Avec sa Mariette, il se laisse pas mal mener par le bout du nez!

— T'es chanceuse, toi, tu pourrais demander à Robert de t'accompagner.

— Pour Robert, je pense bien que mon chien est mort!

Si j'ai bien compris, il a rencontré quelqu'un pendant que sa mère était à l'hôpital.

— C'est pas vrai? Je te dis que les gars sont pas fidèles pour cinq cennes! Il va s'en mordre les doigts, un jour, d'avoir perdu une femme comme toi! Asteure que sa vieille est partie, il aurait eu beau jeu de te demander d'aller vivre avec lui! minauda Suzanne.

— En tout cas, il est mieux d'y penser à deux fois! C'est pas moi qui vais boucher les trous. Si jamais il la laisse et qu'il revient frapper à ma porte, on va avoir toute une discussion avant de reprendre!

— Reprendre quoi? Tu disais toujours que c'était pas ton chum, que c'était juste un ami!

— Je te dis que t'en manques pas une, toi! Un chum ou un ami, c'est du pareil au même!

Les deux femmes avaient encore une fois vidé leur sac et elles étaient prêtes à retourner à la chasse aux ragots.

Dès qu'elle aurait terminé son appel avec Suzanne, Monique téléphonerait à Claude et lui demanderait de venir la voir à la maison. Elle accepterait son offre et ainsi se libérerait d'une incommensurable somme de soucis.

Elle s'imaginait déjà Hugo se faire mettre à la porte par son cousin!

Elle était loin de deviner que celui-ci avait déjà pris la poudre d'escampette depuis un moment. Hugo s'était départi de plusieurs articles dégotés dans la maison du vieil Hector, mais il n'avait pas encore trouvé le pot aux roses. Un matin, en replaçant le couvre-matelas du lit de la chambre principale, il avait remarqué que celui-ci était taché de sang. En voulant le remplacer, il s'était aperçu que la fermeture éclair était coincée dans le tissu, ce qui l'empêchait de l'ouvrir. Il avait alors forcé pour qu'elle cède finalement sous la pression de ses doigts. Il n'était pas question qu'il couche sur une alaise souillée.

Il avait donc retiré l'enveloppe protectrice pour découvrir que le matelas était déchiré à un endroit et qu'un ressort sortait par le côté. En souhaitant replacer celui-ci, pour ne pas se blesser, il avait trouvé quelques billets de 20 dollars dépassant de l'orifice. Il avait finalement éventré complètement la paillasse pour recueillir tout ce qui y était dissimulé.

— Merci, Hector, d'avoir pensé à moi! s'était-il exclamé très fort en lançant ce qu'il avait ramassé dans les airs.

Il avait ensuite pris le temps d'aller découper les deux matelas des chambres secondaires au cas où d'autres trésors y auraient été enfouis, mais en vain.

Il ne lui restait plus qu'à s'asseoir confortablement à la table de cuisine et de faire le décompte de tous les billets de 10, 20 et 50 dollars qu'il avait trouvés. Il y en avait pour un montant total de 8 500 dollars.

Hugo s'était dit qu'il valait mieux qu'il disparaisse des environs pour un moment. Il ramassa donc ses quelques bagages et il partit encore une fois sans but.

On ne verrait pas Hugo Fréchette durant un bon moment! Le temps, au moins, qu'il dépense cette somme, ainsi que l'argent qu'il avait accumulé avec la vente des différents articles glanés dans la maison au marché aux puces.

Monique aurait beau jeu pour continuer les travaux quand elle s'apercevrait de sa fuite. Les armoires étaient maintenant pratiquement vides et ce qui restait dans les boîtes n'avait aucune valeur.

Quand il reviendrait, il s'occuperait de l'oncle Raoul! Mais pour l'instant, il était dû pour des vacances!

CHAPITRE 13

Un retour au village

(Août 2008)

Claude avait été surpris de recevoir un appel de Xavier à 6 h 30 du matin. À cette heure-là, les téléphones annonçaient souvent de mauvaises nouvelles. Claude n'avait pas considéré le décalage horaire.

— Dis-moi pas que tu t'ennuies de moi, le beau-frère! lança joyeusement Claude.

— Si je te disais oui, serais-tu surpris? répondit Xavier.

— Pas vraiment, mais j'en connais une qui va être contente quand tu vas dire que tu t'en viens. On a beau s'en occuper, on peut pas te remplacer complètement.

— Qu'est-ce que tu veux? Elle peut pas se passer de moi!

— J'ai pas eu l'occasion de te parler avant, mais je te présente nos condoléances, Xavier. C'est triste que tu aies perdu ton frère comme ça. Comment va ta nièce?

— Elle va bien. Je t'avoue que parfois, elle est mieux que moi! C'est une bonne fille. J'ai hâte de vous la présenter.

— Elle prévoit venir au Québec bientôt?

— C'est pour ça que je t'appelle. On prend l'avion demain à 12 h 45, heure de France. J'aimerais savoir si tu peux venir nous chercher à l'aéroport de Dorval. L'arrivée est prévue pour 14 h 30, à l'heure du Québec. Tu sais, avec les compagnies aériennes, il est possible qu'on ait du retard. Je veux pas que t'en touches un mot à Évelyne, parce que je veux lui réserver la surprise.

— On dirait que t'as repris ton accent, mon cher! Pas de problème pour aller te chercher, mais tu crois vraiment que c'est une bonne idée de rien dire à ma sœur? T'as pas peur qu'elle réagisse mal?

— C'est un risque à prendre. Avec Évelyne, on peut s'attendre à tout! Si je lui dis ce matin que je m'en reviens demain, elle va me poser mille et une questions. J'ai pas le goût tout simplement! Quand je serai là, tout sera plus facile.

— T'as sûrement raison! Après tout, tu la connais mieux que moi. Je vais prendre note de ton numéro de vol et t'en fais pas, je serai là à ton arrivée.

Claude était l'homme le plus conciliant qui soit. Tout le monde avait recours à lui quand il y avait un problème.

Le lendemain, il était à l'aéroport avant l'heure prévue. Laurence avait insisté pour l'accompagner. Elle avait acheté trois ballons roses sur lesquels il était inscrit le mot *Bienvenue*! Elle tenait à ce que Pénélope sache que tous étaient heureux de son arrivée dans la famille. La jeune femme fut touchée par ce geste.

— Est-ce que tous les Québécois sont aussi gentils que vous? lança-t-elle à la blague.

— Presque tous! répondit Claude.

— Alors j'aurai du mal à retourner au pays!

— On va tout faire pour te garder avec nous! avança Laurence.

— Quand je suis arrivé ici, il y a plus de 20 ans, ils ont aussi craqué pour moi dès qu'ils m'ont vu! rétorqua Xavier.

Il semble bien que ce soit la même chose pour toi! Faut croire qu'on est des beaux spécimens!

Claude et Xavier prirent place à l'avant dans la voiture, alors que Laurence et Pénélope s'assirent sur la banquette arrière. Ils n'avaient pas encore franchi deux kilomètres que les deux femmes discutaient comme si elles étaient de vieilles amies.

Le père de famille avait hâte de revoir ses enfants et sa femme, mais il espérait surtout qu'Évelyne démontrerait une attitude agréable avec sa nièce. Elle avait suffisamment souffert dans les dernières années et elle ne méritait pas de subir d'autres affronts.

Xavier sous-estimait sa femme, qui était de nature très accueillante. Le ton mélodramatique de leurs derniers échanges téléphoniques était sûrement la source de son inquiétude.

Évelyne revenait tout juste de son travail quand elle vit la voiture de sa belle-sœur dans le stationnement. Elle songea que Laurence avait dû croiser Bruno ou Noémie et leur avait offert de les ramener. Ils étaient réellement gâtés par la famille.

Elle n'avait pas encore mis le pied sur la galerie que Xavier vint lui ouvrir la porte en tenant un bouquet de roses. Elle se jeta dans ses bras et éclata en sanglots.

— Arrête de pleurer, ma belle! Je suis là maintenant! la réconforta son conjoint.

— Xavier, j'ai eu si peur que tu subisses cette fameuse greffe et que ça tourne mal! avoua-t-elle en tentant de sécher ses larmes.

— Te souviens-tu que je t'ai déjà dit un jour que je t'aimerais toujours?

— Oui, mais j'ai quand même eu peur pour toi!

— Rentre maintenant, tous les voisins sont sur leur galerie et nous regardent!

Évelyne tourna la tête pour réaliser qu'il n'y avait personne et qu'il venait encore une fois de lui jouer un vilain tour!

En entrant dans la cuisine, elle vit Claude et Laurence assis à la table avec une jolie jeune femme.

— Bonjour, Pénélope! la salua-t-elle en s'avançant en sa direction. Je m'appelle Évelyne!

— Bonjour, Évelyne! Je suis heureuse de vous connaître enfin!

— T'as le même regard perçant que ton oncle Xavier.

— J'en suis ravie! C'est sûrement vous qui achetez les jolies cartes que je reçois chaque année.

— Effectivement, c'est moi, mais ton oncle y écrit toujours un petit mot. J'y tiens!

Claude et Xavier se regardèrent d'un air complice. Une étape avait été franchie. Laurence donna un petit coup de pied à son copain pour lui signifier qu'il était temps pour eux de quitter et de laisser la petite famille faire plus ample connaissance.

Après leur départ, la maison sembla tout à coup trop calme au goût du père de famille.

— Où sont les enfants? s'informa-t-il.

— Noémie devrait arriver bientôt et maman allait chercher Bruno à l'école cet après-midi. Le petit va souvent souper avec elle ces temps-ci. Ça lui change les idées et il en avait besoin.

— Ça te dérangerait que j'aille le chercher tout de suite? Je voudrais pas qu'il se sente mis de côté et pour être franc, je me suis beaucoup ennuyé de mon petit clown.

— Aucun problème! Je vais en profiter pour faire connaissance avec ta nièce.

— Je crois que vous allez bien vous entendre! ajouta Xavier à l'endroit de Pénélope.

— Vous avez sûrement raison! dit-elle sur un ton complice qui agaça visiblement Évelyne.

— Prends le temps de t'acclimater, ma belle. C'est beaucoup de changement pour toi dans peu de temps! la réconforta Xavier en lui flattant une épaule sous le regard envieux de sa conjointe.

Évelyne avait le sentiment qu'elle devrait faire des compromis pour vivre avec cette jeune femme et l'idée lui déplaisait.

Xavier se rendit donc chez Doris pour faire la surprise à son fils.

En le voyant arriver, Bruno sauta dans les bras de son père et ne put retenir ses larmes. Il s'était ennuyé et avait eu peur que son père ne revienne pas. Les parents d'un de ses amis s'étaient séparés durant l'été et ça l'avait marqué profondément.

Une fois remis de ses émotions, le jeune garçon se dépêcha à ramasser ses affaires pour accompagner son père.

— Bruno! l'interpella Doris. Tu vas toujours pas partir sans venir me faire mon bec!

— Mamie, il me semble que t'exagères des fois. Tu serais pas devenue possessive un peu! lui lança-t-il avec un sourire en coin.

— J'vas t'en faire, moi! Si tu viens pas m'embrasser tout de suite, je te ferai plus tes bonbons aux patates!

Bruno se plia donc aux demandes de Doris afin de pouvoir partir le plus tôt possible. En arrivant chez lui, il avait hâte de voir comment sa mère allait se comporter avec son père. Il était également curieux de rencontrer cette cousine venue de si loin.

— Enfin, vous voilà! Ça vous a donc pris du temps! Maman reste pourtant à deux pas d'ici!

— Tu connais ta mère! Quand il est question de son Bruno, c'est pas des farces. Où sont les filles? demanda Xavier.

— Noémie est allée montrer sa chambre à Pénélope. Elle lui a dit qu'elle pourrait la partager avec elle!

— Tu peux y aller, Bruno! Tu dois avoir hâte de voir ta cousine! ajouta Xavier qui s'était empressé de prendre sa conjointe par la taille. Ta mère et moi, on a hâte de s'embrasser sans que tu nous surveilles.

— Je vous donne la permission, mais oubliez pas de préparer le souper! lança-t-il avant de dévaler les escaliers.

Bruno trouva les deux filles assises sur le lit et en pleine discussion.

— Ça y est! Voilà le «benjamin» de la famille! dit Noémie avec une prononciation qu'il ne lui reconnaissait pas.

— Bonjour, Bruno! dit Pénélope. J'avais vraiment hâte de te rencontrer.

— Moi aussi! répondit-il en l'examinant avec admiration. Il la trouvait vraiment belle.

— Pénélope va partager ma chambre! précisa Noémie, qui se faisait une joie d'avoir ce privilège.

— J'aurais pu lui laisser la mienne! répliqua Bruno qui ne voulait pas se sentir exclu. Elle aurait eu plus d'intimité!

— Vous en faites pas pour moi, précisa Pénélope. Je ne veux surtout pas vous déranger. De toute manière, je ne devrais pas rester très longtemps.

— On veut pas que tu partes! précisa Bruno. Fais comme tu veux. Si ça te tente, je pourrais te montrer à parler québécois et toi, tu m'apprendrais ton accent français. Je parle un peu espagnol aussi!

— Bruno! intervint immédiatement Noémie. T'es vraiment impoli!

— Prenez ça *cool,* les enfants, je sais qu'on a pas les mêmes expressions. Si vous le voulez bien, on va pas s'en faire avec ça! Quand je ne comprendrai pas quelque chose, je vous demanderai et vous ferez pareil avec moi! Ça vous chante?

— Pourquoi tu veux qu'on chante? demanda candidement Bruno.

Noémie et Pénélope éclatèrent de rire.

— Je t'aime déjà, mon cousin! Je crois que je vais bien me marrer avec toi!

— T'es une sacrée nana! répondit Bruno qui avait entendu cette réplique dans un film dernièrement et qui n'en comprenait pas réellement le sens.

— Bruno, t'es ridicule! Pénélope va penser qu'on est des colons!

— C'est drôle, Noémie. T'as subitement perdu ton accent pointu! lui dit son frère en lui faisant une grimace.

À cet instant, Évelyne appela tout le monde en disant que le souper était servi. Une petite altercation frère et sœur venait d'être évitée.

La glace était cassée avec la nouvelle venue, mais Pénélope songea que tout aurait été plus facile si son père avait été là à ses côtés. Elle se sentait bien seule au milieu de cette famille.

Jean-Guy profiterait de cette journée de la semaine où c'était plus tranquille pour aller faire des courses du côté de Saint-Jérôme. Il avait promis à Mariette d'arrêter à la maison de son père, sur le chemin du retour.

— Appelle ta sœur avant de partir! lui suggéra-t-elle. Si tu essaies de la contacter à la dernière minute, tu risques qu'elle te revire de bord.

— De toute manière, ma visite va dépendre de son humeur, mais t'as raison, je vais lui donner un coup de fil. Comme ça, elle pourra pas dire que je la prends au dépourvu.

— On en a assez parlé! Faut que ça se règle une fois pour toutes!

Jean-Guy avait tendance à laisser traîner les choses en longueur et cette attitude déplaisait à sa conjointe, qui aimait que tout soit en ordre.

Il joignit donc sa sœur au téléphone à 8 heures, puisqu'il était au fait que c'était une lève-tôt. Il commença par lui demander de ses nouvelles, mais elle n'était pas très volubile.

— Je te dérangerai pas trop longtemps, mais j'aurais des arbres à couper en arrière du restaurant. Je voudrais faire ça avant l'hiver et il me faudrait la *chainsaw*[13] de papa.

— Je peux toujours te la prêter, mais il faudrait que tu me la rapportes. Des fois que j'en aurais besoin.

— Tu penses pas que t'exagères? Manier cet outil-là, c'est pas une *job* pour une femme!

— Non, mais si je demandais à quelqu'un de venir faire le travail, j'aurais la scie.

— Si jamais ça arrive, tu m'appelleras et je m'en occuperai. Tu sais que notre père prenait soin de ses affaires.

---

13 *Chainsaw*: scie à chaîne.

Je me disais justement qu'il y a sûrement des outils que tu pourrais me donner. C'est des affaires pour les gars, ça! J'ai appris la menuiserie avec lui, mais j'ai pas autant d'équipement qu'il en possédait.

— Faudrait que je regarde ce qu'il y a dans le cabanon et qu'on en reparle, répliqua Monique pour clore la conversation.

— Penses-tu que je pourrais venir te voir à la maison cet après-midi?

— Faudrait que je m'informe si mon locataire va être là. Selon la Régie du logement, il faut que je le prévienne 24 heures d'avance si je veux aller chez lui.

— Monique, joue pas cette *game*-là avec moi! s'impatienta Jean-Guy. C'est Hugo Fréchette qui reste dans la place, c'est pas le pape! Veux-tu me faire accroire que tu lui as fait signer un bail?

— À 4 heures, ça peut-tu faire ton affaire? se ravisa la sœur, sachant fort bien qu'elle devait maintenir l'harmonie avec son frère. Tous les papiers chez le notaire n'étaient pas encore signés. Monique devait attendre que le transfert de la propriété soit complété avant de pouvoir la vendre à Claude et elle craignait que son cousin change d'idée.

— On se retrouve là à 4 heures pile! confirma-t-il. As-tu besoin de quelque chose à Saint-Jérôme? Je vais chez Sears à matin.

— Non, j'ai pas d'argent à dépenser de ce temps-là!

Monique se plaignait toujours de ne pas avoir suffisamment de moyens. Elle vivait quand même bien, mais c'est en agissant ainsi, donc en ronchonnant sur ce qu'elle n'avait pas, qu'elle avait soutiré des dollars à l'oncle Raoul par le passé et parfois même à son père.

Jean-Guy était plus indépendant et n'aimait pas quémander ni être en dette avec qui que ce soit.

Il descendit donc dans le sud pour faire ses courses, mais lorsqu'il revint, il était trop tôt pour sa rencontre avec sa sœur. Il décida alors de passer saluer sa tante Doris.

— Tu parles d'une surprise! Rentre, pis assis-toi qu'on jase! l'invita chaleureusement cette dernière.

— Je serai pas là longtemps! J'ai un rendez-vous à 4 heures avec Monique. Alors, plutôt que d'aller traîner dans un restaurant, j'ai pensé arrêter ici. J'ai toujours aimé ça, venir chez vous. On se sent bien!

— Quand la visite arrivait à l'improviste, ton oncle était content! Il m'a habituée comme ça et j'ai continué la tradition! Quand je suis devenue veuve, ça m'a beaucoup aidée! Les jours où j'avais les bleus, quand quelqu'un rentrait, ça me changeait les idées.

— C'était un bon gars, mon oncle Marcel! Je m'en souviens rien qu'en masse!

— Oui! J'en trouverai pas un autre comme lui! As-tu mangé à midi? J'ai de la soupe encore tiède.

— Non merci, ma tante. J'ai dîné au restaurant Sonia, à Saint-Jérôme. Mais je vous prendrais bien une tasse de thé, par exemple! Je sais que vous avez toujours un *tea pot* sur le poêle, comme disait mon oncle.

— Oui, il aimait tellement ça! ajouta la vieille dame en souriant à ce souvenir.

Doris servit à son neveu une bonne tasse de l'infusion chaude et elle déposa devant lui une belle boîte de métal remplie de biscuits variés. Jean-Guy était heureux de constater que rien n'avait changé dans cette maison depuis de nombreuses années. C'était en quelque sorte réconfortant pour lui d'y venir, alors qu'il regrettait de ne pas avoir vécu ce genre de stabilité familiale.

— Vous me gâtez là! Mariette va être jalouse que je sois venu ici sans elle! Elle vous aime beaucoup.

— T'as manqué ta cousine Dominique d'une quinzaine de minutes. Elle s'en allait chez le denturologiste avec Raoul pour un essayage. Je te dis qu'elle est patiente de faire tout ce promenage-là pour s'occuper de mon frère.

— C'est de la générosité à l'état pur, notre Dominique! Vous avez des bons enfants, ma tante!

— Merci, mon garçon! Ça fait plaisir à entendre. J'ai fait de mon mieux et je pense avoir pas mal réussi!

— Du côté de chez Évelyne, tout le monde est bien? interrogea le neveu. Les jeunes doivent être à la veille de recommencer les classes.

Doris n'aimait pas raconter leurs histoires de famille. Jean-Guy apprendrait un jour ou l'autre que Xavier était revenu de la France et que sa nièce était avec lui, mais elle ne souhaitait pas être celle qui allait lui annoncer la nouvelle.

— Oui, ça va. Noémie travaille à l'épicerie et c'est plaisant de la voir! Son patron dit qu'elle est bonne, à part de ça!

— Bruno trouve pas le temps trop long? Je me souviens que quand on était jeunes, on commençait à tourner en rond quand arrivait le milieu du mois d'août.

— Il s'est fait des nouveaux amis au printemps. Une famille de Mexicains est venue s'installer dans la région et ils ont un jeune garçon de son âge. Ils ont aussi une fillette qui a un an de plus. Imagine toi donc qu'il s'est mis en tête d'apprendre l'espagnol!

— À cet âge-là, il a toutes les chances de son bord. Je l'aime bien, Bruno! C'est un beau petit bonhomme!

Jean-Guy n'avait pas pu avoir d'enfant, sa première femme ayant été dans l'impossibilité de procréer. Il avait consulté un médecin, qui lui avait confirmé qu'il n'était pas stérile, mais celle-ci avait refusé toute visite médicale pour tenter de remédier à ce problème. Leur relation s'était vite détériorée et plus tard, ils avaient divorcé. Il se trouvait cependant trop âgé pour commencer une famille avec une nouvelle amoureuse. Quand il voyait ou parlait de jeunes enfants, il devenait nostalgique à la pensée qu'il avait peut-être manqué quelque chose dans sa vie.

Doris continua à jaser avec son neveu de mille et une choses d'autrefois et Jean-Guy ne réalisa pas que le temps avait passé. Il était 15 h 45 quand il constata qu'il devait partir.

— Vous allez m'excuser, ma tante, mais il faut que j'y aille. J'étais si bien à discuter de notre famille que j'ai oublié de regarder l'horloge.

— J'espère que ça va te donner le goût de revenir ! Moi aussi, j'aime ça retourner en arrière pour brasser mes vieux souvenirs.

Après avoir quitté sa tante, Jean-Guy remonta à bord de sa voiture et roula rapidement vers l'ancienne maison de son père. Quand il pénétra dans le stationnement, une vague de tristesse l'habita momentanément. Toute son enfance s'était déroulée sur ce bout de terrain et, malheureusement, il s'était exilé loin de chez lui très tôt. Il était peut-être passé à côté de beaux instants en ne restant pas entouré des siens.

Monique arriva avec quatre ou cinq minutes de retard. Elle ne s'excusa pas, tenant pour acquis qu'elle s'était rendue à cette rencontre simplement pour rendre service à son frère.

— Allô, Monique ! salua tièdement Jean-Guy, qui ne s'avança toutefois pas pour l'embrasser. La dernière fois qu'il l'avait fait, elle lui avait rétorqué que ce n'était pas nécessaire.

— Salut! Ça a bien l'air que le beau Hugo est pas encore revenu de l'ouvrage. J'ai essayé de l'appeler tantôt pour l'avertir de notre visite, mais il y avait pas de réponse.

— On peut peut-être aller quand même dans le hangar, si t'as la clé, bien entendu!

— Je les ai toutes! répliqua Monique sur un ton autoritaire. J'y ai dit qu'il était possible que je vienne pour faire des travaux. C'est tout à fait normal que je garde un double! On va ouvrir la remise en premier. Si tu trouves tout là-dedans, t'auras pas besoin de rentrer dans la maison.

Ils se rendirent vers le cabanon et constatèrent que la porte était déverrouillée.

— J'espère qu'on a pas eu la visite d'un voleur! Ça a pas été fermé à clé! Pas moyen de faire confiance à personne! maugréa Monique.

Jean-Guy pénétra à l'intérieur et remarqua qu'il y avait un lot de cochonneries. Cependant, la scie à chaîne de son père ne s'y trouvait pas ni la hache ni les outils de jardinage qu'Hector avait pourtant l'habitude d'accrocher aux murs. Par terre, on ne trouvait que des boîtes vides, des pots de fleurs brisés et de vieux contenants de peinture. Manifestement, une razzia avait eu lieu dans cette petite pièce de rangement, qui était habituellement bien garnie.

— As-tu fait une vente de garage depuis que papa est mort?

— Penses-tu que j'ai eu le temps de faire ça? De toute manière, je t'en aurais parlé avant! Tu me connais!

Monique avait l'air de tout, sauf d'une femme sincère.

— On peut-tu aller voir dans le sous-sol, des fois qu'il aurait tout rentré dans la maison? Je sais qu'il le faisait pour certains outils, comme son tour à bois et son banc de scie. Il voulait pas que la rouille les abîme.

Ils retournèrent à l'entrée et Monique ouvrit la porte pour constater qu'Hugo était bel et bien parti.

— Ah ben maudit bâtard! Il a sacré le camp comme un voleur! J'aurais dû m'en douter.

Ils visitèrent chacune des pièces et s'aperçurent que le malfrat s'était emparé de tout ce qui avait une certaine valeur. Qu'il s'agisse de meubles antiques, de belle vaisselle, de bibelots ou d'outils, il ne restait plus que des détritus! En entrant dans la chambre, Monique remarqua qu'il avait également éventré la paillasse. Un billet de 20 dollars avait glissé sous le lit.

— Regarde, Jean-Guy! Papa devait cacher de l'argent dans son matelas! Je lui avais pourtant expliqué que s'il avait des sous cachés quelque part, il devait le dire à quelqu'un. Est-ce qu'il t'en avait parlé à toi?

— Non! Il a jamais eu confiance en personne d'autre que lui! Je me demande combien il pouvait avoir de *cash*!

En continuant la visite de la maison, ils mesurèrent l'étendue des dégâts.

— Tu t'es fait avoir, ma sœur! Hugo Fréchette est un bandit, t'aurais dû le savoir!

— Je vais appeler la police et tout balancer! Il sera pas dit que Monique Moreau va accepter de se laisser jouer dans le dos! J'haïs assez ça, les manipulateurs!

Jean-Guy réprima un sourire en entendant la dernière phrase de sa sœur!

CHAPITRE 14

La rentrée scolaire

(Août 2008)

Dès la semaine prochaine, ce serait la rentrée scolaire et Xavier aurait souhaité que Noémie prenne quelques jours de vacances avant de retourner en classe. La jeune fille avait cependant insisté pour travailler à l'épicerie jusqu'à la dernière minute.

Bien sûr, elle aimait être avec Kevin et il serait lui aussi au boulot durant cette période. Noémie arrivait toujours avant le début de son quart de travail et elle ne comptait pas ses heures. Le soir, elle allait souvent souper chez son copain.

L'arrivée de sa cousine à la maison ne se prêtait pas à ce qu'elle y invite des amis pour le moment.

Les tourtereaux passaient donc la majorité de leur temps ensemble et les parents n'y voyaient rien de répréhensible. Les deux jeunes étaient sérieux et ils veillaient habituellement à la maison des Godin. Ils regardaient des films, écoutaient de la musique ou se retrouvaient autour d'un feu, au bord du lac.

Noémie ne revenait jamais chez elle très tard et c'était habituellement les Godin qui venaient la reconduire;

à l'occasion seulement, Évelyne ou Xavier allait la chercher. Sa mère refusait qu'elle se promène seule, le soir, dans les rues de Val-David.

L'adolescente se pliait à ces consignes sans trop faire de façons.

— Tu devrais être un peu moins mère poule avec notre fille, reprochait parfois Xavier à Évelyne. Elle est responsable et on vit pas au centre-ville de Montréal, à ce que je sache.

— C'est pas quand il sera arrivé quelque chose qu'il sera temps de serrer la vis, se défendait la mère de famille.

— T'as eu peur toute ta vie et on dirait que tu veux que ta fille soit comme toi. Veux-tu bien me dire ce que ta mère a fait pour que tu sois aussi craintive?

Chaque fois qu'ils avaient ce genre de conversation, Évelyne ne répondait pas, mais elle revoyait en pensée l'homme ivre qui avait un jour tenté de l'agresser. Son mari pouvait la traiter de tous les noms, elle n'abdiquerait pas. Elle protégerait sa fille tant et aussi longtemps qu'elle pourrait le faire.

Ce soir, il y aurait un feu d'artifice au terrain de balle et Noémie avait la permission de s'y rendre avec Kevin. Sa mère n'était pas inquiète, car il s'agissait d'une soirée récréative qui avait lieu tous les ans. Elle connaissait les gens du comité organisateur de l'événement et elle savait que beaucoup de parents assisteraient également à la soirée.

Son jeune frère voulait lui aussi avoir le droit de sortir sans ses parents, mais les contraintes étaient plus sévères dans son cas.

— Et moi, plutôt que d'aller me faire garder chez mamie, est-ce que je peux y aller avec la famille de mes amis mexicains? demanda l'enfant.

— Est-ce que monsieur ou madame Vargas t'ont demandé de les accompagner?

— *Si señora!* répondit-il avec un sourire coquin.

— Toi, mon bouffon! T'es mieux de pas te moquer de ces gens-là, par exemple! Ça me dérange pas que tu apprennes leur langue, mais pas pour faire des niaiseries.

— *Por favor, mamá*, fais-moi confiance! Ils m'ont aussi invité à aller souper avec eux. Madame Vargas fait assez des bonnes recettes!

— Meilleures que les miennes?

— Voyons, ma petite maman, penses-tu que je te le dirais?

— Sûrement pas! C'est correct, je te donne la permission d'y aller, mais sois prudent. Tu sais que même si tu grandis, t'es mon bébé! rétorqua Évelyne.

— *Muchas gracias!* lança Bruno en lui faisant une caresse.

— Appelle mamie pour lui dire que tu iras pas veiller avec elle.

— *Si si!* blagua-t-il en prenant le téléphone.

Quand il l'eut en ligne, il s'adressa à sa grand-mère avec beaucoup de sérieux et en se moquant de l'accent français de Pénélope.

— Mamie, c'est Bruno! C'est pas la peine que tu m'attendes pour dîner. Ce soir, je sors avec mes potes et on compte bien aller boire un coup! Ce sera vachement sympa!

Évelyne ne put s'empêcher de rire. Son fils avait le don de la mettre de bonne humeur et c'était d'autant plus important aujourd'hui.

Depuis le retour de Xavier, le couple avait des hauts et des bas et la majorité du temps, c'était à cause de Pénélope qu'ils se disputaient. Cette semaine, elle avait surpris la jeune femme alors qu'elle circulait dans la maison vêtue d'un simple t-shirt et d'une petite culotte. Elle avait demandé à son conjoint de lui en parler.

— Elle était quand même pas toute nue! avait-il répliqué, ne souhaitant pas avoir à discuter de cela avec sa nièce.

— As-tu pensé à l'exemple que ça donne pour Noémie et comment penses-tu que Bruno va réagir?

— Tu dois comprendre qu'en Europe, les gens sont moins prudes qu'ici et à ce que je sache, un long t-shirt, ça peut servir de jaquette! avait-il précisé calmement.

Durant l'absence de son conjoint, Évelyne s'était promis qu'au moment où il reviendrait, elle ferait des efforts pour limiter les banales querelles familiales. Elle n'était cependant pas prête à ce qu'une invitée ne respecte pas les règles établies dans leur famille.

Il n'y avait pour le moment rien de dramatique, mais elle était sur ses gardes.

Ce soir, Évelyne avait prévu un petit souper en tête à tête avec son amoureux. Ils n'avaient pas eu l'occasion de le faire depuis son retour. Aujourd'hui, Laurence était partie magasiner à Laval et elle avait demandé à Pénélope de l'accompagner. Elles avaient mentionné qu'elles ne reviendraient qu'en milieu de soirée.

— Qu'est-ce que tu dirais si on ouvrait une bonne bouteille de vin? demanda doucement Xavier, qui avait, lui aussi, l'intention de profiter de ce moment d'intimité.

— C'est une bonne idée, mais faudrait pas abuser. Tu sais que j'aime pas que les enfants te voient saoul, insista Évelyne.

— Quand est-ce que tu m'as vu bourré? répliqua Xavier, frustré de cette répartie qu'elle lui servait gratuitement.

— Je trouve que tu bois beaucoup plus depuis ton retour de la France! Vous autres, les Français, vous prenez du vin comme nous, on boit de l'eau!

— Nous autres, les Français, comme tu le dis si bien, on est pas constipés comme tu peux l'être!

— Fâche-toi pas! C'est juste que je trouve pas ça normal de boire du vin à tous les repas. Pénélope a même raconté à Bruno qu'elle avait commencé à s'en faire offrir à sept ou huit ans!

— Moi aussi, et je suis pas devenu alcoolique pour autant! On a tout simplement une autre culture. Ça fait pas de nous des cons!

— Je voulais qu'on ait un bon souper et voilà qu'on se chicane encore pour des riens!

— C'est pas des riens, comme tu dis! Chaque fois que tu me dis «vous, les Français», ça me pique directement au cœur. J'ai pas honte de mes origines et je suis fier de ma famille. Si je suis venu ici, au Québec, c'était pour découvrir autre chose. Je m'y suis installé et j'y ai été heureux. Pourtant, depuis déjà un bon moment, on dirait que tu m'aimes plus!

— T'exagères, Xavier! Emporte-toi pas comme ça! Je regrette de t'avoir blessé. À l'avenir, je vais faire attention à ce que je dis.

— En attendant, je vais aller faire un tour! lâcha ce dernier en prenant ses clés sur la table à l'entrée.

— Pars pas! le supplia-t-elle. Je vais te préparer à souper et on va s'expliquer.

— J'ai pas faim! lâcha-t-il en ouvrant la porte. T'inquiète pas, je serai là quand Pénélope va revenir.

Évelyne se haïssait en réalisant qu'elle s'était comportée

exactement comme elle avait vu sa mère le faire 40 ans plus tôt.

Son père travaillait de nuit, et, à l'occasion, elle avait constaté qu'il sentait l'alcool quand il rentrait à la maison. Sa mère était intransigeante à ce sujet et elle ne pesait pas les mots qu'elle lui criait alors à la figure. Selon les souvenirs d'Évelyne, reliés à cette époque, son père n'était pas ivre, mais il avait sûrement bu quelques bières. Il le faisait aussi tout naturellement lorsqu'il était à la maison le week-end et qu'il regardait une partie de hockey.

Doris pouvait être méchante quand elle disputait son homme. Ses mots dépassaient sa pensée et, assez souvent, elle avait blessé ses proches avec ses propos.

Évelyne réalisa qu'elle reproduisait le même schème. Elle s'installa dans son fauteuil berçant près de la fenêtre de la cuisine et pleura en silence.

———

Raoul avait pris l'habitude d'aller se promener dans le stationnement de la résidence, quand la chaleur l'empêchait de dormir. Il n'était pas assez imprudent pour s'aventurer dans la ville, mais il marchait de long en large en regardant les étoiles, la lune ou les nuages. Il aimait le calme et l'odeur de la nuit. Il se trouvait privilégié de mener une existence aussi paisible, sans aucun tracas autre que de se rendre à la salle à manger pour y prendre tous ses repas.

En y songeant bien, il vivait comme un pacha! Des employés s'occupaient de faire son ménage et son lavage. Il n'avait plus à sortir pour travailler. Il avait atteint son but et le dernier cadeau que la vie lui avait fait était la présence précieuse dans sa vie de sa nièce Dominique, qui l'avait pris sous son aile.

Une prime s'était aussi ajoutée récemment à son bonheur : la belle Rita ! Il n'avait rien ressenti de tel pour une femme depuis le départ d'Irène. Quand il avait vu l'amie d'Hector arriver à La Villa des Pommiers, il s'en était d'abord méfié. Il ne voulait pas se lier avec celle qui avait été à l'origine de la mort de son frère. Il avait ensuite pris conscience qu'elle n'était responsable de rien. Contrairement à ce qu'il pensait au début, il réalisait maintenant qu'elle avait plutôt fait vivre de beaux instants à celui-ci dans les derniers mois de sa vie.

Rita et Raoul profitaient du bon temps passé ensemble et tout leur semblait si facile. À leur âge, ils ne voulaient plus de tracas.

La semaine précédente, un nouveau résident s'était installé, un homme originaire de la région de Montréal. Comme l'avaient prévu les préposées en poste depuis plusieurs années, madame Durocher s'était tout de suite liée d'amitié avec lui, réglant le problème du triangle amoureux.

Pour Raoul, il lui restait à vendre tout ce qui se trouvait encore dans sa maison. Dominique lui avait expliqué qu'il ne serait pas compliqué de mener à bien son projet. Elle prévoyait procéder en l'espace de deux week-ends. Une grande vente de garage serait organisée et le reste des objets seraient donnés à un organisme de charité.

Rita leur avait déjà offert d'aller les aider à préparer le tout.

Raoul avait songé à sa nièce Monique, qui était venue lui raconter qu'Hugo avait subtilisé tous les biens de son pauvre père.

— Vous êtes bien mieux de faire attention aux affaires

dans votre maison! l'avait-elle prévenu. Hugo a fait assez de dommages que je me demande comment je vais faire pour louer la maison maintenant!

— C'est magané tant que ça? avait-il répliqué, doutant de la véracité des propos tenus par sa nièce.

— Je vous le jure! Il a pas défoncé les murs, mais c'est ben juste! Même les matelas ont été déchirés à coups de couteau! C'est un vrai malade, ce Hugo-là!

— Tu devrais faire rédiger un rapport de police. Tu pourrais aussi faire une réclamation à ton assurance.

— Des affaires pour qu'ils m'augmentent mes primes l'année prochaine!

— Ça marche pas comme ça! avait avancé Raoul, qui savait où sa nièce voulait en venir et qui faisait exprès pour l'étriver.

— J'ai une franchise de 500 piastres, en partant! Je vous dis que je suis pas chanceuse!

— Tu vas t'en remettre, ma fille! T'es encore jeune et t'es plutôt débrouillarde! avait-il déclaré, avec un sourire qui en disait long.

— Pensez-vous que vous pourriez faire quelque chose pour moi? l'avait-elle supplié, comme elle l'avait déjà fait à maintes reprises par le passé.

— Certain, ma grande! avait lancé Raoul en regardant sa nièce dans les yeux. Viens me chercher un après-midi et je vais essayer d'aller te donner un coup de main pour nettoyer les dégâts d'Hugo. Avertis-moi pour que je mette du vieux linge parce qu'ici, je suis toujours endimanché!

Monique avait bien compris que son oncle se moquait d'elle et qu'elle ne lui soutirerait plus aucun sou de son vivant. Elle espérait encore faire partie de ses héritiers, puisqu'il n'avait pas d'enfant. Elle devrait donc rester polie et éviter de déblatérer sur son compte même si, à ce moment-là, elle ne le portait pas dans son cœur.

— Je m'excuse, mon oncle! J'aurais pas dû vous embêter avec mes problèmes. C'est juste que je pouvais pas garder tout ça pour moi!

— Il y a pas d'offense! Pourquoi tu la vendrais pas, la maison? avait suggéré Raoul, attristé par ces événements. De toute manière, depuis que ton père est parti, elle a perdu son âme!

⟶

Patrick était arrivé à la maison avec une grande nouvelle. Depuis l'entrée en poste de la nouvelle présidente et chef de la direction du Mouvement Desjardins, il y avait beaucoup de changements en cours et on parlait de plus en plus de restructuration.

— J'ai décidé de me prévaloir du programme de retraite anticipée! annonça-t-il en grande pompe. J'ai fait tous les calculs et je pense qu'il est temps que je quitte pour faire autre chose.

— Je croyais que tu avais la caisse populaire tatouée sur le cœur? le taquina Dominique.

— Ça a déjà été vrai, mais ça l'est de moins en moins. J'ai plus le feu sacré et tous les changements me font réaliser que la vision des hauts dirigeants est plus la même qu'avant.

— C'est probablement parce que, comme tu le dis, tu es mûr pour la retraite. Quand on commence à critiquer, c'est qu'on est dus pour un renouveau. C'est différent partout maintenant! On peut pas arrêter le progrès.

— On appelle pas ça du progrès quand on rénove la

même succursale trois fois en l'espace de 10 ans! Et là, je parle pas de petits travaux! Ils ont refait les aménagements, remplacé du mobilier qui était encore bon, peinturé où c'était pas nécessaire, changé les luminaires et ajouté des plantes artificielles énormes qui coûtent les yeux de la tête et qui, en plus, sont vraiment pas belles!

— T'es déchaîné, mon homme! En gros, ce que tu leur reproches, c'est d'être plus dépensiers que l'était leur fondateur, notre cher Alphonse Desjardins!

— Ris pas, Dominique, c'est triste de voir autant d'argent dilapidé! Il y a une des succursales où ils ont construit un bureau de réception au deuxième étage, avec tout l'équipement requis, ordinateur, imprimante, chaise. Naturellement, ils ont aussi tout décoré. Mais il y a pas de personnel pour l'occuper. C'est la fille du rez-de-chaussée qui prend les rendez-vous pour les employés du deuxième.

— T'as donc décidé que t'en avais assez de voir ça tous les jours.

— Oui! Je termine le 1er octobre prochain! Cet hiver, je vais chauffer mon poêle à bois. Prépare-toi à avoir chaud!

— T'as pas peur de t'ennuyer à la maison? s'informa Dominique. Tu sais que je suis souvent partie pour m'occuper de mon oncle ou pour aller chez maman.

— Non, je vais commencer par faire comme les étudiants qui sortent de l'université: je vais prendre une année sabbatique! Je veux m'entraîner un peu et faire des sports d'hiver. J'ai également planifié de faire la paresse et de profiter du bon temps avec la femme que j'aime!

— T'es trop gentil! s'exclama-t-elle en l'embrassant. Tu pourrais aussi suivre des cours de cuisine! Ça me donnerait un répit!

— Ça me ferait plaisir, mais mon docteur me l'a interdit! Solidarité masculine, qu'il m'a mentionné!

— Sans blague, Patrick. J'espère que tu me caches rien parce que depuis quelque temps, tu fais pas les affaires comme d'habitude!

— Qu'est-ce que tu veux dire? demanda-t-il surpris.

— De toute ma vie, je t'ai jamais vu aussi ému que l'autre soir, quand on est allés voir le spectacle de Céline Dion sur les Plaines.

— Tu dois avouer que c'était pas ordinaire! Que Jean-Pierre Ferland vienne chanter avec Céline, c'était correct, mais quand Ginette Reno est arrivée, là c'est venu me chercher!

— C'est bien que tu montres tes émotions, mais je suis pas habituée de te voir aussi fébrile! Et là, tu m'annonces que tu as donné ta démission! Je veux être certaine que jamais tu me ferais de cachette si t'étais malade!

— Inquiète-toi pas pour ça! Tu vas être la première à le savoir! Tu vas être obligée de prendre soin de moi autant que tu le fais avec ton parrain!

— Tu serais pas un peu jaloux?

— Pas juste un peu, très jaloux! ajouta-t-il en l'entourant de ses bras pour lui faire un câlin.

Tout se déroulait bien au parc où avaient lieu les festivités et le feu d'artifice. La température était clémente et les villageois se réjouissaient de pouvoir profiter d'une si belle activité.

Noémie et Kevin se tenaient par la main et fredonnaient

les chansons québécoises qu'un jeune groupe de musiciens leur proposait. On attendait que la noirceur soit bien installée pour lancer les feux.

Soudain, trois individus s'approchèrent des deux adolescents. L'un d'eux empoigna Noémie par l'arrière, pendant que les deux autres immobilisaient Kevin. Il les attirèrent rapidement derrière une balustrade, afin de les éloigner de la foule et de possibles témoins.

— T'es une belle salope! cracha l'un d'eux en entourant Noémie de ses bras et en lui tâtant vulgairement les seins. Une vache, une putain! continua-t-il en lui léchant le visage comme si elle eut été un animal.

Noémie pleurait en se débattant du mieux qu'elle le pouvait. Elle pensa toutefois à garder son sang-froid pour se sortir de ce guêpier. Son agresseur sentait l'alcool à plein nez.

Les deux autres garçons s'en prirent à Kevin, qu'ils rouèrent de coups. Celui-ci tentait bien de se défendre, mais il n'avait aucune chance contre eux.

Le leader du groupe, qui retenait Noémie, desserra tout à coup son étreinte, afin de la toucher plus librement. L'adolescente réussit à mettre la main dans sa poche pour saisir la petite bonbonne de poivre de Cayenne que son père lui avait achetée. Dès qu'elle le put, elle aspergea la figure de son agresseur, qui, d'un coup, relâcha sa proie pour se frictionner vigoureusement les yeux.

La jeune fille réserva aussitôt le même sort aux deux autres individus. Kevin reçut lui aussi des émanations du produit, mais au moins, il était libéré de l'emprise des voyous.

En peu de temps, un agent de sécurité qui avait entendu des cris s'approcha et il contacta le 911 pour obtenir des renforts. Les policiers se pointèrent rapidement et procédèrent à l'arrestation des garçons, mais Noémie dut intercéder en faveur de Kevin.

— Non, lui, c'est mon ami, Kevin Godin, et il a rien fait!

— Comment ça se fait que vous ayez reçu du poivre de Cayenne? lui demanda l'un des constables avec arrogance.

— Comment ça se fait qu'on se fasse agresser dans un parc à Val-David? répliqua l'adolescente rebelle.

— Ça va, ça va! intervint le plus vieux des agents. Occupe-toi de fouiller les trois gars et de leur passer les menottes. Tu pourras les amener au poste. Il y a des *back-up* qui s'en viennent. Moi, je vais aller conduire le garçon à l'hôpital, parce qu'il a besoin de points de suture. Demande à Pat de venir me trouver là pour rencontrer les parents. Je dois ensuite conduire mademoiselle Leroy chez elle, discuter avec ses parents et prendre sa déposition en dégustant un bon café!

— C'est bien toi, ça! Tu connais tout le monde au village! lui lança son coéquipier.

— Ça fait 18 ans que je patrouille dans le coin. J'ai même marié la fille du curé! blagua-t-il.

— T'es pas mal drôle! répliqua son collègue.

Lorsqu'on sonna à la porte de la famille Leroy, c'est Xavier qui se leva pour répondre. Il venait tout juste d'arriver à la maison et il était assis avec Évelyne et Pénélope au salon. À la vue de l'agent de police, il devint blême et imagina le pire.

— Qu'est-ce qui est arrivé à Bruno?

— Rien, papa, inquiète-toi pas! le rassura Noémie. Je l'ai vu et il va revenir tantôt avec monsieur Vargas. Je lui ai dit que tout allait bien maintenant.

— Qu'est-ce qui s'est passé? questionna Xavier, qui cherchait à comprendre la situation.

— Votre fille et son ami ont été agressés par trois individus en état d'ébriété. Le copain de votre fille a été conduit à l'urgence pour soigner des blessures mineures. Ses parents sont en route vers l'hôpital.

Noémie se jeta dans les bras de son père dès qu'il arriva près d'elle.

— Papa, c'est grâce au poivre de Cayenne qu'on s'en est sortis! Je te dis que je leur ai payé la traite! Tu vas être obligé de m'acheter une bouteille neuve.

— Comment ça se fait que t'avais donné ça à Noémie? s'informa Évelyne, qui venait de se joindre au groupe. Tu m'en avais jamais parlé!

— Ça t'aurait énervée pour rien! répliqua Xavier. J'ai juste voulu qu'elle soit en sécurité en tout temps!

— Papa, c'était Élie Tremblay, le gars qui me retenait et qui me tripotait! intervint la jeune fille. Je connaissais pas ses chums, par exemple.

— L'enfant de salaud! ragea Xavier. Il va payer cher pour ce qu'il t'a fait!

— C'est qui ça, Élie? interrogea Évelyne, qui sentait une connivence entre Noémie et Xavier dont elle était exclue.

— On discutera de ça plus tard! Pour l'instant, on doit parler avec les policiers et sois-en certaine, ce morveux-là l'emportera pas au paradis! poursuivit le père ulcéré.

— Il a déjà reçu une partie de sa sentence! railla l'agent. Si vous saviez comment c'est douloureux d'avoir cette substance-là dans les yeux! Il en a pour une bonne secousse avant que ça arrête de brûler.

Pénélope était restée en retrait et elle avait choisi de ne pas se mêler aux problèmes de la famille. À ce moment précis, elle se sentait bien seule. Comme elle aurait aimé que son père soit à ses côtés!

Souvent elle pleurait la nuit, se demandant à quoi ressemblerait sa vie maintenant qu'elle n'avait plus de port d'attache. Xavier était bon pour elle, mais Évelyne était très distante. Noémie n'était qu'une adolescente capricieuse et fort heureusement, Bruno était d'une amabilité charmante.

La jeune femme ressentait un grand vide au fond de son être.

Il lui manquait quelqu'un pour combler son bonheur!

CHAPITRE 15

Bientôt la noce

(Septembre 2008)

Mariette était fébrile et se demandait si c'était une bonne idée de se marier à son âge. Le grand jour approchait et elle se sentait bousculée.

Jean-Guy s'était occupé des réservations à l'Auberge du lac Nominingue et tous les faire-part avaient été envoyés. Cinquante personnes assisteraient à la noce. Ce serait vraiment convivial!

Janie, la fille de Mariette, s'était impliquée dans l'organisation du mariage avec son beau-père et elle souhaitait que tout soit magique. Elle lui avait précisé qu'elle prenait en charge la décoration de la salle et l'accueil des invités. Elle avait engagé un D.J. qui animerait la soirée.

Il lui fallait maintenant trouver une tenue pour sa mère.

— Maman, si tu le veux bien, on va aller magasiner ensemble. J'ai l'intention de faire de toi la plus belle mariée de l'année! lança Janie.

— Tu vas avoir de l'ouvrage à faire. Regarde-moi à matin! J'ai une tête à faire peur! Et as-tu vu mes mains? Tu sais que je porte jamais de gants pour travailler et là, ça paraît!

— Pour commencer, tu dois penser juste à une chose!

Tout ça peut s'arranger, le temps d'une journée! J'ai déjà organisé une visite au salon de manucure pour une pose d'ongles, la veille du grand jour. Le matin des noces, on ira chez la coiffeuse et mon amie esthéticienne viendra te faire un maquillage de circonstance.

— Faut que tu m'en parles, si tu veux faire de quoi. J'ai un commerce à faire rouler, moi! Je peux pas partir n'importe quand! se défendit Mariette.

— T'es bien chanceuse que je m'implique et c'est pas du caprice! T'as même pas encore acheté ta robe! Oublie ton restaurant! J'ai rencontré Lucette, ta *partner*, et elle te donne congé demain. Jean-Guy est au courant et il va rester alentour au cas où elle aurait besoin d'aide.

— J'aime pas ça quand on se mêle de mes affaires!

— On a pas le choix d'agir de même! Tu veux pas faire preuve de bon sens, lui rappela Janie.

— Je le sais! C'est pas une raison pour tout chambarder juste parce que je me marie!

— Pour une fois, maman, accepte donc les idées de quelqu'un d'autre. Lucette est bien capable de s'occuper de l'ouverture et de la fermeture du restaurant avec Jean-Guy. Demain matin, on part à 8 heures, parce qu'on a le tout premier rendez-vous de la journée chez la coiffeuse.

— Pourquoi aller me faire faire une mise en plis en plein milieu de la semaine?

— Parce que tu dois savoir si tu aimeras la tête qu'elle te fera le jour des noces! D'après moi, tu as besoin d'une petite coupe de cheveux et surtout d'un *new-look*! Comme ça, Jean-Guy va avoir l'impression de coucher avec une nouvelle femme! railla Janie.

— Peut-être nouvelle, mais pas plus jeune! répliqua Mariette, qui commençait à réaliser qu'elle devait s'impliquer davantage dans la préparation de l'événement, qui aurait lieu dans moins de 10 jours.

— On ira ensuite prendre un bon déjeuner à Saint-Jovite et on se rendra à Rosemère ou à Laval pour magasiner.

Tout s'était bien déroulé, mais surtout parce que Jean-Guy avait insisté pour que Mariette donne au moins l'impression d'être heureuse de l'épouser.

— Depuis le début, on dirait que tu veux me mettre des bâtons dans les roues quand il est question du mariage! s'était plaint le futur époux.

— C'est pas ça, mais je trouve qu'on a tellement d'ouvrage qu'il nous reste pas beaucoup de temps pour penser à ça! avait rétorqué sa promise.

— Je vais avoir 60 ans le mois prochain! Je suis retraité des Postes et depuis quelques années, on fait de l'argent comme de l'eau, mais on en profite pas! Si c'est ça la vie…

— C'est vrai qu'on a pas de problèmes financiers, mais si on néglige le commerce, il vaudra plus rien quand on va se décider à le vendre.

— Vas-tu un jour accepter de le céder à quelqu'un d'autre? l'avait narguée Jean-Guy avec un large sourire.

— Tu serais surpris, mon beau! Lucette m'en a parlé une couple de fois et j'y ai pas fermé la porte!

— C'est aujourd'hui que tu me dis ça! Pourquoi Lucette serait tentée d'acheter le resto? Elle a pas de conjoint et sa famille demeure à l'extérieur.

— Elle a deux frères qui ont des chalets au lac Cameron et ils prévoient venir s'installer ici à plein temps. Ils sont fonctionnaires à Ottawa et vont prendre leur retraite bientôt. Il y en a un qui aimerait bien avoir un commerce et la restauration l'intéresse, car sa femme est serveuse en Ontario. Si j'en ai pas parlé, c'est que je déteste être déçue.

Si j'avais une offre sur la table, j'y penserais à deux fois avant de la refuser.

Jean-Guy était inquiet pour la santé de sa conjointe, qui travaillait beaucoup trop, et la possibilité de vendre lui plaisait énormément. Il avait déjà des projets en tête, mais il attendrait avant de les ébruiter pour ne pas bousculer sa future épouse!

———

Sylvianne s'ennuyait de sa mère depuis qu'elle était allée la visiter à La Villa des Pommiers. Bien sûr, elle était heureuse de savoir qu'elle vivait dans un si bel environnement, mais il lui semblait qu'elle aurait dû être entourée de sa famille au lieu de tous ces étrangers.

Son conjoint lui avait expliqué que celle-ci avait fait ses choix, comme eux avaient fait les leurs.

— On lui a offert à plusieurs reprises de déménager avec nous en Abitibi et elle a toujours refusé. Tu dois comprendre que ta mère demeure dans les Laurentides depuis si longtemps qu'elle y est chez elle. Ici, elle connaîtrait personne!

— Nous, on serait là! Elle aurait aussi ses petits-enfants qui iraient la visiter et avec le temps, elle se ferait des amis.

— Sois réaliste, Sylvianne! Nos jeunes sont contents quand leur grand-mère vient faire un tour, mais ils sont maintenant adultes et ont une vie bien à eux. On a parfois de la misère à les avoir tous en même temps pour un repas de famille! Pour les amis, je suis d'accord avec toi. Ta mère est une femme sociable, mais tous les gens qu'elle connaît dans son milieu lui manqueraient!

— Ma mère vieillit et c'est des étrangers qui en prennent soin et qui la gâtent! larmoya-t-elle.

— Toi, tu t'occupes bien de la voisine! Tu vas lui porter de la soupe, tu lui as tricoté un châle pour l'hiver et quand elle a le rhume, c'est toi qui vas la soigner! C'est ça, la loi du retour. Tu fais le bien autour de toi et d'autres posent des gestes de bonté envers les tiens ailleurs.

— Peut-être bien, mais n'empêche que ça me tracasse en maudit!

— Appelle-la! Demande-lui de monter nous voir pendant quelques semaines! Elle est pas obligée d'attendre que ce soit le temps des fêtes pour venir ici!

— T'as raison, je vais lui téléphoner tout de suite! T'es le meilleur pour régler les problèmes! C'est pour ça que je t'aime!

Sylvianne tenta de joindre sa mère, mais n'obtint pas de réponse dans sa chambre. Elle se réessaya à quelques reprises dans l'heure qui suivit, mais Rita était toujours absente. Elle savait qu'elle avait l'habitude de manucurer ses ongles tous les samedis matin et qu'elle lisait *La Presse* pendant que son vernis séchait.

— C'est bizarre qu'elle réponde pas! J'essaie depuis 9 heures à matin! se plaignit-elle à son mari.

— Si tu veux te rassurer, communique avec le poste de garde. Il y a quelqu'un présent 24 heures par jour. Ils vont te confirmer que ta petite maman se porte à merveille! Si elle avait eu quoi que ce soit, on t'aurait déjà contactée!

C'est l'infirmière qui prit l'appel à la résidence. Elle connaissait tous les gens de l'endroit et elle avait fait sa tournée ce matin.

— Madame Blain, votre mère ne vous a pas prévenue qu'elle s'absentait?

— Non, je savais pas qu'il y avait une activité à l'extérieur aujourd'hui.

— Ce n'est pas nous qui avions une sortie. Madame Blanchard a été invitée à accompagner monsieur Moreau au mariage de son neveu.

— Maman est partie aux noces! rigola Sylvianne. Dire que je m'inquiétais pour rien. Mais elle est donc bien partie de bonne heure! D'habitude, les mariages, ça a lieu en fin d'après-midi.

L'infirmière ne souhaitait pas aller à l'encontre de son obligation de confidentialité, mais elle ne pouvait s'empêcher de rassurer la fille d'une pensionnaire. C'est tout de même elle qui était inscrite au dossier comme personne à joindre en cas d'urgence. Pourquoi la vieille dame n'avait-elle pas averti ses proches elle-même qu'elle partait pour deux jours?

— C'est la nièce de monsieur Moreau qui est venue les chercher avec son époux. Le mariage a lieu au lac Nominingue. C'est pour ça qu'ils ont quitté tôt.

— C'est pas à la porte, pour aller aux noces! Je comprends pas des vieux comme ça de faire des sorties aussi épuisantes! La nièce est pas trop logique non plus! Entre vous et moi, maman est en forme, mais monsieur Moreau est plus jeune jeune! lança Sylvianne, froissée que sa mère ait omis de lui faire part de cette sortie.

— Dès son retour, je lui demanderai de communiquer avec vous, répondit l'infirmière en espérant pouvoir mettre fin à la discussion.

— C'est à souhaiter qu'ils les feront pas veiller trop tard, continua Sylvianne. La résidence ferme à quelle heure? Les pensionnaires ont un couvre-feu, je crois.

— À compter de 23 heures, c'est le gardien de sécurité

qui accueille les gens. Vous n'aurez pas à vous préoccuper de ça, car ils ont réservé à l'auberge, là-bas. Ils devraient revenir en milieu d'après-midi demain.

— Êtes-vous sérieuse? Maman a le droit d'aller coucher ailleurs, avec des étrangers?

— Je m'excuse, madame Blain, mais votre mère est une résidente ici! Elle n'est pas en prison! Je comprends que vous soyez déçue qu'elle ne vous ait pas prévenue de son absence, mais je n'y suis pour rien. Si je peux me permettre, ne soyez pas trop dure avec elle quand vous lui parlerez. Votre maman était très heureuse de faire cette sortie! À son âge, il est normal de profiter de chaque bon moment.

— Si c'était votre mère, vous diriez peut-être pas la même chose! répliqua-t-elle avant de raccrocher brusquement.

Sylvianne avait l'impression que les Moreau venaient de lui voler une personne très importante dans sa vie. Avait-elle manqué à son devoir?

Dominique était très heureuse que l'oncle Raoul ait été assez bien pour assister au mariage de son neveu. Elle avait toutefois été surprise quand il lui avait mentionné qu'il avait demandé à madame Rita de l'accompagner.

— C'est vous qui décidez. Bien sûr, ce serait plaisant que madame Blanchard se joigne à nous. Elle fait quasiment partie de la famille maintenant! avait acquiescé Dominique.

— On passe beaucoup de temps ensemble et je m'ennuie jamais avec elle. C'est souvent elle qui m'informe des activités à venir et qui me fait penser à plein de choses. Elle a 14 ans de moins que moi, ça paraît.

— On vous répète toujours que vous faites pas votre âge, et c'est vrai!

— En plus, Rita est une femme très distinguée! Je suis convaincu qu'elle vous fera pas honte!

— J'ai aucun doute! Voulez-vous que je confirme votre présence à Mariette et à Jean-Guy? Je pourrais envoyer nos réponses en même temps.

— T'auras pas besoin! avait précisé l'oncle Raoul. Cette semaine, ta mère est passée et on a appelé Jean-Guy pour régler tout ça.

— Qu'est-ce que maman vient faire là-dedans? Elle m'a dit qu'elle irait aux noces avec Laurence et Claude.

— Oui, mais elle sera elle aussi accompagnée de son ami Bernard. Jean-Guy nous a suggéré de coucher à l'auberge après la soirée. Sinon, faire l'aller-retour dans la même journée, ce serait trop fatigant.

— Il serait bon que je le sache, puisque vous embarquez avec nous. Bien sûr que le lac Nominingue, c'est pas à la porte! Patrick disait que ça nous faisait plus de 165 kilomètres juste pour l'aller. On réservera donc notre chambre nous aussi. Est-ce que Jean-Guy s'est occupé de le faire pour vous et maman?

— Oui, il nous a promis qu'il réserverait tout ça. Tu peux l'appeler si tu veux, ça lui fera plaisir.

Dominique était un peu déboussolée! Quand on parlait de son parrain, c'était une chose, mais s'il s'agissait de sa mère et de son ami, c'était une tout autre histoire.

Elle ne souhaitait pas être indiscrète avec son oncle, mais cette nouvelle la tracassait. Est-ce qu'il louerait deux chambres pour lui et madame Rita?

Pour ce qui était de Doris, elle ne se gênerait pas pour l'interroger directement.

Pas question que sa mère couche dans la même chambre que cet homme qu'elle connaissait depuis quelques mois seulement!

Quand elle avait reçu son invitation, Monique avait tout de suite claironné qu'elle n'assisterait pas au mariage de son frère.

— Il s'est déjà marié une fois! S'il pense que je vais dépenser de l'argent pour assister à une deuxième mascarade…

En réalité, elle rageait de n'avoir jamais trouvé un homme qui aurait souhaité qu'elle devienne sa femme. Elle avait bien eu quelques amis, mais ses histoires de cœur s'étaient toujours plutôt mal terminées.

Comme la majorité des filles, elle s'était imaginé porter un jour une longue robe blanche et avoir des fleurs dans les cheveux. Elle en avait souvent rêvé.

Sa cousine Suzanne était invitée elle aussi et elle lui avait demandé si elles pourraient y aller ensemble.

— As-tu pensé que si on se pointe là toutes les deux, on va avoir l'air de belles codindes[14]?

— Pourquoi tu dis ça? C'est notre famille, c'est rien que normal qu'on fête avec eux!

— Ça me choque de voir qu'un homme qui va avoir 60 ans dans un mois peut se marier et que les gens sont pâmés! Si c'était toi ou moi qui faisions ça, ils riraient de nous autres! s'était offusquée Monique.

---

14 Codindes: personnes stupides.

— C'est dans ta tête, ça! On dirait que tu veux toujours nous diminuer! On devrait se *spotter* deux gars pour nous accompagner.

— Penses-tu que je devrais téléphoner à Robert Ducharme?

— Avoue que t'aimerais ça! C'est peut-être la meilleure façon de te réconcilier avec lui.

— Il a quelqu'un dans sa vie maintenant.

— En es-tu bien certaine? avait interrogé Suzanne avec un petit air coquin.

— Saurais-tu quelque chose que j'ignore? avait répliqué sa cousine avec les yeux grands ouverts.

— J'ai entendu dire que la fille qu'il avait rencontrée à l'hôpital était retournée avec son mari. C'était pas une célibataire! avait annoncé fièrement la cousine à la langue bien pendue. Le beau Robert s'est fait avoir à plate couture[15]!

Monique reprenait tout à coup espoir. Depuis leur rupture, elle s'ennuyait beaucoup de son ami et des petits soupers qu'ils partageaient en plein milieu de la semaine.

Jamais elle n'avouerait qu'elle regrettait l'attitude qu'elle avait eue à son endroit! Elle savait fort bien qu'il n'était pas responsable des locataires qui avaient quitté sa maison. Ce n'était pas sa faute, non plus, si cette demeure avait besoin d'autant de rénovations.

À bien y penser, avait-elle songé, maintenant que sa mère était morte, il accepterait peut-être de la fréquenter assidûment!

Elle plierait sur son orgueil et lui demanderait de l'accompagner au lac Nominingue. Mais elle n'en parlerait pas à Suzanne tout de suite. Elle préférait lui dire qu'elle

---

15 À plate couture : complètement.

n'irait pas aux noces. Sa cousine ne serait pas surprise outre mesure de cette décision.

Elle devait avant tout discuter avec Robert le plus tôt possible, avant qu'une autre lui mette le grappin dessus!

—

Quand Hugo avait quitté Val-David, il ne pensait pas y revenir de sitôt, mais il avait très vite dépensé la somme qu'il avait trouvée dans le matelas du vieil Hector.

Il avait donc choisi d'aller voir Raoul pour se plaindre. Il voyait dans sa manœuvre une possibilité de lui soutirer quelques dollars. Hugo ne croyait pas son explication selon laquelle il n'avait jamais d'argent sur lui. Un homme qui avait été voyageur de commerce toute sa vie ne pouvait sûrement pas vivre sans avoir une petite somme en poche.

En arrivant à la résidence, il composa le code, dont il se souvenait très bien, et il se dirigea directement vers la chambre de Raoul. Il salua au passage les gens qu'il rencontrait afin de se donner bonne figure.

Il frappa à plus d'une reprise, mais n'obtint pas de réponse. En redescendant au rez-de-chaussée, il croisa l'infirmière.

— Bonjour, mademoiselle! Je m'excuse de vous déranger, je suis le neveu de monsieur Raoul Moreau, mentit-il. Je viens d'aller à sa chambre, mais il est pas là. Pourriez-vous me dire où je pourrais le trouver?

— Désolée, mais monsieur Moreau est sorti ce matin.

— Il doit être parti chez sa sœur Doris, suggéra Hugo, croyant que l'employée lui confirmerait l'endroit où il s'était rendu.

— Je n'en ai aucune idée! déclara-t-elle faussement. Elle regrettait d'avoir dû tout raconter à la fille de madame Rita, un peu plus tôt dans la journée.

— Un vieux de cet âge-là, quand il s'absente, vous devriez savoir où il va! Il me semble que ce serait votre travail! rétorqua Hugo avec arrogance.

— Quand bien même il serait parti à des noces, je ne vous le dirais pas! lui balança-t-elle sur un ton moralisateur.

— Il est plus fort pour les marches au cimetière que pour aller danser! lança-t-il en se dirigeant vers la porte de sortie.

L'infirmière avait le goût de rire. Si le pauvre garçon avait constaté combien le vieil homme était heureux ce matin! Elle devrait prendre des informations sur lui auprès de Dominique. Il lui avait fait une très mauvaise impression!

— Quand il va arriver, souhaitez-vous que je lui dise que vous êtes passé le visiter? Ça lui ferait sûrement plaisir! le manipula-t-elle.

L'individu se retourna et lui répondit d'un ton méprisant.

— Dites-lui qu'Hugo, son neveu, est venu le voir. Il m'a élevé comme un fils! Il sera pas content que vous m'ayez traité comme un deux de pique[16]! Je serais pas surpris qu'il aille même se plaindre à la directrice!

L'infirmière avait le nez fin et pouvait flairer les imposteurs. L'attitude prétentieuse de celui-ci l'avait tout de suite alertée.

— On verra en temps et lieu! J'ai bien hâte de lui parler de vous! ajouta-t-elle en sachant fort bien que c'est à Dominique qu'elle ferait le message.

Depuis le premier jour où elle avait commencé son travail en résidence, elle avait compris qu'elle avait un

---

16 Deux de pique : personne médiocre, incompétente.

rôle important à jouer auprès de ces gens âgés. Ils avaient confiance en elle, et elle s'était engagée à prendre soin d'eux.

—

Quand Raoul était arrivé à l'Auberge du lac Nominingue, en début d'après-midi, il s'était rendu à la réception avec Patrick afin de s'enregistrer. Dans les semaines précédentes, il s'était enquis, auprès de Rita, pour connaître ses volontés quant à la réservation.

— Ce que j'ai à te demander est un peu délicat, avait-il commencé par dire. Est-ce que tu préférerais que je réserve deux chambres ou une seule avec deux grands lits ? avait-il demandé avec les joues rouges.

— Avant de te répondre, j'aimerais que tu me dises si tu te soucies de ce que les autres vont penser.

— Je vais avoir 90 ans dans quelques semaines. C'est trop tard pour m'en faire avec l'opinion du monde. L'important pour moi, c'est toi !

— J'apprécie beaucoup ta prévenance, mais tu crains pas de froisser ta nièce ?

— Non. Dominique est une femme trop intelligente pour s'en faire avec ça ! Et puis, on fera rien de mal ! On va tout juste dormir dans la même chambre.

— Je suis d'accord avec toi. On pourrait faire les hypocrites, avoir chacun la nôtre et se visiter en cachette, mais c'est pas mon genre !

— En plus, à notre âge, c'est dangereux de tomber en passant d'une chambre à l'autre ! avait-il balancé en riant.

— Le plus grave, ce serait de se tromper de porte ! avait renchéri Rita.

Raoul était donc arrivé au comptoir et il s'était adressé à la préposée avec assurance.

— J'ai une réservation au nom de Raoul Moreau.

— Oui, monsieur Moreau. Vous aurez la chambre numéro 8, celle qui donne sur le bord du lac. Comme vous l'aviez exigé.

Raoul n'avait pourtant fait aucune requête spéciale. Il avait tout bonnement demandé à Jean-Guy d'appeler à l'auberge pour lui. Il lui avait toutefois expliqué qu'il souhaitait ne réserver qu'une seule chambre, mais avec deux lits. Une belle complicité unissait les deux hommes.

— C'est bien ça. Est-ce que je vous règle la chambre tout de suite ou au moment du départ ?

— Votre neveu s'est déjà occupé de tout, monsieur Moreau.

— Y en est pas question ! Je veux payer mes affaires !

— Il nous a prévenus que vous réagiriez ainsi, mais il m'a aussi mentionné qu'il utiliserait une partie du dernier cadeau en argent qu'il avait reçu pour couvrir les frais. Il semble que c'était suffisant, puisqu'il a insisté pour que vous puissiez profiter de cette pièce haut de gamme.

Raoul était à court d'arguments et il était complètement décontenancé. Il n'était pas habitué à ce que d'autres paient pour lui.

Sa sœur Doris était arrivée quelques minutes plus tard et elle s'était également rendue à l'accueil pour s'inscrire avec Bernard Leclair.

Contrairement à son frère, elle avait réservé deux chambres. Ses enfants seraient là et elle aurait peur de les offusquer si elle partageait celle de son ami. De toute manière, elle n'était pas prête à franchir ce pas-là dans sa relation avec Bernard.

— Madame Roy, vous avez la chambre numéro 10 et monsieur Leclair, la 11. Elles sont l'une en face de l'autre, avait spécifié la jeune employée.

Doris et Bernard en avaient aussi discuté plus tôt et il était entendu que chacun paierait sa chambre. Quand ils avaient demandé à quel moment ils devaient régler la note, la même réponse qu'à Raoul leur avait été servie.

— Vous êtes tous les deux les invités du marié! Monsieur Jean-Guy a insisté pour acquitter le coût de votre hébergement. Passez donc un bon séjour chez nous!

Jean-Guy savait recevoir et la générosité dont son oncle avait fait preuve à son égard l'année précédente l'avait incité à faire ces dépenses supplémentaires.

Il avait également négocié un prix pour les autres convives, qui avaient tous apprécié le tarif privilégié auquel ils avaient eu droit.

—◂—

En entrant dans leur chambre, Rita et Raoul furent impressionnés par la prestance des lieux. La pièce était chaleureuse, avec ses meubles antiques et sa décoration rétro. Sur une table d'appoint, un petit panier rempli de gâteries attendait les invités.

Après qu'ils eurent déposé leurs minces bagages, ils prirent place dans les fauteuils installés près de la fenêtre.

— C'est beau, Raoul! J'ai l'impression de rêver!

— Parle pas trop fort! Je voudrais pas me réveiller moi non plus! Je te dis que Jean-Guy est un vrai gentleman! Ça me gêne un peu qu'il ait payé tout ça pour nous!

— Il faut que tu penses au fait qu'il était mal à l'aise

lui aussi quand tu lui as donné un cadeau en argent. J'en connais pas le montant, mais c'était sûrement pas de la petite monnaie pour qu'il agisse ainsi!

— J'ai offert la même somme à sa sœur Monique en leur demandant de bien s'occuper de leur père. La même semaine, Jean-Guy a fait installer un téléphone dans la chambre d'Hector. Pour Monique, ça a pas été pareil. Elle est revenue me quêter pour les rénovations de la maison. Ils sont jumeaux, mais vraiment pas identiques.

— C'est rare de voir un oncle généreux comme ça!

— J'ai pas eu d'enfant et ces deux-là font pas partie de mes héritiers. Mais c'est quand même les enfants de mon frère!

— T'es un homme de grand cœur! Je suis heureuse qu'il y ait quelqu'un qui ait songé à t'offrir une reconnaissance et l'occasion était parfaite.

— Est-ce que tu as faim? demanda Raoul.

— Non. Sur la route, on a pris un gros déjeuner et on est sortis du restaurant à 11 heures. C'est assez pour me rendre au souper. Peut-être qu'on pourrait partager un muffin plus tard dans l'après-midi?

— Il est 1 h 30. Voudrais-tu aller prendre une marche ou tu préfères te reposer avant la noce? On doit descendre pour 3 h 45, spécifia Raoul.

— J'ai besoin d'environ une heure pour changer de vêtements et retoucher mon maquillage. Je te suggère qu'on fasse une petite sieste afin d'être en forme ce soir.

— Très bonne idée! Je t'avoue qu'on s'est levés tôt et que j'ai pas beaucoup dormi la nuit dernière. Je voulais être prêt quand Dominique et Patrick arriveraient.

Rita entreprit d'enlever les coussins décoratifs et la courtepointe de son lit, qu'elle plia avec soin.

Raoul se dirigea vers l'autre lit, se disant que son amie avait délibérément choisi le sien.

— Est-ce que tu crois nécessaire qu'on défasse les deux lits pour une simple sieste? lui demanda-t-elle avec un sourire charmeur.

— T'as bien raison! Après tout, on est pas si gros que ça! reconnut le vieil homme.

Rita retira ses souliers et son cardigan et elle s'étendit, pendant que Raoul en faisait autant. Une fois allongés côte à côte, ils se donnèrent un petit baiser et se prirent par la main avant de fermer les yeux.

Raoul avait le cœur rempli de gratitude pour cet instant de bonheur que la vie lui permettait de connaître encore une fois. Il eut une bonne pensée pour Irène, qu'il avait tant aimée. C'était sûrement elle qui avait mis cette femme sur sa route.

Rita baissa lentement les paupières, tout en esquissant un sourire coquin. Elle savait d'emblée qu'ils n'utiliseraient qu'un seul lit, même pour la nuit. Elle était bien en présence de cet homme simple et attentionné. Malgré leur différence d'âge, elle souhaitait profiter des beaux moments qui s'offraient à elle. Elle pensa à la nuisette en soie qu'elle avait déposée dans sa valise et se demanda comment son cavalier réagirait en la voyant.

— Qui sait, songea-t-elle, ça réveillera peut-être son petit soldat!

CHAPITRE 16

La vie à deux

(Septembre 2008)

Monique avait pilé sur son orgueil et elle avait demandé à Robert de l'accompagner aux noces. Ce dernier avait gentiment accepté l'invitation et il avait même trouvé un cavalier pour Suzanne. Les deux couples s'étaient donc rendus ensemble à l'auberge.

La sœur du marié entra fièrement dans la salle, où se trouvait déjà la majorité des invités. Elle était heureuse de montrer à sa famille qu'elle avait un homme à son bras.

Les tables étaient joliment décorées et sur la piste de danse, on avait installé des rangées de fauteuils en prévision de la cérémonie.

Deux places avaient été réservées pour elle à l'avant de la salle, mais dans la deuxième rangée, derrière celle attribuée à l'oncle Raoul, à madame Rita, à la tante Doris et à monsieur Bernard. Monique constata qu'elle serait assise tout juste aux côtés de Dominique et Patrick. Sa cousine Suzanne devrait quant à elle s'asseoir en arrière, où il restait quelques chaises vides.

Monique regarda partout afin de savoir qui avait été invité et elle observa la disposition de la salle.

Il y avait un lutrin installé pour le célébrant. À moins de trois mètres de celui-ci se trouvaient deux superbes fauteuils prévus pour les futurs époux. Contrairement aux coutumes établies dans les églises, ces chaises étaient tournées vers les invités.

Jean-Guy était arrivé quelques minutes plus tôt, avec son oncle Raoul. Les deux hommes se tenaient maintenant debout à l'avant de la salle, attendant l'entrée de Mariette, qui avait choisi d'être accompagnée par son fils et sa fille.

Un employé de l'hôtel fit un signe au D.J. Celui-ci se prépara à remplacer sa musique d'ambiance par la chanson d'ouverture sélectionnée par les époux : *Une chance qu'on s'a*, des artistes Jean-Pierre Ferland et Alain Leblanc.

Tout le monde cessa alors de parler et se retourna pour assister à l'entrée de la mariée et de ses escortes.

Mariette arriva quelques secondes plus tard. Toute de blanc vêtue, elle était très élégante dans son pantalon palazzo, sur lequel tombait une longue tunique. Dans ses cheveux bouclés, on pouvait voir de petites larmes de bébé[17], qu'on retrouvait également dans son bouquet de marguerites.

Elle était magnifique et resplendissante de bonheur. Elle avançait en offrant des sourires à l'assistance, réservant le plus beau pour l'homme qu'elle s'apprêtait à épouser.

Jean-Guy était ébloui par ce que Mariette représentait pour lui en ce moment. Il l'embrassa symboliquement sur les deux joues avant qu'elle s'installe à ses côtés.

Le couple avait demandé au maire de la ville de Labelle d'agir comme célébrant.

Celui-ci prit la parole en soulignant qu'il était privilégié

---

17 Larmes de bébé : autre nom de la plante Soleirolii Helxine.

de pouvoir animer cette cérémonie. Il fit la lecture de certains articles du Code civil du Québec portant sur les droits et les obligations des époux. Ceux-ci échangèrent ensuite leurs consentements avant de prononcer le traditionnel «Oui, je le veux!». Jean-Guy passa un jonc à l'annulaire gauche de sa femme et celle-ci en fit autant. Ils s'embrassèrent alors pour sceller cette union et tous les invités les applaudirent.

Au moment où l'oncle Raoul dut s'avancer pour signer la déclaration de mariage, à titre de témoin, Dominique prit l'initiative de l'accompagner. La présence de sa nièce le réconforta et il put ainsi marcher d'un bon pas, sachant qu'elle le guiderait s'il en éprouvait le besoin.

Évelyne et Xavier étaient présents avec leurs deux enfants et tout au long de la célébration, le couple s'était tenu par la main. Ils se sentaient très inspirés par cette union, qu'ils avaient néanmoins quelque peu ridiculisée quand ils avaient reçu les faire-part, fabriqués par des amies de Mariette qui s'adonnaient au *scrapbooking*.

Pénélope avait refusé de les accompagner. Elle vivait difficilement un double deuil: la perte de son père et l'éloignement de son pays natal. Elle avait besoin de temps pour songer à son avenir et les réjouissances des gens qui l'entouraient lui causaient plus de mal que de bien.

Lorsque la cérémonie fut terminée, Mariette et Jean-Guy restèrent debout à l'avant de la salle et les invités défilèrent devant eux pour les féliciter et leur offrir leurs vœux. Plusieurs photos immortalisèrent ces beaux moments, alors que les serveurs libéraient le plancher de danse et dirigeaient les convives vers la place à table qui leur avait été assignée.

D'un petit mariage intime, Jean-Guy et Mariette avaient

réussi à créer une ambiance chaleureuse et tout le monde semblait heureux de se retrouver dans cet endroit bucolique.

Outre les époux, on retrouvait à la table d'honneur les témoins et leurs escortes. Les autres invités étaient pour leur part installés autour de tables comptant chacune six places.

Dominique et Patrick étaient assis avec Claude et Laurence, ainsi qu'avec Doris et Bernard.

Évelyne, Xavier et leurs enfants étaient ensemble, alors que les neveux et nièces de Mariette ainsi que quelques amis occupaient d'autres places.

Monique, Suzanne et leurs compagnons se retrouvaient tout près de la table d'honneur. Deux petits neveux qui n'avaient pas trouvé de place ailleurs avaient été placés avec eux.

— Voulez-vous bien me dire pourquoi vous êtes assis avec nous? s'informa Monique, frustrée de voir ces deux jeunes d'une douzaine d'années à ses côtés.

— Regardez, madame, notre nom est écrit là! répondit le plus vieux poliment.

— Vous êtes pas du côté des Moreau! C'est qui, vos parents? Il y a pas moyen de vous tasser et de rester avec eux autres? rétorqua la sœur du marié avec sa mauvaise foi habituelle.

— Pourquoi? On est bien ici! On est juste en avant! Ça va être *cool* pour danser! se réjouit l'autre adolescent.

Monique se leva et se rendit à la table de son frère afin de lui demander s'il pouvait installer ces jeunes ailleurs qu'à sa table.

— Comment tu veux qu'on passe une belle veillée entre adultes, si on a deux petits morveux à côté de nous autres?

— Voyons, Monique, fais pas l'enfant! l'exhorta

Jean-Guy. Pour une fois, essaie donc de pas compliquer les choses!

— J'ai pas le goût d'entendre parler de *Star Wars* et de *Batman*! Si tu peux pas les changer de place, on va aller souper ailleurs! menaça-t-elle.

Dominique était habituée de trouver des solutions à différentes situations et elle avait compris ce que Monique tramait. Elle s'était avancée doucement derrière sa cousine et elle avait entendu l'ultimatum que cette dernière avait servi à son frère.

— Monique, fais-toi z'en pas. On va installer les deux garçons à notre table, murmura-t-elle en douce pour éviter que le début de conflit dégénère.

— Merci! Ça va faire du bien! J'aurais pas pu passer toute la soirée avec ça à côté de moi! lança-t-elle en regardant méchamment les deux garçons.

Monique retourna à sa place, tandis que Dominique demanda gentiment aux jeunes de la suivre. Ceux-ci acceptèrent en se disant que la bonne femme qui avait fait une crise était sûrement folle ou sur le point de le devenir.

Après qu'elle eut bien installé les deux garçons, Dominique prit son sac à main et elle revint vers Monique, en compagnie de Patrick.

— Ma chère cousine! Qui aurait cru qu'on allait souper ensemble ce soir? Heureusement que tu as eu l'idée de faire déplacer les adolescents, sinon, on aurait peut-être pas eu le temps de se parler! Là, on va pouvoir se raconter plein d'histoires de notre enfance!

Monique était devenue rouge comme une écrevisse.

Quand Dominique s'était approchée de la table de Monique avec son conjoint, Jean-Guy avait donné un petit coup de pied à son oncle Raoul pour qu'il observe comment les choses se déroulaient de ce côté de la salle.

— J'ai toujours beaucoup aimé cette femme-là, avait confié Jean-Guy en parlant de Dominique.

— Pourquoi tu penses que je l'ai choisie pour s'occuper de moi? Elle se laissera jamais piler sur les pieds, pas même par ta sœur!

— J'aurais bien voulu avoir autant de caractère! avait confessé le nouveau marié.

— T'as pas besoin, tu viens d'épouser une créature qui en a pour deux!

—●—

Le jour du mariage de Jean-Guy, Hugo était allé traîner à Val-David afin de vérifier si Raoul était chez Doris. Étrangement, il n'y avait pas âme qui vive à la maison. C'était plutôt rare, pour un samedi après-midi. Il s'était ensuite rendu à l'épicerie, où il avait discuté avec la caissière, qu'il connaissait.

— Tiens, un revenant! Salut, Hugo! Étais-tu en vacances? On te voyait plus dans le coin.

— J'ai eu de l'ouvrage à faire pour un gars dans le bout de Gatineau. Une grosse *job* de céramique dans un six logements. Ils ont de la misère à trouver du bon personnel, c'est pour ça que j'accepte de me déplacer comme ça.

— Tu demeures où de ce temps-là? Es-tu encore dans la maison de monsieur Moreau?

— Non, j'ai été obligé de partir. Ça sent le moisi là-dedans, le plafond coule et il y a de l'eau dans la cave

240

aussitôt qu'il pleut! Je te dis que c'est une cabane qui vaut pas cher!

— Comme ça, tu restes à Gatineau.

— Oui, mais je suis venu pour voir mon oncle Raoul. Malheureusement, il était sorti.

— Il est peut-être allé aux noces de son neveu. Noémie devait travailler, mais elle a demandé un congé pour y aller.

— J'avais oublié que c'était en fin de semaine. Si j'y avais pensé, je serais descendu juste samedi prochain! Je vais m'en retourner et je reviendrai. Garde ça pour toi, ma visite d'aujourd'hui, la mère de Noémie peut pas me blairer[18]! On s'est chicanés quand on était jeunes. Elle aurait bien voulu sortir avec moi, mais c'était pas mon genre. Tu me connais, je les aime plus dégourdies! Comme toi! complimenta-t-il la caissière par la même occasion.

— Je dirai rien. De toute façon, je travaille rarement avec la petite. On a pas les mêmes horaires.

Hugo avait obtenu les informations qu'il désirait et personne n'en saurait rien. Il avait déjà eu l'occasion de vendre un peu d'herbe à cette caissière et elle n'aurait pas voulu que qui que ce soit l'apprenne. Son silence était assuré.

Il n'y avait donc personne à la maison de Doris, d'Évelyne, de Claude et peut-être même de Monique. Quelle belle razzia il pourrait faire aujourd'hui! Il devait cependant être prudent.

Avant toute chose, il irait prendre une bonne bière au bar de danseuses nues. Il y rencontrait toujours un ou deux chums avec qui il pouvait transiger.

18 Ne pas pouvoir blairer quelqu'un : ne pas l'aimer, l'avoir en aversion.

Après le souper, les mariés inaugurèrent la soirée de danse par la traditionnelle valse. Les couples se joignirent ensuite à eux. La musique était bonne et l'animateur était très dynamique.

Les jeunes monopolisèrent le plancher de danse alors que les plus âgés se regroupèrent pour jaser entre eux.

Mariette et Jean-Guy étaient très satisfaits du déroulement de leur journée de rêve. Ils ne regrettaient rien, si ce n'est qu'ils devraient rentrer au travail le mardi matin.

— Il me semble qu'on serait bien si on était à la retraite! mentionna Mariette, qui ne parlait pas souvent d'arrêter de travailler.

— Oui, et ce serait le temps de la prendre. C'est pas quand un de nous deux sera malade qu'on devra le faire. Pour le moment, on ramasse de l'argent et si ça continue, ce sont les autres qui vont le dépenser!

— T'as raison, Jean-Guy, et cette semaine, j'y ai beaucoup pensé. Si le frère de Lucette s'était pointé le nez, je suis pas certaine que je lui aurais dit non. La prochaine fois que quelqu'un va me demander si le restaurant est à vendre, je vais être plus attentive à l'offre qu'il va me faire.

— Je suis tout à fait d'accord avec toi. On peut dire que notre journée est réussie. Tantôt, j'ai dit à mon oncle Raoul de pas se gêner pour aller se coucher quand il sera fatigué. Ça lui fait une longue journée, mais il m'a répété qu'il était content d'avoir été mon témoin. De toute manière, on va se voir demain matin au déjeuner.

— C'est spécial ce que t'as décidé là! Je crois que t'as froissé ta sœur, par exemple.

— C'est tout à fait impossible! Je pense que Monique est fripée depuis qu'elle est née!

— T'es drôle toi! En tout cas, elle est partie juste après le souper.

— Notre mariage lui a peut-être donné des idées pas catholiques! s'amusa le nouvel époux.

—

L'heure avançait et Doris était fatiguée. Elle indiqua à sa fille qu'elle montait se coucher.

Dominique n'osa pas l'interroger à savoir si elle avait réservé une ou deux chambres.

— As-tu le goût que j'aille t'aider à t'installer?

— Ça sera pas nécessaire, refusa poliment Doris. Si j'ai besoin de quelque chose, je pourrai toujours demander à Bernard.

— Fais comme tu veux! lui lança-t-elle, plutôt frustrée que sa mère agisse ainsi.

Dominique s'informa ensuite auprès de Patrick s'il restait pour la danse ou s'ils allaient se coucher.

— Il est juste 11 heures! On part pas de la noce avant minuit, ma Cendrillon! mentionna Patrick, qui avait profité de l'occasion pour prendre quelques verres de plus qu'à son habitude, puisqu'il n'aurait pas à conduire sa voiture.

— Moi, je suis fatiguée! Je pense que je vais monter à la chambre.

— Laisse-moi pas tout seul! l'implora-t-il gentiment.

C'est rare qu'on puisse fêter comme ça! Je sais très bien ce qui te tracasse, mais tu t'en fais pour rien!

— C'est pas de ta mère qu'il est question! Ça me dérange parce qu'on le connaît pas, cet homme-là! C'est peut-être pas un gars propre. S'il fallait que ma maman attrape des maladies!

Patrick eut un fou rire que Dominique n'apprécia pas du tout. Elle voulait qu'il écoute ses doléances, mais il continuait de rigoler.

— Je sais que ma belle-mère est pas aussi maniaque de propreté que toi, mais elle serait pas avec ce gars-là s'il avait de la crasse en arrière des oreilles.

— Tu ris de moi, Patrick! lança-t-elle en lui pinçant une cuisse pour qu'il reprenne son sérieux.

— Dominique, arrête de t'en faire! Ils coucheront pas dans la même chambre! Ils avaient deux réservations.

— Comment tu peux savoir? demanda-t-elle sceptique.

— J'ai entendu le gars de la réception spécifier qu'ils avaient des chambres à proximité l'une de l'autre.

— Pourquoi tu me l'as pas dit avant? répondit-elle, frustrée de s'être emportée de la sorte.

— Il fallait bien que je m'amuse un peu! C'est drôle, t'as rien dit quand il a été question de madame Blanchard et de ton oncle!

— Un homme, c'est pas pareil et puis... Ah tu te moques encore de moi! ajouta-t-elle, en voyant son mari recommencer à se réjouir à ses dépens.

— J'aime ça quand je peux te tendre des pièges! T'es si facile à faire tomber dans le panneau! Arrête de penser à tout ça et viens danser!

— Si tu me promets de pas raconter ça à personne! Claude et Xavier me feraient étriver pendant des années!

— Croix de bois, croix de fer, si je mens, je te paye une bière!

—

Rita et Raoul montèrent dans leur chambre, heureux de pouvoir enfin retrouver le calme.

En arrivant, ils prirent place dans les mêmes fauteuils où ils s'étaient installés en début d'après-midi. Ils souhaitaient se détendre avant de se coucher.

Un seau de glace contenant une bouteille de champagne trônait sur la table d'appoint, de même que deux magnifiques flûtes en cristal.

— Ton neveu est pas raisonnable! s'exclama Rita, en prenant le récipient dans ses mains. Un Moët & Chandon Impérial! Ça a dû lui coûter la peau des fesses! Il me semble qu'il en a fait assez pour nous.

— Qui te dit que c'est Jean-Guy qui a pensé à ça? répliqua Raoul avec un sourire charmeur.

— T'es pas sérieux, Raoul! C'est cher sans bon sens, une bouteille comme celle-là!

— Il y a pas de prix pour le bonheur d'être ici avec toi, ma douce Rita! Je pensais jamais avoir la chance de vivre d'aussi beaux moments avant de mourir.

— Tu peux parler de n'importe quoi, mais je t'en prie, oublie la mort. Tant qu'on va être en vie, on va profiter de chaque instant!

— Je suis totalement d'accord avec toi!

— Si tu veux bien ouvrir le champagne, je vais aller me rafraîchir à la salle de bain. Tu m'as fait avoir chaud!

— À vos ordres, madame Blanchard!

Raoul n'était pas aussi fatigué qu'il l'avait laissé entendre, mais quand il portait son appareil, la musique forte le dérangeait énormément. Leur sieste de l'après-midi lui avait réellement fait du bien et se réveiller en tenant la main de Rita avait donné le ton à la soirée.

La cérémonie lui avait plu et la présence de son amie y était pour beaucoup. Il se sentait envoûté. Ils échangeaient des regards comme jamais ils ne l'avaient fait auparavant.

Après le souper, il s'était rendu au bar et avait commandé une bouteille à faire livrer dans sa chambre. Il avait remis un généreux pourboire au serveur. Il n'aurait pas l'occasion de faire ce genre de folies encore bien des fois dans sa vie! avait-il pensé.

Il était en train de verser le champagne avec délicatesse quand il vit Rita sortir de la salle de bain vêtue d'un superbe ensemble déshabillé et nuisette longue, en satin de couleur rouge.

Raoul était ébloui par la grâce et la sensualité qui émanaient de cette femme.

— T'es magnifique, Rita! Incroyablement belle! J'ai pas de mots pour te dire ce que je ressens! finit-il par exprimer, en la prenant doucement dans ses bras pour la serrer tout contre son cœur.

— Raoul, t'es un homme comme il s'en fait plus. Respectueux, soigné et si attachant!

Ils trinquèrent à la vie, qui était bonne pour eux, et Raoul s'absenta pour aller lui aussi faire sa toilette et enfiler son vêtement de nuit.

Quand il sortit de la salle de bain, il portait le pyjama Polo Ralph Lauren que sa nièce lui avait acheté. Rita était installée confortablement dans le lit et elle dégustait sa boisson effervescente.

Elle avait tamisé les lumières et retiré son déshabillé, qu'elle avait déposé sur le fauteuil. Quand Raoul s'était assis à ses côtés, il avait emprunté une voix douce pour s'enquérir de son bien-être.

— Est-ce que tu te sens bien comme ça, ici, avec moi?

— Oui, Raoul! confirma son amie. Il y a très longtemps que j'ai pas été en présence d'un homme au lit, mais j'ai totalement confiance en toi!

— J'espère que tu as pas trop d'attentes? Je suis juste un vieux monsieur! mentionna-t-il en caressant ses épaules dénudées.

— T'es pas vieux, t'es amoureux, et l'amour, ça a pas d'âge! Tout ce qu'il nous faut, c'est de sentir nos corps l'un contre l'autre.

— Rita, tu sais pas à quel point je peux t'aimer! Faut que je te dise que j'étais déjà jaloux de mon frère Hector quand je te voyais avec lui à la résidence.

— Hector, c'était juste un ami! Le pauvre, il s'était emmuré dans un silence et c'est moi qui avais réussi à le sortir de là. Il avait besoin de tendresse et je l'ai accompagné dans son monde imaginaire, où il avait parfois si peur. Personne savait ce qu'il vivait, sauf moi, qui le réconfortais. Avec toi, c'est autre chose. T'es pas quelqu'un de démuni, t'es un homme qui a de l'amour à donner!

Stimulé par ces propos, Raoul se rapprocha de Rita et caressa doucement ce visage à peine ridé avec ses longs doigts. Elle ferma les yeux pour goûter ce geste rempli de sensualité. L'homme se permit alors de descendre délicatement sa main, pour venir flatter le galbe de son sein. Rita fit tomber les bretelles de sa nuisette pour offrir sans gêne son corps à celui qui allait devenir son amant.

En voyant Rita cambrer le dos, il s'avança et embrassa sa

poitrine jusqu'à ce qu'il atteigne son mamelon, qu'il lécha timidement. Elle l'aida ensuite à retirer son haut de pyjama. Elle souhaitait sentir son torse contre elle.

Raoul n'aurait jamais cru que cette nuit à l'auberge lui apporterait autant de satisfaction.

Ils se caressèrent tous les deux sans dire le moindre mot, trop occupés à goûter chaque instant. Raoul avait l'impression de n'avoir jamais été aussi bien au lit avec une femme.

Comblée par toutes ces délicatesses, Rita retira complètement son vêtement satiné, alors que Raoul en faisait autant avec son pantalon de pyjama. Ils continuèrent à s'embrasser lentement, s'octroyant parfois de courtes pauses, pour s'assurer que tout ce qu'ils vivaient était bien réel.

Rita savait ce qui pouvait faire plaisir à un homme et elle prit l'initiative de flatter doucement son pénis. À sa grande surprise, malgré son âge, il avait un plus gros membre qu'elle ne l'aurait cru. Elle s'était fiée à l'anatomie d'Hector pour se représenter mentalement celle de son frère, mais sa perception n'était pas exacte.

En pensée, elle imagina un petit soldat au garde-à-vous et elle décida d'utiliser tous ses atouts.

Raoul, avec sa respiration saccadée, se demanda s'il était en train de mourir ou s'il s'apprêtait à vivre le plus merveilleux moment de sa vie.

◆

Il était quatre heures du matin quand le système d'alarme de la maison de Claude retentit.

Lorsque les policiers arrivèrent sur place, ils découvrirent qu'une entrée par effraction avait eu lieu. Les forces de l'ordre tentèrent en vain de joindre le propriétaire de la maison. La deuxième répondante était sa sœur, mais elle était également absente.

On réussit finalement à parler à son associé, Alain, qui se rendit sur les lieux pour constater que le voleur avait sûrement été dérangé par la sonnerie de l'alarme.

Il sécurisa l'endroit et décida de rester à coucher dans la maison pour être certain qu'il n'arrive rien d'autre de fâcheux. Il en avisa les policiers, qui lui mentionnèrent de les appeler s'il se produisait quoi que ce soit.

Caché dans le fond de la cour arrière, Hugo avait vu le va-et-vient autour de la résidence. À un moment donné, il s'était caché plus profondément dans la forêt pendant que les agents faisaient le tour du terrain. Quand il était revenu à l'orée du bois, tout était redevenu calme.

Il songea qu'il pourrait sûrement pénétrer dans la place à nouveau, maintenant que le système était entré en fonction une fois. Les policiers penseraient qu'il était défectueux et ils ne reviendraient pas. Hugo les avait souvent entendus se plaindre de ces appareils, qui se déclenchaient pour rien et qui les dérangeaient!

Une femme comme la belle Laurence devait posséder des bijoux dispendieux! s'imagina-t-il. Son Claude avait dû lui faire des cadeaux pour qu'elle vienne vivre avec lui. Une jeune poulette, pensait Hugo, « ça aime pas les plus vieux si ça paye pas! »

— Astérix, à l'attaque! s'exclama le malfaiteur avant de foncer droit vers la maison à dévaliser.

CHAPITRE 17

Grande nouvelle

(Septembre - octobre 2008)

Dès que la famille était partie pour le mariage de Jean-Guy et Mariette, Pénélope avait verrouillé toutes les portes et elle était allée fouiller dans ses bagages pour se trouver des vêtements confortables. Elle s'était fait couler un bain rempli de mousse. Elle avait noué ses cheveux avant de se glisser dans l'eau chaude et parfumée.

Elle avait un besoin viscéral de s'accorder ce moment de quiétude.

Tout bougeait trop vite ici. Du matin au soir, il y avait de l'action, avec les enfants qui allaient et venaient et qui demandaient sans cesse quelque chose à leurs parents. Jamais ils ne semblaient complètement satisfaits. À son avis, ils manquaient totalement d'autonomie. Comment auraient-ils pu survivre comme elle l'avait fait quand elle s'était retrouvée orpheline de mère très jeune? Elle ne pouvait se souvenir de l'âge précis qu'elle avait alors, mais dès qu'elle avait été suffisamment grande pour atteindre le comptoir de la cuisine, elle avait commencé à essuyer la vaisselle.

À huit ans, elle époussetait les meubles et passait le balai dans la maison pour aider son père, qui travaillait de longues heures et qui rentrait fourbu. Pour lui faire une surprise, à Noël, cette année-là, il lui avait offert un petit balai à sa taille.

Arnaud et Pénélope n'étaient pas riches, mais ils n'étaient pas pauvres non plus. Tout ce qui leur manquait, à cette époque, c'était une maman pour elle et une femme pour son père.

Plutôt que de remplacer cette personne incomparable, ils avaient choisi de s'entraider et ils s'en étaient bien sortis. Ils chérissaient chacun à sa façon le souvenir de cette femme partie trop jeune pour profiter avec eux de la vie.

Quand Pénélope avait appris que son père était atteint d'une maladie mortelle, elle venait tout juste de commencer sa vie de jeune adulte. Elle avait immédiatement choisi de cheminer à ses côtés et de le soutenir tant qu'elle le pourrait. Elle avait imploré sa défunte mère de l'aider dans sa démarche et, peu de temps après, Xavier avait sonné à leur porte.

Elle voulait écouter les signes du destin. Il lui fallait cependant prendre du recul et choisir l'endroit où elle souhaitait vivre.

Était-il préférable qu'elle demeure à Val-David avec la famille de son oncle ou devait-elle reprendre l'avion pour aller continuer sa vie là où elle avait grandi?

La fragilité du couple l'inquiétait. Elle se sentait parfois responsable de l'attitude que son oncle et sa femme adoptaient l'un envers l'autre et elle s'en désolait.

—❦—

Évelyne et Xavier n'étaient pas restés au lac Nominingue après la noce. Ils préféraient revenir à la maison, car Noémie avait promis de travailler à l'épicerie le lendemain. Ils avaient quitté l'auberge à 2 heures du matin, au moment où le D.J. terminait son contrat. Les enfants avaient dansé toute la soirée! En s'assoyant dans la voiture, Bruno était tombé de sommeil, bien appuyé sur l'épaule de sa sœur.

Noémie, quant à elle, était bien réveillée et elle observait sa mère et son père qui se parlaient doucement, assis à l'avant du véhicule. Ce soir, ils avaient l'air heureux et elle souhaitait un jour pouvoir partager ces beaux instants avec quelqu'un. Durant l'absence de son père, elle avait craint que leur famille éclate, mais finalement, tout était rentré dans l'ordre. Il y avait sûrement assez d'amour entre ses parents pour que leur histoire dure toute une vie, du moins, elle voulait bien le croire.

En arrivant à Val-David, ils passèrent devant la maison de Doris et constatèrent que la grande fenêtre du côté avait été brisée. Le rideau battait au vent à l'extérieur.

— Appelle la police! ordonna Xavier. Je vais voir s'il est encore là!

— Attends, implora Évelyne, s'il fallait qu'il t'arrive quelque chose! Les voleurs sont peut-être armés?

— Papa, prends mon poivre de Cayenne! offrit Noémie, qui ne s'en séparait jamais.

Xavier n'écouta pas son épouse, mais il prit le pulvérisateur que sa fille lui remit. Il se dirigea vers l'arrière de la maison au cas où le malfaiteur aurait décidé de sortir de ce côté.

Lorsque les policiers arrivèrent, ils pénétrèrent à l'intérieur de la maison de Doris pour constater qu'un vol par effraction avait bel et bien été commis. Tous les tiroirs étaient renversés, les penderies avaient été fouillées de fond en comble et les matelas des lits avaient été éventrés.

Évelyne pleurait, tandis que Noémie et Bruno tentèrent de la rassurer.

— T'en fais pas, Évelyne, voulut la consoler Xavier, on viendra faire le ménage avant que ta mère revienne!

— Si j'avais pas à travailler à 9 heures demain matin, j'aurais pu vous aider! mentionna Noémie, encore fébrile d'avoir été victime d'une agression le mois précédent. J'aurais aimé ça qu'on prenne le voleur sur le fait et que papa puisse le poivrer comme il faut!

— Je pense que je vais faire un policier plus tard! intervint Bruno avec beaucoup de sérieux. Il y a trop d'affaires croches qui se passent dans le village.

Tout le monde sourit en voyant le caractère résolu de ce jeune garçon, qui était déterminé à changer la société.

— D'après moi, on a un voyou qui s'est payé la traite cette nuit! les informa l'agente en rédigeant le rapport. Mes collègues ont procédé à une arrestation dans la dernière heure. Une autre maison a été visitée sur le chemin de la Rivière, en direction de Sainte-Agathe, mais le bandit a pas été chanceux. Il était allé plus tôt et le système d'alarme s'est enclenché, alors un ami du proprio a décidé de rester sur les lieux jusqu'au matin.

— C'était pas un trouillard, ce mec! constata Xavier.

— Non, vous avez raison, monsieur! répondit-elle. Le gars avait prévu le coup et il a accueilli le voleur avec un bâton de hockey. Il semble qu'il lui a fracassé le bras droit. Il pourra pas signer sa déclaration! ajouta-t-elle en rigolant.

— À moins qu'il soit gaucher! répliqua Bruno, qui ne manquait pas un mot de la conversation.

— T'es pas mal drôle, toi! s'amusa la policière, en

passant sa main dans la crinière du jeune garçon. Dès que la propriétaire sera de retour, reprit-elle en s'adressant à Xavier, demandez-lui de dresser une liste des objets volés. On viendra aussi la rencontrer. Il est possible qu'on puisse relier les deux événements et qu'on retrouve certains articles. Du moins, je vous le souhaite.

— Merci, madame, apprécia Xavier. On va placarder cette fenêtre et on reviendra plus tard pour faire un peu de ménage. Sinon, ma belle-mère va faire une crise de cœur!

— Pauvre mamie, je pense que je devrais venir vivre avec elle! suggéra Bruno. C'est pas prudent qu'elle soit toute seule la nuit!

— On en reparlera quand on sera rendus chez nous! répondit Évelyne, qui était habituée aux idées farfelues de son jeune fils.

En arrivant à son domicile, Xavier s'aperçut que la clôture menant à la cour arrière était ouverte, alors qu'il l'avait bien fermée avant de partir. Sa résidence avait sûrement été visitée elle aussi. Il pensa à Pénélope, qui était seule à la maison.

Il sortit de sa voiture en jurant. Il était convaincu qu'il s'agissait du même individu qui avait fait le tour de toutes les maisons des membres de la famille.

Évelyne composa immédiatement le 911, inquiète qu'un voleur puisse être encore sur les lieux. Elle était exaspérée et craignait le pire.

Noémie tenta de la consoler, tout en retenant Bruno, qui aurait bien aimé suivre son père.

Aucune effraction ne semblait avoir été commise, cette fois, mais en entrant dans la maison, Xavier se rendit immédiatement au sous-sol, où sa nièce partageait la chambre de

Noémie. Il la trouva endormie dans un fauteuil. Il voulut s'assurer qu'elle se portait bien.

— Pénélope, l'interpella-t-il en lui touchant légèrement l'épaule. C'est moi, Xavier!

— Oui, répondit cette dernière d'une petite voix endormie. Vous êtes déjà de retour?

— Oui! Est-ce que ça va? As-tu passé une bonne soirée? lui demanda-t-il pour ne pas la brusquer.

— Comme tu vois, j'ai relaxé au max. T'as l'air crevé! Qu'est-ce qui se passe?

Xavier lui raconta ce qui s'était produit chez Doris et il mentionna la porte de la clôture ouverte de sa propre demeure. Pénélope lui assura qu'elle n'avait eu connaissance de rien.

Elle monta au salon pour y retrouver la famille, qui venait d'entrer dans la maison. Bruno se précipita vers elle pour lui faire une caresse.

— Pénélope! Je suis content que le voleur t'ait pas trouvée dans la maison!

— T'es gentil, petit, mais je suis comme une souris! Je suis là, mais on me voit pas toujours.

— Quand je vais être grand, je vais installer les chambres de mes enfants au sous-sol! ajouta-t-il, en restant bien blotti contre Pénélope.

Les mêmes agents de police qu'ils avaient rencontrés précédemment arrivèrent, croyant avoir à constater une nouvelle effraction.

— C'est assez rare qu'on voie les mêmes plaignants à une demi-heure d'intervalle!

— Je crois que le voleur a été dérangé. Heureusement, parce que ma nièce était à la maison! répondit Xavier.

— Est-ce que vous connaissez Claude Roy?

— Oui, c'est mon beau-frère. On était ensemble ce soir. On avait des noces au lac Nominingue.

— C'est chez lui qu'on a arrêté le voleur. Je crois pas que tous ces vols-là soient un hasard. C'est probablement quelqu'un qui savait que vous étiez tous absents.

— Si les peines étaient plus sévères pour ces bandits-là, ils seraient peut-être moins enclins à recommencer! répliqua Évelyne sur un ton colérique.

Ils étaient passés à deux doigts que le malfaiteur réussisse à pénétrer également dans leur demeure. Elle se sentait frustrée et inquiète. Comment parviendrait-elle maintenant à se sentir en sécurité quand elle serait seule à la maison?

On ferait vite le lien sur les allées et venues d'Hugo Fréchette.

Les fêtards auraient une mauvaise surprise à leur retour.

Est-ce qu'Hugo aurait poussé l'audace jusqu'à aller dévaliser l'appartement de Monique à Sainte-Agathe-des-Monts?

⌒

L'Auberge du lac Nominingue avait préparé un brunch pour les invités de la noce et il était prévu qu'il serait servi à compter de 9 heures.

Doris et Bernard furent les premiers à descendre à la salle à manger.

— Ou bien les gens se sont couchés tard, ou ils font la grasse matinée! lança Bernard, qui s'était pour sa part levé très tôt.

— Sûrement, balbutia Doris sans plus.

— As-tu entendu la musique de ta chambre? Moi, je pense qu'il était 2 heures du matin et je dormais pas encore.

— On était aux noces! ajouta-t-elle froidement. Assez normal qu'il y ait de la musique!

— T'as pas l'air jasante à matin! Es-tu fâchée pour hier soir?

— Est-ce que je devrais, d'après toi?

— Comptes-tu les mots pour me répondre, coudonc? J'ai pas voulu te déplaire quand je suis allé te rejoindre dans ta chambre, après la veillée. Je me disais que si tu avais accepté que je t'accompagne ici, c'est que tu avais des idées toi aussi!

— C'est toi qui as rien que ça dans la tête! Je t'ai invité aux noces, un point c'est tout! J'ai même insisté pour qu'on ait chacun notre chambre! Il me semble que c'était facile à comprendre!

— Pourquoi t'as demandé à monter de bonne heure de même? J'ai pensé que c'était pour être seule avec moi. Pour qu'on ait plus d'intimité.

— J'avais un méchant mal de tête et je voulais prendre des médicaments et me reposer. C'est pour ça que j'ai quitté la salle à 10 heures.

— Je pouvais pas le savoir, moi! T'as pas été vraiment claire dans tes propos. Tu m'as souhaité une bonne nuit. Il me semble que ça disait tout!

— C'est pour ça que t'as traversé dans ma chambre en boxer avec une bouteille de vin que t'avais volée sur la table en bas?

— C'était fourni pour la noce! J'aurais été bien fou d'en acheter une au bar!

— Bernard, ton attitude était complètement déplacée. T'avais bu pas mal au repas et si tu t'en souviens pas, t'as eu des propos vulgaires et dégradants à mon endroit. J'ai été obligée de te mettre dehors de ma chambre. Un peu plus et je devais appeler à l'aide!

— T'exagères, ma belle! J'étais pas si réchauffé que ça!

— Ah non? Je pourrais t'accuser d'agression si je voulais. J'ai dû te repousser tant t'étais entreprenant! Tu te souviens pas de m'avoir dit que t'avais pris ta petite pilule bleue, juste pour moi?

— C'est pas quelque chose qu'on prend quand on a pas de conjoint. J'avais le goût que tu sois satisfaite de mes performances. Tu sais, ça marche, cette pilule-là! Je pensais bien que t'allais être *willing*[19]!

— Quel âge t'as, donc toi? On dirait un ado avec les hormones dans le plafond! Bernard, je veux plus en parler. Si t'es d'accord, on va faire semblant de rien et on va déjeuner avec la famille. Ensuite, on va s'en retourner chez nous. Pis après aujourd'hui, oublie-moi!

— Juste pour ça? T'es pas sérieuse, Doris! Le dernier soir où j'ai veillé chez vous, tu m'avais laissé te minoucher pas mal! Je pensais bien qu'on irait plus loin. T'es pourtant pas une sainte nitouche!

— Non, mais j'aime bien qu'on me respecte, pas qu'on me saute dessus!

— Les femmes sont toutes pareilles! balança-t-il, frustré.

— Tu viens de dire une phrase de trop! lui rétorqua Doris du tac au tac.

Claude et Laurence arrivèrent dans la salle à manger, ce qui mit fin à la discussion orageuse.

— Si vous le voulez bien, on va déjeuner le plus tôt possible, parce que je dois retourner chez nous! mentionna Claude avec nervosité. Mon associé m'a appelé pour

---

19 *Willing*: consentante.

m'avertir que la maison avait été défoncée la nuit dernière. Heureusement, le malfaiteur a été arrêté.

— Il y a pas personne de blessé, j'espère? interrogea Doris, qui s'énervait plutôt rapidement.

— Non, juste des dommages matériels. Ça a l'air que le gars s'est fait prendre au piège. Je vais en savoir plus quand je serai là.

— On part quand tu veux. Moi, j'ai pas très faim de toute manière, ajouta Doris. Je dors mal quand je couche ailleurs. J'ai hâte d'arriver chez nous pour relaxer.

Bernard ne prononça pas un mot de plus, mais il réalisa qu'il avait encore une fois commis un impair. Contrairement à sa manière d'agir lors de ses dernières relations, il avait pourtant pris son temps avec Doris. Il avait attendu le bon moment avant de lui faire le coup du Viagra. Il semblait que son approche n'avait pas été meilleure que les fois précédentes.

Quand on a été marié durant toute une vie et qu'on se retrouve veuf, il n'y a pas de cours pour apprendre à charmer une femme. Bernard songea que les choses étaient beaucoup plus simples du temps de son épouse, qui lui disait rarement non!

Il aimait pourtant beaucoup Doris et il regrettait de l'avoir insultée de la sorte. Elle ne lui laisserait sûrement pas une seconde chance!

Les gens commencèrent à entrer dans la salle à manger. Mariette et Jean-Guy arrivèrent plus tard et se firent taquiner par les invités.

— Difficile, la nuit de noces? leur demandait-on à répétition.

— C'est rien, ça! Elle m'a demandé si on retournait

se coucher après le déjeuner! blagua le nouveau marié en regardant sa femme.

Au même moment, Rita et Raoul pénétrèrent dans la pièce, vêtus comme des rois. Ils étaient beaux à voir.

— C'est ça qu'on disait, mon oncle Raoul! Difficile, les nuits de noces!

— Pas tant que ça! répliqua ce dernier en souriant.

Personne ne pouvait savoir qu'ils avaient passé des instants précieux et qu'ils espéraient en connaître d'autres. Il leur faudrait cependant être prudents, car à La Villa des Pommiers, les préposées avaient l'habitude d'entrer dans les chambres après avoir frappé seulement deux petits coups.

Il lui faudrait songer à installer une chaîne sur la porte!

—◆—

Quand il était sorti du bar de danseuses, Hugo était dans un état d'ébriété assez avancé. Son degré de frustration avait monté d'un cran. Pourquoi les Moreau pouvaient-ils se permettre de si bien vivre, alors que lui-même n'avait jamais eu de chance dans sa vie?

Il n'attendrait pas après Raoul pour obtenir quelques dollars. Il était préférable qu'il se serve lui-même. Pourquoi ne pas profiter de l'absence de toute la famille pour aller rendre une petite visite à chacun des membres?

C'est par la maison de Doris qu'il avait décidé de commencer sa tournée de larcins. La vieille devait avoir des bijoux et de l'argent camouflés dans sa maison. Les personnes âgées ne payaient pas souvent leurs achats avec une carte de débit. Ils préféraient avoir des billets de banque.

Il observait parfois les gens dans son institution

financière, qui déposaient leur chèque et retiraient 300 ou 400 dollars et souvent plus. Que faisaient-ils avec autant de liquidités?

Une caissière en particulier à sa banque était très peu discrète. Si un client demandait une somme spécifique, elle lui parlait tellement fort qu'on l'entendait deux guichets plus loin:

— Est-ce que vous voulez des billets de 100, de 50, de 20 ou de 10?

Par la suite, elle arrivait avec les différentes coupures et les comptait d'une voix suffisamment forte pour qu'il soit possible de savoir avec quel montant l'individu partirait quelques minutes plus tard.

Personne n'avait jamais pensé à lui dire qu'elle manquait de discrétion! Par ses actions, elle pouvait faire vivre certains dangers aux clients.

Ce n'était pas le style de délit qu'Hugo privilégiait. Il n'était pas à l'aise avec l'idée d'attaquer des gens avec une arme ou de les contraindre à obéir sous la menace. Il n'avait pourtant pas de scrupule à leur soutirer de l'argent en utilisant la manipulation.

Le vol par effraction représentait une méthode lucrative, pourvu qu'on sache choisir les bonnes cibles. Hugo était certain de faire ses choux gras chez Doris. Il n'avait jamais aimé cette vieille femme, qui le dénigrait ouvertement.

Quand il était arrivé chez elle, il était entré par la porte arrière en fracassant la fenêtre. Il avait fouillé partout, mais n'avait pas découvert grand-chose. Elle ne possédait que des bijoux de pacotille dans ses tiroirs et il n'avait pas trouvé d'argent. Frustré, il avait renversé les bureaux par terre, avait vidé les penderies et, avant de partir, il avait brisé la grande vitre de côté.

— Ça lui apprendra à se moquer des pauvres! avait-il persiflé.

Il ne souhaitait pas en rester là! Il s'était ensuite rendu chez Évelyne, où il avait prévu entrer par la porte arrière. Quand il avait vu de la lumière au sous-sol, il n'avait eu d'autre choix que de déguerpir.

Il lui était ensuite resté la résidence de Claude, qu'il avait hâte de visiter. Il avait eu cependant la surprise d'être accueilli par la sonnerie tonitruante d'un système d'alarme. Il s'était caché dans le boisé de façon à voir arriver les policiers.

— Ils sont pas pressés, les chiens! s'était-il plaint tout haut. J'aurais eu le temps de vider la place avant qu'ils arrivent!

Puis, quand Hugo avait vu les agents quitter les lieux, il était retourné à l'intérieur de la maison de Claude, convaincu que le système d'alarme n'avait pas été remis en fonction. Habituellement, les gens préféraient attendre qu'un technicien vienne vérifier pourquoi le système s'était déclenché pour rien avant de le réactiver.

Il s'était donc glissé à l'intérieur par la porte arrière et il avait eu la surprise de sa vie quand il avait été attaqué en entrant. Il avait perdu connaissance et s'était réveillé à l'hôpital.

On trouverait sûrement la marchandise volée qu'il avait dissimulée dans sa voiture, laissée sur une rue adjacente.

Il était dans une très mauvaise position. Il se trouvait encore en probation pour des accusations reliées à un trafic de stupéfiants. Il n'aurait pas à se chercher de logement pour la prochaine saison. Il y avait fort à parier qu'il réintégrerait la prison de Saint-Jérôme en attendant d'être incarcéré dans un pénitencier fédéral après avoir reçu une nouvelle sentence !

———

Depuis qu'elle demeurait chez son oncle, Pénélope s'était faite très discrète. Elle parlait peu et ne s'imposait jamais.

Noémie l'aimait bien, même si elle était déçue de devoir partager le sous-sol avec elle. Son père lui avait promis qu'il ferait des travaux d'aménagement très bientôt, ce qui la laissait perplexe. Tout ce qui avait trait à cette nouvelle venue était tout à coup prioritaire, ce qui agaçait aussi sa mère au plus haut point. L'adolescente craignait un nouveau conflit entre ses parents.

De son côté, Bruno était immédiatement tombé sous le charme de sa cousine. Elle lui accordait beaucoup de temps et lui, il lui enseignait les expressions québécoises qu'elle devait absolument connaître. Elle le trouvait tout à fait mignon. C'était la première fois que Pénélope vivait avec une femme plus âgée qu'elle dans une maison. Elle enviait secrètement Noémie et Bruno de pouvoir avoir une maman.

Elle trouvait cependant que c'était beaucoup de travail pour une seule femme de s'occuper d'autant de monde. Bien sûr, Évelyne avait parfois des sautes d'humeur, mais Pénélope songeait que c'était sûrement à cause du surmenage. Elle avait attendu d'être seule avec Xavier pour faire le point.

— Je trouve qu'Évelyne est plutôt anxieuse ces temps-ci, mais je crois savoir pourquoi.

— Si t'as trouvé son problème, dis-le-moi ! Je commence

parfois à avoir moi-même les nerfs en boule, juste à calmer les esprits dans la maison.

— C'est pas méchant de sa part! Elle a beaucoup de travail à faire dans la maison et à l'épicerie, et je crois que personne le réalise vraiment. On est cinq à vivre ici, et c'est elle qui planifie tout. Tu trouves ça normal?

— Je l'aide quand je peux, mais je dois partir tôt pour mon travail et depuis que je suis allé en France, j'ai pris du retard. Je dois rattraper le temps perdu! C'est ainsi dans les petites compagnies.

— Je voudrais pas m'imposer, mais est-ce que tu penses qu'elle accepterait que je m'occupe de l'entretien de la maison et des repas? Bien sûr, je connais pas toutes vos recettes, mais je pourrais aussi vous faire découvrir mes talents culinaires. Pour ce qui est du ménage, je crois que les méthodes sont les mêmes partout!

— Bien sûr qu'elle aimerait ça! Laisse-moi seulement lui en parler. Tu as dû remarquer qu'elle est parfois impatiente, mais je l'ai vue lire des articles de journaux dernièrement. Il semble que ma femme serait en ménopause. Comme diraient les gens d'ici, on est pas sortis du bois!

— Qu'est-ce que ça veut dire?

— Qu'elle va pas se calmer dans la prochaine semaine! ajouta Xavier en rigolant. Évelyne était une femme beaucoup plus patiente avant, mais depuis quelques années ou plutôt depuis que les enfants grandissent, elle a de la difficulté à se contrôler.

— J'ai cru remarquer qu'elle était à rebrousse-poil! Je pense que je pourrais lui venir en aide, mais je préférais t'en causer avant! De toute manière, on va également devoir discuter de ma situation! Je peux pas rester chez toi sans rien faire. Ou bien je retourne au pays ou je me trouve du travail ici!

— Faudrait rien bousculer. Prends le temps de te reposer un peu. Je vais parler avec ma femme et on verra ce qui pourrait accommoder tout le monde.

— Tu sais, mon oncle, le soir où vous étiez aux noces, j'avais presque décidé de retourner en France. Quand je vous ai tous vus revenir et que Bruno est venu se blottir contre moi, j'ai compris que je voulais plus vous perdre.

— Ça me touche beaucoup, ce que tu me dis là! Moi non plus, je voudrais pas que tu nous quittes! Surtout que tu vas peut-être passer la balayeuse à ma place!

— Qui parle de balayeuse? s'informa Évelyne qui entrait, toute radieuse.

— Pénélope me demandait si tu accepterais qu'elle t'aide dans la maison.

— Je pourrais faire le ménage et préparer les repas quand tu travailles. Je peux pas me trouver un vrai boulot tant que j'aurai pas mes papiers légaux, alors aussi bien me rendre utile!

— Tu parles d'une bonne nouvelle! répondit Évelyne qui en avait parfois assez de répéter à tout le monde qu'ils devaient se ramasser et surtout qu'elle n'était pas leur servante.

— J'étais convaincue que tu dirais pas non! blagua Xavier.

— On va quand même répartir les tâches parce qu'il est important que tout le monde s'implique dans la maison. Pas question que tu fasses tout le travail de Noémie! Elle est supposée s'occuper du sous-sol, sans que j'aie à m'en soucier, mais depuis ton arrivée, je crois qu'elle t'a délégué pas mal de boulot. Bruno aussi a des petites corvées, même si parfois je passe derrière lui.

— Je suis d'accord avec toi! approuva Xavier. Les enfants doivent en faire plus pour nous aider.

— Et c'est la même chose pour toi, mon cher! Je suis d'accord pour qu'on t'enlève la corvée de balayeuse, mais pas question qu'aucune de nous sorte les vidanges toutes les semaines!

En disant cela, Évelyne tapa dans la main de Pénélope pour sceller l'entente.

Xavier était heureux de la tournure que prenait cette situation. La vie lui avait réservé une surprise avec la venue dans leur vie de sa nièce et il l'appréciait davantage jour après jour.

Il ne restait qu'à souhaiter qu'avec le temps, ses femmes ne lui causeraient pas trop de problèmes.

— Xavier! s'exclama-t-il tout haut. Qu'est-ce qui va t'arriver avec tes trois femmes? Une ménopausée, une adolescente et une Française sous le même toit, est-ce que ça peut faire bon ménage?

CHAPITRE 18

Maison à vendre

(Octobre 2008)

La maison de Raoul appartiendrait officiellement à Claude et à son associé le vendredi 10 octobre. Le rendez-vous chez le notaire était prévu pour 13 heures. Dominique avait tout de même fait signer une offre d'achat aux deux acquéreurs.

— On a confiance en vous, avait-elle expliqué à ceux-ci, mais il est toujours préférable de faire les choses selon les règles.

— À mon âge, avait ajouté Raoul, je pourrais lever les pattes du jour au lendemain! Comme me l'a expliqué ta sœur, de cette manière-là, tout le monde sera protégé. Mon père répétait toujours que les bons comptes font les bons amis!

— Vous savez, mon oncle, que c'est rassurant autant pour moi que pour vous! avait approuvé Claude. Si j'avais un accident en retournant chez nous à soir et que je décédais, il faudrait que la transaction soit protégée.

— T'es bien mieux de pas me faire ça! avait répliqué l'associé, en faisant mine d'être offusqué. T'as pas fini de tirer les joints chez madame Lachaine et c'est toi qui dois poser toutes les moulures et surtout celles du plafond! Tu sais que c'est pas ma force! J'ai le don de les couper à l'envers. Ça me prend une longueur de 16 pieds pour faire une moulure de 12!

— Vous êtes deux beaux moineaux! s'était amusée Dominique. On va bientôt faire une grosse vente de garage. Si vous avez le goût de venir pendant qu'on va être là, vous pourriez décider par quoi vous allez commencer.

— Ça pourrait surtout être pratique pour toi, tu veux dire! était intervenu son frère.

— C'est certain qu'on va avoir besoin de bras pour transporter les articles pesants.

— Claude, pendant que tu vas être là, s'il y a des outils qui font ton affaire, tu les prendras. C'est le seul héritage que tu vas avoir! avait souligné Raoul en riant.

— Merci, mon oncle! Dominique, tu peux compter sur moi et sur Laurence, samedi et dimanche. Ma femme m'a aussi dit qu'elle préparerait un lunch pour la gang! Elle m'a expliqué qu'elle enverrait un message sur Internet à ses amis en leur demandant de le partager. Ça marche avec du bouche-à-oreille ces affaires-là!

— La météo est de notre bord! On annonce une belle journée d'automne, ce qui va inciter les gens à venir se promener en campagne! J'ai aussi demandé à Noémie de poser une affiche à l'épicerie.

— Il me semble que je vais être libéré quand tout ça va être fini! s'était réjoui Raoul. En réalité, c'est rien que du matériel. Quand on passe à deux doigts de mourir, on réalise qu'à la fin de notre vie, c'est pas les bibelots et les meubles qui ont de l'importance.

— Vous avez une belle philosophie de vie, mon oncle! Si on pensait comme ça plus jeune, on vivrait peut-être mieux! avait constaté Claude.

— J'ai été plus heureux depuis quelques mois que durant plusieurs années de ma vie! Et c'est vous autres, les enfants de Doris, qui en êtes en partie les responsables.

— Juste nous autres, mon oncle? La belle Rita y serait pas pour quelque chose aussi? l'avait taquiné Claude, en lui faisant un clin d'œil.

— J'ai pas eu le choix, elle m'a aimé aussitôt qu'elle m'a vu!

— Vantard, comme tous les hommes! avait ajouté Dominique en riant.

—

L'employé du journal local avait contacté Laurence pour publier une annonce dans le cahier promotionnel «Construction et rénovation», comme il le faisait avec d'autres commerçants et artisans de la région. La designer avait accepté de participer à la publicité avec l'entreprise de son conjoint. Ils avaient acheté un quart de page, où ils étaient photographiés en compagnie de l'associé de Claude, Alain Savard.

Le travail ne manquait pas vraiment, dans ce domaine, mais les entrepreneurs devaient assurer un développement constant de leurs affaires. Ils mettaient ainsi toutes les chances de leur côté pour que de futurs clients pour des travaux de menuiserie, de peinture ou de décoration sachent qui contacter en cas de besoin.

Laurence avait prévenu son conjoint qu'avec la venue prochaine du bébé, elle ne souhaitait pas trop s'éloigner pour son travail. À l'occasion, des clientes des Laurentides insistaient pour qu'elle s'occupe également de l'aménagement intérieur de leur maison de ville. Quand il le pouvait, Claude l'accompagnait dans ces déplacements et il n'était pas rare qu'on lui demande alors d'effectuer certains travaux.

Le couple se côtoyait de façon régulière sur les chantiers et cette proximité rendait les amoureux très heureux. Cet après-midi, Claude terminait la pose de plinthes et de cadrages dans une maison pendant que son associé installait des tablettes dans les penderies. Quand Laurence arriva sur les lieux, il fut surpris de la voir.

— Qu'est-ce que tu fais ici, ma blondinette chérie ? On est pas prêts pour la déco.

— Je suis venue te chercher. Je pense que tu as oublié notre rendez-vous.

— De quoi tu parles ? On a-tu encore une visite à faire à Montréal ? Il me semblait qu'on avait terminé ce projet-là.

— Es-tu sérieux ? Tu te rappelles pas que c'est aujourd'hui que je vais passer ma deuxième échographie ?

— Ah... non, j'avais complètement oublié ! Je m'excuse ! Donne-moi le temps d'avertir Alain que je pars avec toi. Il faut absolument qu'un de nous deux reste ici parce qu'on attend un fournisseur. Le temps de me débarbouiller un peu et j'arrive !

— Je vais t'attendre dans l'auto. C'est frisquet dans la maison et c'est pas le temps que je sois malade !

Laurence était un peu déçue que Claude ait oublié cette rencontre. Elle se faisait une fête d'aller chez le médecin aujourd'hui. Elle craignait d'être en retard et sa frustration était évidente quand il arriva enfin.

— Ça a pas l'air de t'intéresser de savoir si ma grossesse va bien ! accusa-t-elle son conjoint.

— T'es pas correcte de me dire ça ! J'ai tellement de

choses en tête que ça m'était parti de l'idée. Il faut pas faire un drame avec un petit oubli!

— Peut-être pas, mais j'aurais apprécié que ce soit suffisamment important pour que tu planifies de rentrer à la maison pour faire un brin de toilette avant qu'on se rende à l'hôpital.

— Ça t'achale que je sois en habit de travail?

— Ce qui me dérange le plus, c'est que tu aies plus la tête à la job qu'à l'enfant qui s'en vient! Si c'est comme ça tout le temps, je vais peut-être accoucher toute seule dans la neige, comme Émilie Bordeleau!

— Arrête, Laurence, t'es en train de perdre les pédales! Je t'ai jamais vue comme ça! Dans 15 minutes, on va être à l'hôpital et on va enfin savoir combien d'enfants on va avoir!

Claude profita d'un arrêt au feu rouge pour caresser la joue de sa compagne avec ses lèvres en faisant un bruit de baiser exagérément fort! Il souhaitait ainsi la faire rire, mais elle n'était pas d'humeur.

— Tu le sais pas, reprit-il, mais tu attends peut-être des jumeaux! Il y en a plusieurs dans notre famille.

— Fais-moi pas peur, toi! En avoir un, ça va être bien assez!

— Ça, c'est pas nous autres qui décidons! Je te trouve pas mal grassouillette pour une femme enceinte de 14 ou 15 semaines!

— T'es pas médecin, Claude Roy! On va attendre le verdict des professionnels avant de paniquer!

— T'as bien raison, mais je t'avertis! J'ai pas le goût qu'on fasse de la compétition aux jumelles Dionne!

C'était la journée de préparation en prévision de la vente de garage. Dominique était allée à La Villa des Pommiers pour y chercher Rita et Raoul. Elle souhaitait avoir l'opinion de son oncle pour faire le tri entre ce qui était à donner, à vendre et à jeter.

— Mon oncle, j'ai apporté des étiquettes et des crayons-feutres, mais avant tout, j'aimerais que vous me disiez le montant que vous voulez avoir pour vos affaires.

— Je connais plus les prix, ma belle, je te laisse décider de ça. J'ai confiance que tu vas prendre les bonnes décisions. Il faudrait quand même pas fixer les prix trop haut si on veut se débarrasser du stock.

— C'est une bonne idée! Avez-vous des choses que vous aimeriez garder? Un meuble ou des souvenirs?

— Non, je pense pas. Peut-être qu'en travaillant, je verrai quelque chose que je voudrais conserver, mais je veux pas embarrasser ma chambre à la résidence. Toi, Rita, si tu vois un objet qui te plaît, hésite pas et prends-le. Ça va me faire plaisir! C'est la même chose pour toi, Dominique, et je veux que tu fasses le message à Évelyne et Laurence. Bien sûr, c'est rien que des vieilles affaires, mais des fois, c'est une question de goût.

L'exploration commença donc par la cuisine et le salon. Dominique vidait les armoires et étalait tout ce qu'elle trouvait sur les comptoirs et les tables que lui avait fabriquées Claude, à partir de chevalets et de feuilles de contreplaqué. Certains objets rappelaient des souvenirs à Raoul, qui racontait alors leur provenance.

Raoul fit visiter à Rita la maison où il avait passé pratiquement toute sa vie. Elle était heureuse qu'il partage ces souvenirs avec elle. Il ne semblait pas trop nostalgique, mais il faut dire que Dominique s'occupait de maintenir une ambiance joyeuse.

Quand Doris et Évelyne arrivèrent, c'est au son des rires qu'elles entrèrent dans la maison.

— Voulez-vous bien me dire ce qui se passe ici? demanda Doris.

— Mon oncle Raoul est trop drôle! En fouillant dans ses affaires, il vient de trouver un crachoir.

— Dis-moi pas que t'as encore ça! rétorqua Doris. C'est celui de pâpâ, je suppose?

— Oui. J'étais justement en train de raconter la fois où le vieux Bouchard était venu faire un tour. Il chiquait du tabac et il crachait souvent. Il était tellement précis quand il crachait que ça revolait directement dans le crachoir, qui était placé à une couple de pieds de lui.

— Je connais la suite! ajouta-t-elle en riant déjà. C'était l'hiver et le bonhomme était venu veiller un soir. Les hommes buvaient du petit blanc et ils se paquetaient la fraise[20] pas mal. Nous, les jeunes, on avait le droit de rester assis dans les marches de l'escalier et on riait de voir le bonhomme cracher si loin. J'étais petite, mais je m'en souviens.

— C'est ça! reprit Raoul. Les adultes jouaient aux cartes et tu te rappelles, ils cognaient leurs jointures sur la table quand ils *discartaient*[21] une bonne carte. Un soir que monsieur Bouchard était plutôt chanceux et excité, Hector et moi, on avait pris son casque de poil et on l'avait mis à

---

20 Se paqueter la fraise: boire beaucoup d'alcool, s'enivrer.
21 *Discarter* (de l'anglais *discard*): jeter une carte.

la place du crachoir. Pendant une partie de la soirée, il a craché dans son chapeau! Imaginez-vous la face qu'il a faite quand il a mis son casque pour partir à la fin de la soirée?

Dominique, dédaigneuse, grimaçait juste à imaginer la scène, tandis que Rita était pâmée de rire.

— Vous avez dû en manger une maudite! avança Doris. Moi, j'étais couchée à ce moment-là.

— Même s'il était particulier, Hector aimait ça, jouer des tours, quand il était jeune! C'est après qu'il a été marié qu'il est devenu grognon.

— Pâpâ était comme ça, lui aussi! C'est maman qui mettait de la vie dans la maison.

— Qu'est-ce que vous allez faire avec toutes ces affaires-là? s'informa Évelyne, qui avait plutôt tendance à accumuler les objets.

— Comme j'ai dit à Rita et à Dominique, prenez ce que vous voulez. Le reste, on va le vendre pis on obtiendra ce qu'on aura! Je peux toujours bien pas apporter tout ça à la Villa!

Tout le monde se mit à l'ouvrage. Les objets les plus intéressants furent d'abord étalés sur les tables, pour préparer la vente. Ils convinrent ensuite de sortir de nouveaux articles au fur et à mesure que d'autres trouveraient preneur.

— Avant longtemps, c'est peut-être chez nous qu'il faudra faire ça, avança Doris tristement. Depuis que la maison a été défoncée, je suis plus peureuse. Heureusement que Bruno vient coucher avec moi de temps en temps!

— Ça lui fait plaisir! mentionna Évelyne. Si je l'écoutais, je pense qu'il déménagerait chez vous!

— Le voleur a été arrêté, maman, et il est en prison! répliqua Dominique pour sécuriser sa mère.

— Je le sais! Le maudit Hugo Fréchette! J'espère qu'ils

vont le garder en dedans pour une secousse! On dirait qu'il nous a pris en grippe. Au moins, il a pas trouvé ma cachette de bijoux.

— Tu les avais mis où? demanda Dominique, surprise qu'un voleur expérimenté n'ait pas pu les trouver.

— Si tu penses que je vais te le dire! Un secret, si tu veux que ça reste secret, faut que t'en parles à personne! affirma Doris avec aplomb.

— Et quand tu vas mourir, on les trouvera peut-être pas! On va vendre la maison et c'est les nouveaux acheteurs qui vont mettre la main dessus! Tu penses que c'est raisonnable? rétorqua sa fille.

— Dominique a raison, maman. Il faudrait que tu fasses au moins confiance à un de nous autres. On dirait que tu redoutes tout le monde!

Doris fit semblant de ne pas entendre. Elle ne souhaitait pas continuer cette discussion devant Rita. Bien sûr, ses filles avaient raison! Elle leur dirait où elle avait dissimulé son butin, mais elle craignait la nouvelle amie de son frère Raoul. Depuis qu'elle avait appris qu'ils avaient couché dans la même chambre au mariage de Jean-Guy, elle était frustrée. Rita n'avait pas eu assez de s'occuper d'Hector qu'il lui fallait maintenant mettre la main sur le dernier de ses frères!

— Dominique, je pense qu'on en a assez fait pour aujourd'hui, mentionna Raoul pour changer l'atmosphère. Si tu nous ramenais à la Villa, ça ferait mon affaire.

— Pas de problème, mon oncle! De toute manière, on aura du temps pour travailler pendant qu'on attendra les acheteurs samedi.

— Qu'est-ce qu'on fait avec le crachoir? demanda Évelyne pour narguer sa sœur.

— En tout cas, moi, j'en veux pas! affirma Dominique avec conviction.

— Je suggère qu'on le vende au plus offrant, proposa Rita. On dira que celui qui va l'acheter pourra connaître l'histoire du bonhomme Bouchard!

———

Tous les articles volés par Hugo Fréchette avaient été retrouvés par les policiers. Des stupéfiants et des cartons de cigarettes de contrebande avaient également été saisis dans le véhicule du suspect.

Il était fort possible que son séjour derrière les barreaux dure assez longtemps. Les enquêteurs tentaient de le relier à différents crimes commis dans d'autres secteurs de la région.

Le soir du mariage de Jean-Guy et Mariette, l'appartement de Monique avait été épargné, mais c'était le fruit du hasard. Hugo avait bien prévu d'aller faire un tour chez la vieille fille, comme il l'appelait, mais il s'était fait pincer avant.

D'ailleurs, en se faisant prendre sur le fait, dans la maison de Claude, il avait reçu une partie de sa sentence, puisque les radiographies réalisées à l'hôpital avaient démontré une fracture à l'avant-bras, qui avait nécessité une intervention chirurgicale.

Hugo avait donc pris le chemin de la prison de Saint-Jérôme avec un bras dans le plâtre, une prune dans le front et un œil au beurre noir!

L'associé de Claude, qui avait surpris le voleur, avait

mentionné s'être défendu avec le bâton de hockey qui était à côté de la porte.

— J'ai frappé de toutes mes forces, tant que je l'ai vu bouger! Je pouvais pas savoir s'il était seul ou s'il y avait un complice avec lui. Quand il est tombé, il a pas été chanceux et il s'est frappé le côté de la figure sur le bord du divan.

Alain Savard avait également la main droite endolorie et ce n'était pas par compassion envers l'homme qu'il avait roué de coups!

CHAPITRE 19

Le partage

(Octobre 2008)

Comme ils en avaient pris l'habitude depuis quelque temps, Rita et Raoul dormaient ensemble le vendredi soir. Ils ne s'étaient pas fait prendre par le personnel de la résidence jusqu'à maintenant et ils espéraient que leur petit manège pourrait continuer.

Ils aimaient être l'un avec l'autre pour dormir, se flatter ou simplement sentir une présence. Ces instants étaient merveilleux et empreints d'une grande tendresse.

Pour éviter tous les soupçons, ils se rendaient d'abord chacun dans sa chambre en début de soirée et ils se rejoignaient un peu plus tard. C'était toujours chez Rita qu'ils dormaient, la chambre étant plus grande et située plus à l'abri des regards indiscrets.

Hier soir, alors qu'il s'apprêtait à monter chez son amie, Raoul avait croisé une préposée dans le corridor.

— Avez-vous besoin de quelque chose, monsieur Moreau? s'était informée celle-ci.

— Non, ma belle fille! J'ai juste besoin de marcher. Imagine-toi donc que j'ai mangé des *beans* au déjeuner, de la soupe au chou au dîner et du pâté chinois au souper!

— Voulez-vous dire que vous avez de la difficulté à digérer? avait questionné l'employée, habituée aux gens âgés.

— Non, pantoute! C'est juste que depuis une heure, j'ai assez de gaz que je pourrais chauffer la bâtisse au complet! Je me promène dans le passage pour les laisser sortir, sinon je risque de m'asphyxier dans ma chambre!

— Vous êtes trop drôle! avait répliqué la préposée. En tout cas, pétez tant que vous voulez, pourvu que vous restiez en santé! avait-elle ajouté, mentionnant ensuite qu'elle devait retourner au rez-de-chaussée, car, pour la prochaine heure, elle était toute seule pour surveiller les résidents des trois étages.

Raoul savait donc que la voie était libre pour se rendre à son rendez-vous.

Il avait convenu d'un code pour frapper à la porte et Rita lui ouvrit rapidement. Elle se demandait pourquoi son homme avait mis autant de temps à arriver, puisqu'il l'avait appelée tout juste avant de quitter sa chambre.

— T'es en retard! As-tu eu des problèmes avec l'ascenseur?

— Non, j'ai rencontré une fille du *shift* de nuit.

— Penses-tu qu'elle se doute de quelque chose?

— On est bien trop bons pour ça! Si elle entre dans ma chambre, elle trouvera rien parce que j'ai mis des oreillers en dessous de mes couvertes pour qu'elle pense que je dors!

— T'exagères un peu, là! Approche, mais fais attention de pas parler trop fort. C'est pour ça que je veux que tu gardes ton appareil quand on est tout seuls. Comme ça, j'ai pas besoin de crier pour que tu m'entendes.

— Je t'ai pas encore dit que t'étais belle à soir!

— Non, mais je te remercie du compliment. T'es un

beau charmeur, Raoul. T'as dû en briser des cœurs, dans ta vie !

— Juste quelques centaines ! répliqua-t-il en riant.

Ils s'étendirent tous les deux sur le lit, heureux de ce temps qu'ils pouvaient passer ensemble. Dès que Raoul se réveillerait le lendemain matin, il retournerait à sa chambre et personne ne s'apercevrait de quoi que ce soit.

Ce soir-là, ils parlèrent longtemps de la vie qu'ils avaient menée et de tous les moments où ils étaient passés à côté du bonheur.

Ils s'endormirent finalement assez tard et, le lendemain matin, à 8 heures, ils dormaient encore profondément.

Rita n'avait pas entendu que quelqu'un avait frappé à sa porte plus tôt. Il s'agissait de sa fille Sylvianne, qui souhaitait lui faire une surprise en venant passer la fin de semaine avec elle. Comme sa mère ne se trouvait pas à la salle à manger, elle était montée directement à sa chambre et avait cogné, mais elle n'avait pas obtenu de réponse.

Inquiète, elle s'était rendue au poste de garde, où on lui avait confirmé que sa mère ne s'était pas présentée pour le déjeuner. L'infirmière avait donc pris l'initiative de retourner à la chambre de Rita en compagnie de sa fille et elle avait ouvert la porte.

Sylvianne découvrit sa mère au lit avec un homme, ce qu'elle ne croyait plus jamais voir dans sa vie. L'infirmière se tint en retrait afin de laisser les deux femmes régler leur litige.

— Maman ! cria Sylvianne, indignée. Veux-tu bien me dire ce que tu fais avec un monsieur dans ton lit ?

Rita, encore tout endormie, se demandait ce que sa fille pouvait bien faire dans sa chambre.

— Je m'excuse, mais je suis chez moi ici ! Sortez de ma

chambre immédiatement! ordonna-t-elle aux intruses sur un ton qui ne laissait pas de place à la négociation.

Sylvianne et l'infirmière quittèrent immédiatement les lieux.

Raoul se réveilla en entendant les sons aigus de la voix de son amie.

— Qu'est-ce qui se passe? demanda-t-il, complètement déboussolé.

— Il se passe qu'on entre ici comme dans un moulin! Ma fille nous a surpris au lit! Ça commence bien mal une journée! soupira Rita en laissant couler des larmes sur ses joues.

— Inquiète-toi pas, ma chérie! Tout va s'arranger. Je vais descendre à ma chambre et te laisser avec elle. Quand tu seras seule, appelle-moi et on en discutera.

— On était si bien ensemble! Maintenant, on va être la risée de tout le monde, se désola la vieille dame.

— Non, tu te trompes. On est pas les seuls amoureux ici, à la Villa, mais on s'était pas encore affichés comme tels. Disons que maintenant, on est forcés de sortir du placard!

— Ça me fait peur un peu! s'inquiéta Rita.

— Moi, ça me dérange pas! De toute manière, ceux qui vont nous critiquer sont tout simplement jaloux. On a la chance de plus souffrir de la solitude. Faut pas la laisser passer!

— Je vais commencer par parler avec ma fille. Je te dis qu'elle avait pas l'air de bonne humeur!

— Prends le temps qu'il te faut. Dis-toi bien que t'as rien fait de mal et que t'as pas tué personne!

Raoul se dépêcha à enfiler son peignoir et il descendit chez lui. S'il s'était réveillé à 6 heures, comme d'habitude, rien de tout cela ne serait arrivé.

Avant de quitter la chambre de son amie, il lui envoya un baiser de la main, ne voulant pas lui faire de câlin alors qu'elle était si perturbée. Il respectait ce qu'elle vivait.

Pour sa part, il savait qu'il n'avait de comptes à rendre à personne. Ce n'est pas Dominique qui viendrait lui faire la morale, il le savait trop bien.

—

Il était prévu que la femme de monsieur Godin, le propriétaire de l'épicerie, s'occupe un peu de la comptabilité avec Évelyne afin de prendre éventuellement sa relève, mais elle ne semblait pas avoir les aptitudes nécessaires pour assumer de telles fonctions. Habituée à travailler dans une grande épicerie auprès de nombreux employés, elle ne souhaitait pas être responsable de tout ce que représentait la gestion complète d'une entreprise.

Monsieur Godin avait bien respecté sa décision et il avait demandé à Évelyne de continuer à occuper son poste, mais cette fois-ci à temps plein.

— Si vous êtes ici tous les jours, je vais pouvoir m'absenter la tête tranquille. J'ai aucun autre employé qui a la capacité de prendre des décisions comme vous savez le faire.

— C'est bien gentil à vous, mais j'ai jamais envisagé de travailler toute la semaine. Bien sûr, mes enfants sont plus grands et ont moins besoin de moi au retour de l'école, mais si j'acceptais votre offre, je devrais m'organiser pour faire moins de travaux de couture. C'était comme ça que j'arrivais à boucler mon budget. Ça coûte si cher, la vie, de nos jours!

— Justement, je voulais vous offrir une augmentation

de salaire substantielle. Il y a pas personne à Montréal qui ferait votre travail pour 15 piastres de l'heure. Je vous propose donc de travailler 35 heures par semaine à 17 piastres l'heure ! Est-ce que ça vous conviendrait ?

— Ça se refuse pas ! J'aime beaucoup mon travail et je vous avoue que je m'investis dedans exactement comme si c'était mon propre commerce.

— Peut-être qu'au lieu d'une augmentation, en janvier prochain, on pourrait parler d'un pourcentage sur les bénéfices ?

— Êtes-vous sérieux ? Pourquoi vous feriez ça pour moi ? demanda Évelyne, surprise que son supérieur fasse preuve d'autant de générosité.

— J'ai acheté cette épicerie-là pour ma retraite et je veux pas en être prisonnier. Mais j'ai quand même encore le goût de m'impliquer dans les affaires. Si je vous fais bénéficier d'une part des profits, vous aurez encore plus d'intérêt envers votre emploi.

— Inquiétez-vous pas, ça va bien aller. Pis hésitez surtout pas si vous souhaitez que je modifie certains départements. Vous savez que l'ancien propriétaire était un peu dépassé. Le changement me fait pas peur !

— Votre fille, Noémie, est une bonne jeune, bien élevée. Elle travaille très bien et elle compte pas son temps. Je vais aussi lui offrir une augmentation de salaire la semaine prochaine pour l'encourager. J'espère bien qu'elle restera avec nous l'été prochain.

— J'en suis convaincue ! Elle adore son travail ! J'aimerais bien que vous continuiez de la superviser parce que vous savez que les enfants écoutent beaucoup plus quand c'est un étranger qui leur parle que si c'est leurs parents.

— OK, mais je vais vous demander d'en faire autant

avec mon Kevin ! Il y a des fois où il mériterait des coups de pied à la bonne place !

— Vous pouvez compter sur moi ! rigola la commis-comptable.

— Quand votre nièce Pénélope aura reçu ses papiers, si ça vous dit, on pourrait essayer de lui trouver un poste dans l'entreprise.

— Vous êtes bien gentil, monsieur Godin, mais je ne préférerais pas mêler les cartes. De toute manière, elle a pas encore entrepris sa demande d'immigration. Elle va peut-être penser à retourner chez elle ? avança-t-elle avec un large sourire.

Évelyne avait une belle complicité avec son patron et elle était convaincue qu'il ne la jugerait pas sur ses propos. Monsieur Godin, qui ne devait au départ venir au commerce qu'occasionnellement, passait finalement de longues journées avec elle à planifier les prochains mois et les modifications qu'il faudrait éventuellement apporter à l'épicerie pour en faire un établissement plus prestigieux.

Ils formaient une bonne équipe.

⬤

Depuis la fin de semaine des noces, Doris ruminait tout ce qui s'était passé avec Bernard et elle se demandait si elle devait assumer une part de responsabilité dans sa rupture. Est-ce qu'elle lui avait laissé entendre qu'elle souhaitait aller plus loin ? L'avait-elle innocemment encouragé à agir comme il l'avait fait ?

Elle ne l'avait pas rappelé depuis son retour, l'entrée par

effraction dans sa maison l'ayant déstabilisée, tout comme l'arrestation d'Hugo Fréchette.

Quand elle avait appris ce qui s'était passé durant leur absence, sa belle-fille Laurence l'avait tout de suite invitée à venir s'installer chez elle le temps qu'un grand ménage soit fait dans la maison de Doris, ainsi que quelques travaux de remplacement.

— On a trois chambres à coucher et on en occupe juste une, avait expliqué la bru.

— Je veux pas vous déranger! s'était opposée Doris. Vous êtes un jeune couple et vous avez besoin d'intimité.

— L'intimité qu'il nous fallait, on l'a eue! avait déclaré Laurence en montrant son ventre qui commençait à s'arrondir.

— J'accepte votre offre, mais il va falloir que tu me laisses t'aider si je suis là pendant quelques jours. Pas question que je me tourne les pouces pendant que tu travailles!

— Ici, vous pourrez faire ce que vous voulez! Vous serez comme chez vous!

Claude avait beaucoup apprécié que sa femme fasse cette offre à sa mère. C'était un geste senti de solidarité familiale qui avait ravi le fils.

Plutôt que de changer la fenêtre brisée de la maison de sa mère, il en profiterait pour en installer une nouvelle, plus grande et surtout plus facile à ouvrir et à nettoyer. Depuis le décès de Marcel, Doris n'avait pas fait beaucoup de rénovations dans la maison, ne s'occupant que des réparations réellement nécessaires.

Évelyne, Pénélope et Dominique s'étaient chargées du rangement, mais pour le grand ménage, Claude comptait avoir recours à un ami qui possédait une compagnie d'entretien.

— Étant donné que maman va venir s'installer chez nous pour une secousse, je suggère qu'on lui donne son cadeau de Noël avant le temps.

— Dis-nous à quoi tu penses, s'était informée Évelyne, heureuse que son frère s'implique autant.

— Pour commencer, mon *partner* va faire une estimation pour les assurances. Il va inclure le ménage, le remplacement de la fenêtre et le changement des serrures.

— L'assurance paiera pas pour une fenêtre neuve! avait répliqué Évelyne, qui craignait que son frère l'embarque dans un projet qui n'était pas prévu à son budget.

— Ce genre de fenêtre existe plus et ça coûterait plus cher de faire tailler des vitres sur mesure. Par contre, chez mon fournisseur, il y a des commandes spéciales que des gens refusent à la dernière minute et je vais pouvoir en avoir une pour une bouchée de pain. Laisse-moi aller avec ça.

— Pour le ménage, on pourrait s'en occuper, avait offert Dominique, qui se disait que des étrangers ne nettoieraient jamais aussi bien une maison qu'elle pouvait le faire.

— Moi, j'ai pas le temps et pas le courage de m'embarquer là-dedans! avait répondu Évelyne, moins maniaque de propreté que sa sœur.

— Mais moi, j'ai tout mon temps, et j'aimerais bien pouvoir me rendre utile! avait confié Laurence.

— C'est du travail éreintant qui doit être fait rapidement et à mon avis, c'est trop dur pour vous, les filles. Dominique, la compagnie avec laquelle je fais affaire engage des personnes qui travaillent aussi bien que toi. Elles vont faire le tour de la maison et ça va être parfait. Là où je voulais en venir, c'est que j'aimerais en profiter pour peinturer la cuisine, le salon et la chambre de maman. Je vais faire les travaux moi-même, mais si je peux avoir de l'aide de vos maris, je dirai pas non. Je voudrais par contre que vous vous occupiez d'aller lui acheter ses nouveaux matelas, le couvre-lit et les rideaux.

— Les matelas vont être payés par les assurances, et moi, je pourrais m'occuper de faire son couvre-lit et ses rideaux, avait précisé Évelyne. Je l'ai fait pour Rita. Ça va devenir ma marque de commerce!

— De mon côté, avait poursuivi Dominique, je peux payer la peinture et les articles de décoration que ça prendra. Je peux aussi participer avec toi, Claude, pour les matériaux.

— Je suis à l'aise avec ça! Je suis déjà allé voir pour la fenêtre et je vais pouvoir l'installer après-demain, avait confirmé le frère.

— Est-ce qu'on garde le secret pour maman? avait interrogé Évelyne.

— C'est une bonne idée qu'on lui offre ça comme cadeau de Noël! On sait jamais quoi lui donner, de toute façon! Toute cette nouveauté va peut-être lui remonter le moral parce que depuis les noces, elle en mène pas large.

— Je pense que son petit copain y est pour quelque chose! Elle l'a pas revu depuis le mariage, avait précisé Évelyne, qui demeurait suffisamment proche pour connaître les allées et venues de sa mère.

— Faut que vieillesse se passe, comme on pourrait dire! avait lancé Dominique, qui pensait aux amours de l'oncle Raoul, qui la surprenaient.

Il y avait déjà un mois que les noces de Jean-Guy et Mariette avaient eu lieu et Monique regrettait encore d'y avoir assisté. Elle avait l'impression d'avoir été le dindon de la farce[22].

C'est l'attitude cavalière de Robert lors de cette soirée qui l'avait mise dans cet état. Elle croyait bien qu'il aurait accepté de venir terminer la soirée chez elle, mais il avait tout simplement refusé son invitation. Très déçue, elle s'était ouvert une bouteille de vin et l'avait presque bue en entier. Elle s'était endormie sur le divan et s'était réveillée le lendemain matin avec un mal de tête carabiné. Par la suite, elle n'était pas allée travailler pendant quelques jours, restant à la maison à broyer du noir.

Sa cousine Suzanne s'inquiétait pour elle et elle l'appelait souvent. Il n'était pas rare qu'elle se fasse raccrocher la ligne au nez, mais elle ne s'en formalisait pas. Elle connaissait bien Monique et elle savait qu'elle avait un mauvais caractère. Quand elle voulait la motiver un peu et lui changer les idées, elle lui trouvait un bon sujet de commérage. Ces temps-ci, l'objet de leurs discussions était souvent la nièce de Xavier.

— Je te dis qu'Évelyne se la coule douce de ce temps-là! lui lança Suzanne.

— Comment ça? s'informa Monique avec curiosité.

— La fille du dépanneur m'a dit que c'est elle qui fait le ménage et les repas chez elle. Son fils va à l'école avec Bruno et il lui a expliqué qu'ils avaient une femme de ménage qui venait de très loin.

— Crois-tu ça, toi, que c'est la fille de son frère? Après tout, on l'a jamais vu, ce gars-là!

---

22 Être le dindon de la farce : être dupe, victime d'une plaisanterie.

— Ça a été plutôt bizarre, ce voyage de dernière minute !

Cet après-midi-là, Monique s'était préparé un silex de café et elle avait ouvert le téléviseur. Elle écouterait les émissions qu'elle avait enregistrées cette semaine et qu'elle n'avait pas encore écoutées. Ce moment de détente lui permettrait de relaxer.

Quand la sonnerie du téléphone retentit, elle était certaine que c'était Suzanne qui la rappelait.

— Allô ! répondit-elle sur un ton impatient.

— Allô, Monique, c'est Claude. J'espère que je te dérange pas toujours ?

— Non, mentit-elle. J'arrive tout juste de l'épicerie. Comment tu vas ?

— Ça va, mais on a pas mal de boulot ces temps-ci ! Ça fait un mois qu'on travaille chez maman ! Après le vol, on a voulu en profiter pour faire des travaux qui étaient pas prévus. Le maudit Hugo Fréchette, je te dis qu'il va en avoir fait enrager du monde dans sa vie !

— Fais-toi z'en pas ! J'ai eu mon tour il y a pas longtemps ! Il a tout volé dans l'ancienne maison de mon père, les outils, la radio, les antiquités qui valaient de l'argent et il a même éventré le matelas. On pense que papa cachait de l'argent là, mais on sait pas combien il y avait.

— Tu parles d'un bel écœurant ! C'est probablement pour ça qu'il a aussi déchiré les matelas dans la maison de maman.

— T'es pas mal *smatte*[23] de m'avoir appelée ! Des fois, je t'avoue que je me trouve pas mal toute seule ! Quand papa vivait, au moins, j'avais un point de repère, mais asteure, c'est moins drôle. C'est ça quand on a pas d'enfant !

---

23 Smatte : gentil, aimable.

— Prends pas ça de même, Monique! Quand t'auras une chance, viens faire un tour à la maison. Laurence serait bien contente de te connaître un peu plus.

— On verra! rétorqua la cousine, en sachant fort bien qu'elle n'irait pas chez lui sans avoir une invitation et que sa présence potentielle dépendrait de ceux qui seraient conviés en même temps qu'elle.

Depuis que les travaux étaient terminés chez sa grand-mère, Bruno venait y dormir assez régulièrement. C'était tout près de sa maison et s'il oubliait quelque chose, il pouvait retourner le chercher avant de partir pour l'école.

Évelyne avait surtout accepté que son fils aille régulièrement visiter Doris pour que celle-ci retrouve un peu de joie de vivre. Elle savait que Bruno ferait tout son possible pour la divertir.

Un soir, il était arrivé avec le déguisement qu'il prévoyait porter à l'Halloween et il avait frappé à la porte.

Quand Doris avait ouvert, elle avait fait face à nul autre que l'enquêteur Columbo en personne!

— Bonjour, monsieur! l'avait-elle salué pour jouer le jeu.

— Bonjour, madame Roy! J'ai entendu dire qu'un crime avait été commis ici! On m'a informé que vous demandiez de la protection!

— Enfin, quelqu'un pour prendre soin de moi! C'est la police qui vous a envoyé? avait blagué la grand-mère.

— Oui, parce que c'était un dossier très important! avait rétorqué le jeune.

— Vous auriez dû venir souper, monsieur Columbo! J'avais cuisiné pour mon petit-fils, mais il est pas venu.

— Il était sûrement parti acheter son costume d'Halloween. Ça fait longtemps qu'il serait allé, mais sa mère était toujours occupée!

— Il me reste du dessert! Est-ce que vous voulez goûter à mon pouding chômeur?

— C'est certain! Si vous saviez comment ça fait d'années que j'ai pas mangé ça!

— Si vous pouviez coucher ici, je me sentirais en sécurité! lui avait-elle avoué. J'ai une belle chambre d'invités.

— Ça va me faire plaisir, madame! Je vois que vous avez un système d'alarme. Je m'occupe de le mettre en fonction!

— Parfait, moi, je m'occupe de réchauffer votre dessert!

Cet enfant-là avait le don de faire vivre de merveilleux moments à Doris et elle se sentait privilégiée. Elle avait de bons enfants et elle appréciait tout ce qu'ils lui avaient offert pour restaurer sa maison vieillissante.

Son dernier cadeau avait été un système d'alarme relié à une centrale, offert par son frère Raoul.

Le vieil homme n'en parlerait pas, mais il se sentait responsable de tout le mal qu'Hugo avait fait subir aux siens. C'est lui qui avait invité cet enfant-là dans sa famille, de nombreuses années auparavant.

Il souhaitait qu'il ne sorte plus jamais de prison, mais comment s'en assurer?

CHAPITRE 20

Elle ou lui

(Octobre 2008)

Quand tous les membres de la famille se rendaient soit à l'école ou au travail, Pénélope se retrouvait seule à la maison, ce qu'elle appréciait grandement. Elle devait encore s'habituer à vivre entourée de plusieurs personnes et particulièrement des enfants.

Elle avait entrepris le grand ménage de la chambre de Bruno et ses efforts semblaient plaire à Évelyne. Elle continuerait sa démarche en nettoyant une pièce par semaine. Elle préparait aussi tous les soupers et elle allait faire l'épicerie avec sa tante, qui la conseillait sur les goûts de chacun.

Elle était heureuse que sa vie soit maintenant plus stable.

Durant les deux premières années de la maladie de son père, quelques-unes de ses amies étaient allées travailler en Angleterre afin d'apprendre l'anglais. Elles occupaient des postes de fille au pair[24]. Pénélope aurait aimé pouvoir en faire autant, mais il n'était pas question qu'elle quitte Arnaud, dont la santé était si fragile.

---

24 Fille au pair : jeune adulte, célibataire et sans enfant, qui voyage dans un pays étranger pour y vivre dans une famille d'accueil et qui s'occupe des tâches ménagères et des enfants.

Elle remettait toujours à plus tard ce genre de projet, mais plus les années passaient et moins elle était sûre de pouvoir le réaliser.

Le destin avait voulu qu'elle se retrouve maintenant installée au Québec, dans une famille qui était aussi la sienne. Avec le temps, elle parviendrait sûrement à apprivoiser Évelyne qui avait un caractère plutôt changeant.

Elle sourit en songeant que si ses amies de la France lui demandaient ce qu'elle faisait, elle dirait qu'elle était fille au pair à Val-David !

La vente de garage chez Raoul s'était déroulée dans une ambiance festive. Dominique et son conjoint étaient arrivés tôt le matin, car elle voulait s'assurer que tout se passerait bien. Elle avait apporté de la monnaie pour ceux qui paieraient avec des billets et elle avait prévu des sacs de plastique, des boîtes vides et du papier journal pour emballer les achats des éventuels clients.

Vers 9 h 30, Patrick était allé à la résidence chercher Rita et Raoul. Dominique souhaitait impliquer son oncle dans la démarche de vente, bien consciente qu'il s'agissait de ses biens. Elle souhaitait ainsi qu'il n'ait jamais de regrets.

Quand Raoul arriva à sa maison, Claude et Laurence se trouvaient déjà sur place et ils s'étaient choisi quelques articles.

— Mon oncle, regardez ce que j'ai trouvé dans le sous-sol !

— Un vilebrequin ! Ça, c'était à mon père et je m'en suis servi souvent ! C'est spécial que j'aie ça parce que c'est

Hector qui a ramassé toutes les affaires de famille. Je me demande pourquoi pâpâ a voulu me le donner.

— Des fois, il y a des choses qu'on peut pas expliquer et je crois qu'il vaut mieux arrêter de chercher des raisons à tout!

— T'as bien raison, Claude. T'es pas mal sage en vieillissant! Qu'est-ce que ça va être quand tu vas avoir mon âge?

— Avant tout, il faudrait que je me rende là! Vous avez une méchante constitution et c'est pas parce que vous avez chômé dans votre vie!

— C'est pas l'ouvrage qui fait mourir! Je pense que les femmes sont pires! ricana Raoul.

— Vous avez bien raison, mais arrangez-vous pas pour que madame Rita vous entende! Je suis pas certain que vous seriez gagnant!

Patrick vint se joindre à eux en riant.

— Je vous dis que le crachoir fait parler pas mal de monde. Je pense qu'on va faire un coup d'argent avec ça!

— Vous en avez, des idées, vous autres!

— C'est vous qui avez commencé en racontant des histoires de votre temps aux femmes!

— Étant donné qu'on est juste des gars, je pourrais vous en raconter une bonne drette-là!

— On vous écoute! C'est toujours le *fun* d'entendre vos aventures. Si on avait été capables, on aurait pu écrire un livre sur vous!

— Pas certain que ça se serait vendu! En tout cas, il faut que vous me juriez de pas raconter ça à personne! confia Raoul à voix basse.

— Je le jure, mon oncle! confirma Claude, qui profitait de chaque beau moment en famille.

— Promis, juré, craché! relança Patrick.

— Dernièrement, Rita et moi, on s'est fait pogner au lit par sa fille et par l'infirmière!

— Vous êtes pas sérieux! répondit Patrick, qui se demandait ce que Dominique penserait de cette histoire.

— On avait passé tout droit le matin. Il était 8 heures et elles étaient inquiètes parce que Rita était pas allée déjeuner et qu'elle répondait pas à sa porte.

— C'est bien normal de pas répondre quand on est en aussi bonne compagnie! ajouta Claude, qui adorait son oncle. On peut donc dire que vous avez été pris «en flagrant dans le lit»!

— Oui! Mais gardez ça pour vous autres, OK? Ma sœur Doris a pas besoin de savoir ça!

Dominique trouvait que les hommes avaient pas mal de plaisir et elle décida de venir voir ce qui les faisait rire autant.

— Qu'est-ce que vous leur racontez là? demanda-t-elle à son oncle Raoul. Encore des mauvais tours que vous avez joués?

— J'essaie de faire leur éducation! répondit ce dernier, amusé. Ils ont des croûtes à manger avant d'être aussi bons que moi!

— Vous êtes pas mal vantard! Étiez-vous en train de parler des noces? Vous vous êtes payé la traite pas mal!

— Qu'est-ce que tu veux dire? s'informa Raoul, inquiet à l'idée que Rita ait pu parler de leur première nuit ensemble.

— Je pense que c'est plutôt évident! Vous et madame Rita, vous avez pas manqué une valse de la soirée et pas un *plain* non plus!

Raoul lâcha un soupir de soulagement. Entre hommes, il était possible de se raconter des petites folies, mais il aurait été gêné que sa nièce apprenne les douces ivresses qu'il s'était permises avec Rita cette nuit-là!

Pour ce qui était d'avoir été découvert par l'infirmière, Dominique était déjà au courant. Il lui en avait parlé avant que la direction de La Villa des Pommiers le fasse. Elle n'avait pas été surprise outre mesure, mais elle l'avait mis en garde.

— Mon oncle, loin de moi l'idée de vous empêcher de vivre votre vie, mais il faudrait que vous soyez prudent.

— Je te l'ai déjà dit, Dominique, je me protège. Pas de danger que Rita tombe enceinte!

— Faites pas de blagues avec ça! C'est sérieux.

— Fais-toi z'en pas! On a chacun nos chambres, mais on a le droit de se visiter et de découcher. La directrice de la résidence nous l'a confirmé. On est des adultes et on est pas malades. Notre chambre, c'est comme notre appartement et on peut y faire ce qu'on veut.

— Je sais, elle m'a expliqué la situation. Si l'un de vous deux avait eu des troubles cognitifs, ça aurait pu causer des problèmes, mais vous m'avez l'air tout à fait en forme et surtout très amoureux! avait-elle avoué avec un grand sourire.

— Oui, je te dis que je l'aime, ma Rita! C'est une femme douce et prévenante.

— C'est ça, mon inquiétude! Je voudrais pas que vous ayez à vivre une peine d'amour à votre âge!

— Inquiète-toi pas pour ça! Mes jours sont suffisamment comptés pour que je braille pas longtemps! Je veux juste profiter du temps qu'il me reste!

— Madame Charette m'a dit qu'elle vous avait changé de table et que vous seriez maintenant assis ensemble à la salle à manger. Je veux pas vous tenir par la main, mais s'il y a quoi que ce soit, j'aimerais que vous m'en parliez, par exemple.

— Oui, il y a quelque chose qui me tracasse. Je t'ai déjà dit que je voulais pas avoir d'argent sur moi, à la résidence, mais là, j'aimerais ça que tu m'en laisses un peu plus, si je veux sortir avec Rita ou lui acheter un petit cadeau.

— Vous avez juste à me dire combien vous voulez et je vous en laisserai. Une carte de crédit, ce serait peut-être plus facile à utiliser pour vous.

— Penses-tu que je peux encore en avoir une?

— Si vous voulez, je vais m'en occuper cette semaine. On demandera une limite pas trop haute et comme ça, vous serez pas inquiet!

— Qu'est-ce que je ferais si je t'avais pas? avait demandé l'oncle reconnaissant.

— Vous auriez une Rita peut-être?

⬥

La famille d'Évelyne était allée chercher Doris et tous s'étaient joints au groupe de vendeurs d'un jour! Seule Noémie était absente, car elle travaillait à l'épicerie.

Laurence avait préparé un gros lunch pour l'heure du dîner et on attendit une période de calme pour s'installer. Depuis qu'elle était enceinte, la femme avait toujours faim et elle voulait manger sainement. C'est la raison pour laquelle elle avait prévu le repas.

— On a fait une bonne avant-midi, mais je t'avoue que je commençais à avoir l'estomac dans les talons! se plaignit Dominique, qui avait travaillé fort pour vendre le plus de marchandise possible.

— T'aurais dû prendre une collation au milieu de l'avant-midi! C'est ton hypoglycémie qui se manifeste. Je te dis que t'es pire qu'un enfant. Faites ce que je dis, mais pas ce que je fais! la disputa son époux, qui trouvait qu'elle avait l'air fatiguée.

— Patrick, chicane pas ma sœur! répliqua Claude en décochant un clin d'œil à son beau-frère. Si tu lui fais de la peine, elle voudra peut-être pas être la marraine de mon fils!

— Qu'est-ce que tu dis? Laurence, tu gardais bien le secret! Comme ça, vous savez que vous attendez un garçon et en plus, vous me demandez d'être sa marraine?

— C'est assez simple, tu trouves pas? Toi comme marraine et Patrick comme parrain! Est-ce que vous acceptez?

— C'est certain, répondit Dominique en enlaçant sa belle-sœur pour l'embrasser.

— Félicitations! lança Évelyne, tout de même un peu déçue que son frère n'ait pas pensé à elle.

Dominique était déjà la marraine de Noémie, alors que Claude était le parrain de Bruno. Pourquoi avait-elle été oubliée? À l'âge qu'avait son frère, il était moins que certain qu'il soit à nouveau papa.

Laurence trouvait que sa belle-sœur faisait pitié à voir. Elle en voulait à son conjoint d'avoir élaboré ce scénario complexe qui, pour le moment, attristait Évelyne.

— Ma sœur, je trouve que t'es une bonne maman! avança Claude en entourant les épaules de cette dernière. Et toi aussi, tu ferais une bonne marraine!

— Oui, sûrement! Mais vous avez déjà fait votre choix et je le respecte, répondit-elle.

— Veux-tu dire que tu refuses d'être marraine?

— Tu viens de le demander à Dominique! On va pas se chicaner pour ça! On est plus des enfants.

— Certain qu'on va se chicaner! renchérit Claude. J'ai trouvé une marraine pour mon gars et j'en voudrais une pour ma fille aussi!

Évelyne était sans mot. La femme de son frère allait avoir des jumeaux!

— Tout le long de mes grossesses, je me suis demandé si j'étais pour en avoir deux et voilà que c'est à vous que ça arrive. Je suis la femme la plus heureuse en ville!

— On aurait eu besoin de champagne pour fêter la bonne nouvelle! s'exclama Patrick.

— Qui te dit qu'on en a pas? ajouta Claude en ouvrant une glacière contenant deux bouteilles de mousseux. Une avec alcool et l'autre sans!

Dominique se réjouissait pour son frère et sa belle-sœur, mais au fond de son cœur, elle se disait qu'elle n'était bonne qu'à jouer un second rôle auprès des enfants.

Elle repoussa cette pensée et songea plutôt qu'elle avait le privilège d'être en santé et d'avoir une magnifique famille! Les propos de son parrain lui avaient fait réaliser qu'elle devait profiter de la vie pendant qu'il était temps!

CHAPITRE 21

C'est à ton tour

(Octobre 2008)

Lorsque Jean-Guy était arrivé au restaurant ce matin, Mariette était au travail depuis déjà un bon moment. Il souffrait d'insomnie, ces temps-ci, et il ne s'était endormi qu'au petit jour. Il n'avait pas entendu sa femme quand elle s'était levée et cette dernière l'avait volontairement laissé roupiller.

— T'aurais dû me réveiller! lança Jean-Guy en entrant dans la cuisine.

— On dit bonjour en arrivant, d'habitude! lui reprocha Mariette. J'avais pas besoin de toi ce matin. Je voulais que tu te reposes un peu. Dernièrement, je trouve que t'as pas bonne mine.

— J'en ai assez de jongler! Je pense que je vais commencer à prendre des calmants pour dormir.

— Commence pas ça! s'alarma la femme. C'est de la mort-aux-rats, ces affaires-là! Quand on dort pas, c'est parce qu'il y a quelque chose qui va pas! Dis-moi donc à la place ce qui te chavire de même.

— C'est rien, mais en même temps, je suis tanné!

Quand on sort, c'est pour faire des commissions pour le restaurant.

— Tu peux rester à la maison, si tu veux, je vais m'en occuper. Je le faisais bien avant de te rencontrer. Là, c'est pas vraiment le temps de parler de ça. Va faire un tour au village ou retourne à la maison, mais laisse-moi travailler. On se reparlera plus tard.

Avant de partir, le mari fit une suggestion à son épouse, qu'il savait à l'avance qu'elle refuserait.

— C'est à soir que ma famille fête mon oncle Raoul pour ses 90 ans. J'aurais aimé ça qu'on y aille. Ça te tenterait-tu?

— Tu sais bien que je peux pas, un mercredi soir. C'est la seule soirée où je sors avec mes amies.

— Encore ton maudit bingo! se plaignit-il.

— Si t'es marabout à matin, viens pas passer ta rage sur moi! C'est la seule sortie que je fais! Tu vas quand même pas me la reprocher.

— Non, mais avoir 90 ans, ça arrive pas tous les jours et puis tu m'as dit que tu l'aimais bien, cette gang-là!

— Oui, mais moi aussi je l'ai, mon groupe. Vas-y, toi! T'as pas besoin de moi pour descendre à Sainte-Agathe!

— Je me suis pas marié pour sortir tout seul comme un chien!

— Quand tu parles de même, je croirais entendre ta sœur Monique!

— Ah ben tabarnak! balança Jean-Guy en frappant sur le comptoir, avant de s'en aller.

L'oncle Raoul fêterait son 90ᵉ anniversaire de naissance le 15 octobre et Dominique désirait souligner l'événement. Quand elle en avait discuté avec Rita, celle-ci avait suggéré de réserver la salle de La Villa des Pommiers. La réunion familiale revêtirait ainsi un caractère plus intime que si celle-ci s'était tenue dans un restaurant.

La famille immédiate avait été invitée et on avait prévu de servir un buffet froid. Rita avait proposé qu'on prépare un bien cuit pour l'occasion.

La salle avait été décorée avec des dizaines de ballons de toutes les couleurs et tout le monde portait un petit chapeau de fête.

Raoul ne se doutait de rien. Tout de suite après son déjeuner, sa sœur Doris l'avait appelé pour lui souhaiter bonne fête, comme elle le faisait tous les ans. Un peu plus tard, Dominique l'avait également joint, mais il était convenu qu'elle ne viendrait le voir que le vendredi, alors qu'il avait rendez-vous chez le denturologiste.

À l'heure du dîner, à la salle à manger de la résidence, on avait souligné son anniversaire et celui d'une autre dame. Ils avaient reçu un morceau de gâteau agrémenté d'une chandelle spéciale, dont les étincelles avaient créé une ambiance festive. Le personnel veillait à avoir une telle attention pour l'anniversaire de chacun des résidents et depuis le mois de septembre, il y en avait un ou deux par semaine.

Comme d'habitude, Raoul avait fait une sieste après sa pause-café. Une quinzaine de minutes avant l'heure du souper, Rita était venue le retrouver.

Pour le conduire au lieu de la célébration, Rita avait prétexté avoir oublié son gilet de laine dans une salle où elle avait fait du bricolage durant l'après-midi.

Lorsque Raoul entra dans la pièce, tout le monde se mit

à chanter et le vieil homme eut de la difficulté à contrer son émotion.

— Vous m'avez eu, mes vlimeux! J'avais confiance en toi, Rita, mais là, je pense que je vais devoir être sur mes gardes. T'as l'air de vouloir me jouer dans le dos!

— On a pas tous les jours 90 ans! Faut fêter ça en grand! se défendit sa complice.

— Je vous avoue que j'aurais arrêté le compteur si j'avais pu! Depuis que j'ai eu 85 ans, il me semble que les années passent trop vite!

— C'est vrai que ça passe trop vite, surtout quand on est en amour! ajouta Patrick.

Les invités burent une bière ou un verre de vin, puis tout le monde profita du splendide buffet.

La fête se déroulait à la bonne franquette et les gens profitaient avec plaisir d'une rencontre comme celle-ci en plein milieu de la semaine.

Avant que l'on coupe le gâteau, Rita se leva, mit la main sur l'épaule de Raoul et prit un ton solennel pour livrer son message.

— Mon cher Raoul, comme on se connaît pas beaucoup et que, de nos jours, on doit être prudent, j'ai pensé profiter de ton anniversaire pour demander à ta famille de me parler un peu de toi. Ils ont tous accepté de me faire un compte rendu de l'homme que tu es. Doris a insisté pour parler la première.

Cette dernière se leva doucement et prit les quelques notes qu'elle avait rédigées.

Mon cher frère,
J'ai demandé à casser la glace parce que je souhaitais régler
des comptes avec toi, et fais pas semblant de pas comprendre,

parce que je me suis assurée que tu porterais ton appareil aujourd'hui !

Quand j'étais toute petite, tu m'utilisais pour faire les sales boulots. Je me souviens que tu m'envoyais voler des galettes au beurre dans la boîte à pain. Tu me faisais remettre des petits mots doux à Étiennette, la fille du forgeron, et tu me donnais des bonbons pour que je m'éclipse quand j'étais supposée rester pour faire le chaperon.

Plus tard, j'ai aussi dû mentir à ta femme, Yvette, en disant que tu étais venu souper chez nous, quand tu t'étais accroché les pieds à l'hôtel avec des vieux chums.

Mais, je t'en veux pas, parce que tout ça, je l'ai fait par amour pour toi.

Je t'aime, mon frère, et j'espère que tu vas m'attendre pour partir !

Le message de Doris était court, mais sincère. C'était celui d'une vieille femme qui aimait tendrement celui qui l'avait protégée depuis le tout premier jour.

Dominique s'avança ensuite pour mettre son grain de sel.

Mon beau parrain,

Quand madame Blanchard m'a demandé de parler de vous, je lui ai dit que je pensais jamais un jour adopter un enfant de 89 ans !

J'ai pas eu d'enfant, mais le jour où vous m'avez demandé de m'occuper de vos affaires, c'est comme si j'avais accepté de prendre soin d'un trésor inestimable. Dans mes souvenirs de petite fille, vous étiez celui qui m'impressionnait le plus. Vous étiez drôle, généreux, vous étiez habillé comme un gentleman et maman vous adorait !

On s'est perdus de vue, mais un jour, je vous ai retrouvé

et vous aviez beaucoup vieilli! C'était maintenant moi qui pouvais faire quelque chose pour vous et je suis très heureuse de vous aider de mon mieux. Depuis plus d'un an, on vit ensemble des moments d'une grande intensité! Vous m'avez fait vivre toute la gamme des émotions et la dernière en liste, c'est la jalousie!

Il semble qu'une belle dame soit en train de prendre ma place à vos côtés! Vous méritez d'être heureux!

Je vous aime, parrain!

Raoul avait les larmes aux yeux, tout comme Doris et Rita. Il se disait que c'était trop d'éloges pour lui. Il n'était pas au bout de ses surprises, car Claude avait lui aussi des papiers devant lui.

Mon oncle,

Moi, j'ai pas l'instruction de Madame La Marquise, comme dirait l'autre, mais j'ai demandé à ma sœur Évelyne de m'aider. Elle voulait rien lire, mais elle m'a dit quoi écrire. C'est un bon deal!

Les femmes font toujours plus dans la dentelle, mais moi, je vais dire à madame Blanchard les vraies affaires. Mon oncle Raoul a gagné sa vie comme voyageur de commerce. Ça veut dire qu'il se promenait partout à travers le Québec et qu'il allait visiter les petites madames pendant que leurs maris étaient partis au chantier, à la drave ou à la taverne. Il leur vendait toutes sortes d'affaires et il était consciencieux. Quand il vendait une balayeuse, il montrait à la ménagère comment elle fonctionnait. Quand il vendait des chaudrons, il lui montrait comment les entretenir avec des produits nettoyants et quand il vendait des bas de nylon, il les faisait essayer aux femmes pour être certain de la taille, de la longueur et de la robustesse du tissu! Un vrai professionnel!

En prenant sa retraite, il a un peu perdu la main.

Dans le bon vieux temps, il s'est jamais fait pogner par un mari qui arrivait trop tôt, mais dernièrement, il s'est fait prendre par une infirmière parce qu'il s'était levé trop tard!

Bonne fête, mon oncle!

Tout le monde riait à gorge déployée, même si tous ne connaissaient pas vraiment le fond de l'histoire concernant l'infirmière. Raoul était heureux, mais souhaitait que Rita ne soit pas blessée par ces propos qui se voulaient comiques.

Après avoir repris ses esprits, il se leva pour remercier tout le monde et il en profita pour se livrer aux siens.

Merci à vous tous pour ces beaux hommages, mais je t'avoue, Rita, qu'il faudrait pas que tu croies tout ce qu'ils t'ont raconté. Quand j'étais jeune, c'était moi le plus fin dans le village. J'étais aussi le plus beau, assez beau que ma mère me prêtait aux voisines! Je vous ferai pas de longs discours. Je voudrais juste vous dire que j'ai passé du temps rough *l'année passée, mais depuis, je suis l'homme le plus heureux de la Terre et c'est grâce à vous tous.*

Merci à toi, ma sœur Doris, pour ton accueil. C'est bon de savoir qu'il y a un endroit où on peut aller n'importe quand, sans craindre de déranger.

Merci aussi à toi, Dominique, d'avoir accepté de t'occuper de mes affaires. Depuis que tu as pris tout ça en main, moi, j'ai pu me trouver une compagne de vie.

Oui, c'est officiel, Rita et moi, on est en amour! Un amour de vieux, mais un amour de tous les jours. À vous tous, je veux dire merci! J'apprécie tout ce que vous faites pour moi.

Tous les invités applaudirent chaudement ce message positif et sincère. Ils avaient un jour ou l'autre vécu un moment mémorable avec le vieil homme et ils étaient fiers de pouvoir lui dire aujourd'hui combien il était apprécié.

Le gâteau et le café furent servis et la rigolade générale se poursuivit.

Monique avait décliné l'invitation sans donner de raison et personne n'avait insisté pour qu'elle soit présente. Les membres de la famille regrettaient cependant l'absence de Jean-Guy et Mariette, mais ils savaient qu'il était difficile de manquer des journées de travail quand on exploitait un commerce de restauration.

———

Claude et Alain entreprirent les travaux dans l'ancienne maison de Raoul vers la fin du mois. Ils commencèrent par la cave, en évaluant la solidité des planchers et l'état de la plomberie. Ils vérifièrent ensuite la toiture et constatèrent que les bardeaux étaient grandement endommagés.

Ils comptaient démolir entièrement l'intérieur de la maison de façon à aménager différemment les pièces.

— Faut changer toutes les fenêtres et les portes, mentionna Alain. Je vais donc m'occuper de faire faire une estimation et de passer la commande. Maintenant qu'on sait l'ouvrage qui doit être fait, on va pouvoir entreprendre la reconstruction.

— Je sais que ça représente beaucoup d'argent, mais qu'est-ce que tu dirais si on en profitait pour lui donner un look plus récent?

— Je te vois venir là! Ta belle Laurence t'a sûrement donné des idées!

— Oui, t'as raison! On se disait que si on construisait une verrière du côté de la cuisine, ça donnerait du cachet à cette maison-là! On a du terrain en masse pour le faire!

— Go! lança l'associé, qui aimait cet enthousiasme. Au lieu de dépenser 30 000 piastres, on va en dépenser 50 000, mais ça sera profitable! J'ai pas de problème avec ça!

— Moi aussi, je suis convaincu que la maison va se vendre plus rapidement que si on garde le vieux style. Les pièces vitrées, les gens aiment ça!

Depuis qu'ils avaient commencé à travailler ensemble, les deux entrepreneurs s'entendaient à merveille et ils décrochaient des contrats intéressants et lucratifs. Claude avait l'impression qu'il était révolu, le temps où il devait manger son pain noir! La vie lui apportait maintenant son lot de satisfactions!

Pendant plus d'une semaine, l'ambiance avait été lourde au sein du couple de Mariette et Jean-Guy.

Jean-Guy regrettait de s'être emporté comme il l'avait fait, mais il avait été clair sur le fait qu'il était rendu au bout du rouleau.

— Je pense que t'as plus d'énergie que moi! J'ai travaillé toute ma vie comme facteur, avec des horaires de travail stables. Quarante heures par semaine et un peu de temps supplémentaire, mais des vacances tous les ans. Depuis que j'ai pris ma retraite, et que je reste avec toi, on a de la misère à partir deux jours!

— Ça fait 20 ans que je travaille comme ça! se défendit-elle, le jour où ils abordèrent la question une fois de plus.

— Oui, mais tu me diras pas que c'est normal! En tout cas, moi, j'ai plus le goût de continuer comme ça et je suis certain qu'un jour ou l'autre, toi aussi, tu vas tomber malade!

— Veux-tu me dire ce que tu proposes? Qu'on ferme le restaurant pour partir en vacances une semaine?

— Non! Tu voudrais partir une semaine et revenir travailler en fou jusqu'à ce qu'on soit encore rendus à bout et qu'on recommence à se chicaner! Non, merci! Pas à mon âge!

— Je veux pas te perdre, Jean-Guy! Trouve-moi une solution et on va régler ça une fois pour toutes!

L'offre n'était pas tombée dans l'oreille d'un sourd. Dès le lendemain, il avait profité du fait que sa femme était occupée avec un fournisseur pour discuter avec Lucette.

— Pendant qu'il y a pas trop de monde, et surtout parce que Mariette est absente, j'aimerais te demander quelque chose.

— Oui, quoi?

— Mariette est fatiguée et moi aussi. J'ai eu 61 ans ce mois-ci et je me sens comme si j'en avais 80! Je pense qu'on va envisager de vendre le commerce, mais j'aimerais avant t'en parler à toi. L'histoire de ton frère qui aimerait avoir un restaurant, est-ce que c'est encore vrai?

— C'est drôle que tu me parles de ça à matin! En fin de semaine, le plus vieux de mes frères m'a téléphoné et il m'a annoncé qu'il a pris sa retraite. Il veut commencer à se chercher quelque chose dans le coin. Je devais vous en parler quand vous auriez eu le temps.

Il n'y avait donc pas de hasard. C'est ainsi que deux

semaines plus tard, Lucette et ses deux frères avaient fait une offre d'achat en bonne et due forme pour le restaurant de Jean-Guy et Mariette. Le prix négocié faisait l'affaire des deux parties et il était entendu que les nouveaux propriétaires prendraient possession du commerce le 1er janvier.

— Mariette, es-tu contente qu'on ait accepté cette offre-là? Moi, il me semble que j'ai 500 livres de moins sur les épaules! se réjouit Jean-Guy.

— Je suis contente aussi, mais notre logement est en haut du restaurant! Faudra penser à se trouver une autre place où rester!

— Ça, c'est pas un problème! Pour tout de suite, on a pas le temps de chercher, mais quand la transaction va être conclue, on se promènera dans les alentours.

— T'aurais pas le goût qu'on se rapproche de Val-David? Tu t'entends bien avec la famille de ton père et ta sœur est là.

— Je déménagerai jamais dans ce coin-là pour ma sœur, mais pour mes cousins et mes cousines, j'haïrais pas ça! rétorqua Jean-Guy. Il y a plein de gens avec qui je suis allé à l'école et qui sont restés dans la région. On dirait qu'en vieillissant, on est contents de retrouver le monde de notre jeune temps.

— Mon gars est déménagé à Saint-Jovite et Janie parle de s'en aller à Saint-Jérôme en prévision des études de sa fille. Ça serait pas difficile pour moi de partir d'ici!

— Dans Séraphin, Alexis Labranche[25] parlait toujours de retourner au Colorado. Eh bien, nous autres, on pourrait dire qu'on retourne à Val-David!

---

25 Alexis Labranche et Artémise: couple dans le téléroman *Les Belles Histoires des pays d'en haut.* Dans la même émission, Donalda était l'amour perdu d'Alexis.

— Vas-tu m'aimer autant qu'Alexis aimait sa belle Artémise !

— Non, plus que ça ! Comme il adorait sa pauvre Donalda[26] !

L'amour avait gagné et le couple avait trouvé une solution qui le mènerait vers un tout autre projet, qu'il n'entrevoyait toutefois pas encore pour l'instant !

---

26 Alexis, Artémise et Donalda : personnages d'un téléroman d'époque québécois.

CHAPITRE 22

Rupture

(Novembre 2008)

Depuis qu'Évelyne travaillait à temps plein, Doris trouvait que les après-midi étaient passablement ennuyeux. Dominique venait moins souvent dans le Nord depuis que Raoul avait quelqu'un dans sa vie et Claude travaillait beaucoup.

Doris s'ennuyait des sorties qu'elle faisait auparavant avec son ami Bernard. Ce jour-là, elle décida de se prendre en main et d'aller boire un café au restaurant où elle avait l'habitude de se rendre avec lui. Peut-être serait-il là ou, à tout le moins, elle en aurait des nouvelles. Elle ne voulait pas lui téléphoner, mais elle voulait cependant reparler de la raison pour laquelle ils avaient rompu.

Si personne qu'elle connaissait ne se trouvait dans l'établissement, elle prendrait le journal et ferait la grille de mots croisés. Ce ne serait pas vraiment difficile, puisqu'elle l'avait déjà complétée dans son quotidien ce matin.

Elle s'installa donc seule dans un coin du café avec une bonne tasse de chocolat chaud. Juste le fait d'être sortie de la maison lui apportait un grand bien-être. Soudain, Bernard arriva et il regarda autour de lui avant de se choisir une place. Quand il vit son ancienne amie, il se dirigea vers elle.

— Bonjour, Doris! Je suis content de te voir!

— Bonjour, Bernard! Comment tu vas?

— Je vais bien! Est-ce que tu attends quelqu'un ou je peux m'asseoir avec toi?

— Assis-toi! Je suis toute seule.

Bernard se dirigea vers le comptoir pour aller se chercher un café et un beigne, et il eut la délicatesse d'apporter à Doris le muffin qu'elle préférait.

— Aux pommes, canneberges et noix pour madame! annonça-t-il en lui présentant le dessert.

— Merci, t'es trop gentil! Ça fait longtemps que j'en ai pas mangé!

— Dis-moi pas que t'es en manque de moi! la nargua-t-il.

— Bernard! Fais pas de blague avec ça!

— J'aime mieux en rire. Doris, la dernière fois qu'on s'est parlé, tu m'as quasiment traité comme si j'étais un maniaque sexuel.

— Voyons, je t'ai jamais parlé comme ça! Pour les noces, si on a pris deux chambres, c'était pas pour en utiliser juste une! Il faut que tu comprennes qu'après Marcel, j'ai jamais eu d'autre homme dans ma vie! Quand j'ai commencé à te fréquenter, je me disais que peut-être, un jour, ça irait plus loin entre nous, mais cette fin de semaine là, c'était trop tôt.

— T'avais pourtant déjà vu ça, un gars en boxer! J'étais pas tout nu!

— Bernard, parle pas si fort! T'étais pas tout nu, mais t'étais pas mal au garde-à-vous! Je te dis, j'ai eu peur! En plus, t'étais en boisson et trop entreprenant. J'ai paniqué!

— Au moins, t'as l'air de réaliser que tu m'as accusé pour rien !

— Je maintiens que t'aurais pas dû aller si loin. Le respect, ça a toujours sa place. Je voulais juste qu'on mette la situation au clair et qu'on soit capables de se parler si on se rencontre.

— Pas de problème pour moi. J'avais déjà passé par-dessus. La preuve, c'est que je t'ai offert ton muffin préféré aujourd'hui !

— T'es fin, j'apprécie.

— Comment tu vas depuis que ta maison a été défoncée ?

— Ça va mieux, mais je suis très nerveuse ! Raoul m'a fait installer un système d'alarme. Je suis maintenant capable de coucher toute seule à la maison, mais je dors pas bien.

— Ces maudits voleurs-là ! Au moins, celui-là, ils l'ont pogné.

Une amie de Doris entra dans le restaurant et se dirigea vers le comptoir. Quand elle revint avec son café, elle bifurqua directement vers eux.

— Bonjour, Doris ! Qu'est-ce que tu fais avec mon chum ? blagua-t-elle.

Bernard se leva pour embrasser sa nouvelle conquête et lui faire une caresse. Il la fit ensuite asseoir au fond, sur la banquette.

— On parlait de tout et de rien, de ce qui se passait à Val-David dernièrement, répondit Doris en se préparant à partir.

— Je suis contente de t'avoir vue ! mentionna la femme. Tu reviendras ! On vient ici quasiment tous les après-midi ! ajouta-t-elle pour la provoquer.

— En tout cas, toi, t'as l'air en forme! On dirait que ton deuil est terminé! T'as pas dû avoir le temps d'user ton linge noir! lui balança Doris, humiliée par l'affront qu'elle venait de subir.

— C'est le hasard qui a fait que j'ai rencontré Bernard! J'ai trouvé que tu avais jeté tes choux gras, ça fait que je les ai ramassés!

— J'ai déjà vu des collectionneurs de timbres ou de cartes de hockey, mais Bernard, c'est le premier collectionneur de veuves que je connaisse. Je vous souhaite une Viagra de bonne journée! répliqua Doris avant de tourner les talons.

Laurence s'était inscrite à des cours prénataux, mais Claude n'avait pas assisté à une seule séance. Elle avait l'impression de vivre cette grossesse comme une mère célibataire. Elle ne voulait pas se plaindre à sa mère ou à sa sœur, mais elle en avait assez de ruminer son chagrin.

La future maman devrait donc s'affirmer et faire en sorte que son conjoint s'implique comme elle le souhaitait.

Quand il arriva, ce soir-là, pour le souper, il était déjà 19 heures. Cela faisait deux fois qu'elle éteignait le four pour éviter que le pâté chinois soit trop sec. En apercevant son camion qui entrait dans la cour, elle lui servit son assiette.

— Bonsoir, mes p'tits bébés! chuchota-t-il, en effleurant le ventre de sa blonde, avant de l'embrasser sur les lèvres.

— Tu trouves pas que tu exagères? C'est pas génial de travailler aussi tard le soir!

— Oups! Ma belle est pas de bonne humeur! lança-t-il.

Je m'excuse, mais on a pris une bière sur le chantier après l'ouvrage. Il fallait qu'on planifie comment on diviserait la salle de bain. Demain, le plombier doit passer et on a pas fini cette section-là.

— Claude, je te rappelle que je suis enceinte!

— Je le sais, j'ai parlé aux bébés en arrivant! ironisa-t-il. Dis-moi, c'est quoi ton problème aujourd'hui?

— Ça fait déjà quelques semaines que j'assiste aux cours prénataux, mais toi, t'as jamais eu le temps de venir! J'étais la seule qui avait pas son mari avec elle!

— Qu'est-ce qu'ils ont comme travail, les autres maris? Est-ce qu'ils font du 8 à 4? Si oui, tant mieux pour eux! Nous, on a décidé une journée qu'on s'associait dans une compagnie de rénovation et ça fonctionne très bien. Il faut cependant qu'on respecte des échéanciers, qui nous obligent souvent à faire des longues heures.

— Je sais tout ça, mais je trouve que je suis toute seule vraiment souvent! Comment ça va se passer quand les jumeaux vont arriver?

— Si je travaille aussi fort présentement, c'est justement pour pouvoir te payer une femme de ménage quand les enfants seront là! Et pas juste pour cet hiver, mais pour les années à venir. C'est ça, ma priorité! Je veux que ma famille soit bien et que ma petite femme se fatigue pas trop.

— Je me comporte comme une enfant gâtée, je le sais! pleurnicha-t-elle, en s'assoyant sur les genoux de son conjoint.

— Laurence, je suis pas un surhomme! Là, vous êtes trois assis sur moi! Pas certain que je vais pouvoir tenir longtemps! répliqua-t-il pour la faire rire.

Ils étaient heureux ensemble, mais Claude était ambitieux

et il ne refusait jamais un travail qu'il était capable de faire. Ils auraient à s'adapter dans les mois à venir!

—❦—

L'arrivée de Rita dans la vie de l'oncle Raoul avait modifié les habitudes de visites de Dominique. Avant, dès qu'elle venait à Val-David, elle se rendait à la résidence, mais depuis la fin de semaine des noces, tout avait changé.

Elle n'arrivait plus jamais à l'improviste, téléphonant toujours d'avance pour s'annoncer. Ce n'était pas de tout repos, car Raoul était plus difficile à joindre qu'auparavant. Depuis le mois d'octobre, elle avait dû l'accompagner à quelques reprises chez le denturologiste pour les différentes étapes de fabrication de ses nouvelles prothèses. À chaque fois, elle avait été obligée de laisser un message à la résidence à son intention.

Cette semaine, lorsqu'elle avait finalement réussi à lui parler, elle lui avait mentionné qu'ils avaient une dernière visite chez le spécialiste le vendredi suivant.

Le jour venu, Dominique arriva avec 15 minutes d'avance. Son parrain se trouvait dans le vestibule de la résidence.

— Est-ce que ça fait longtemps que vous m'attendez?

— Une quinzaine de minutes, pas plus. Je voulais pas t'obliger à monter à ma chambre pour rien! T'en fais déjà assez pour moi! se défendit Raoul.

— Ça me fait plaisir de m'occuper de vous, mais on va devoir trouver une manière pour se rejoindre plus facilement. Cette semaine, j'ai téléphoné tous les jours sans pouvoir vous parler. C'est pour ça que j'ai encore laissé un message au poste de garde.

— Je savais que c'était aujourd'hui, le rendez-vous. Je l'avais écrit sur mon calendrier du Sacré-Cœur. J'espère que j'aurai pas de misère à m'habituer avec un nouveau dentier. Il y a assez de gens qui viennent pas à bout de les porter! Ça m'inquiète un peu.

— Vous en faites pas! Tout va bien se passer, le rassura-t-elle.

— Je veux pas trop t'en demander, mais quand on va avoir fini ça, penses-tu avoir le temps qu'on prenne un rendez-vous pour mon examen de la vue? J'ai de la misère à lire le journal!

— Pas de problème! J'y avais déjà pensé. Quand on va aller pour vos lunettes, est-ce que vous aimeriez qu'on demande à madame Blanchard de venir avec nous autres?

— Non! répliqua-t-il spontanément. Je veux pas mêler les cartes. Ça, c'est des affaires entre toi et moi! Rita, c'est un autre département. Quand je t'ai demandé de t'occuper de mes affaires, c'était pour la balance de mes jours! Il y a pas personne qui va se mettre entre nous deux là-dedans!

Dominique se sentit rassurée. Raoul était très sensé et surtout réaliste. En aucun cas, il ne voulait courir le risque de perdre sa nièce qu'il appréciait tant.

⬤

Depuis que les classes avaient recommencé, Noémie voyait moins Kevin, car ils ne fréquentaient pas la même école. Elle s'ennuyait de lui et dès qu'elle était de retour à la maison, en fin d'après-midi, elle l'appelait pour lui proposer des activités.

Kevin n'était pas toujours disponible, préférant la plupart du temps voir ses copains d'école. Il était aussi moins attaché à Noémie depuis quelque temps. Il trouvait qu'elle devenait envahissante. La jeune fille avait été parfaite pour les vacances d'été, mais sans plus, pour lui.

Au travail, il avait demandé à son père de ne pas travailler selon le même horaire que Noémie, lui expliquant qu'il ne voulait plus sortir avec elle.

— Je suis content que tu me dises la vérité, mais je voudrais que tu sois franc avec elle et que tu lui dises honnêtement que tu veux plus être son chum.

— Ça sera pas facile à faire. Je te dis que des fois, elle a la mèche courte !

— Tout ce que je te demande, c'est de pas la faire niaiser ! Quand un gars veut plus voir une fille et qu'il arrête juste de l'appeler ou de la voir, c'est pas un homme.

Kevin avait donc suivi les recommandations de son père et, le lendemain soir, il avait téléphoné à Noémie et lui avait demandé de venir le retrouver en face de l'église pour prendre une marche.

L'adolescente était toute fière qu'il l'appelle en plein milieu de la semaine ! Elle s'était dépêchée à souper et s'était fait une beauté. Elle avait enfilé une tuque de laine et un foulard assorti à son manteau de ski.

— Maman, je vais me promener au village avec Kevin ! Inquiète-toi pas, je rentrerai pas tard !

Elle s'était dirigée d'un bon pas vers l'endroit prévu pour découvrir son copain, qui l'attendait en lisant les annonces affichées sur le parvis de l'église.

— Ça fait-tu longtemps que tu m'attends? demanda-t-elle en s'avançant pour l'embrasser.

— Non, juste quelques minutes, répondit-il en tournant la tête pour qu'elle lui donne un baiser sur la joue, contrairement à leur habitude.

Noémie sentit à son ton de voix que rien n'allait plus. Il n'avait pas besoin d'en dire plus.

— Qu'est-ce que tu veux me dire? s'informa-t-elle, bien qu'elle en ait eu une petite idée.

— Toi et moi, ça peut pas marcher.

— Pourquoi? murmura-t-elle, le cœur gros.

— On est trop différents et j'ai déjà plein d'amis à mon école avec qui je veux passer du temps. On a passé un bel été, mais pour moi, ça finit là!

Noémie se mit à pleurer à chaudes larmes et elle s'affala contre un muret de ciment tout près, ses jambes se dérobant sous elle.

Kevin s'assit à côté d'elle et mit son bras autour de ses épaules pour la consoler. Cependant, à l'intérieur de lui, il était fier d'avoir pu lui dire que leur histoire était terminée.

Noémie pouvait se faire des idées, se monter des bateaux, jamais il ne renouerait avec elle. Il trouvait que les filles étaient plutôt compliquées.

Il aurait toutefois à la croiser au travail et ces retrouvailles ne seraient sûrement pas de tout repos.

CHAPITRE 23

Renouveau

(Novembre 2008)

Le matin où Sylvianne avait surpris sa mère au lit avec Raoul Moreau, il lui avait semblé que rien ne pouvait lui arriver de pire.

Profondément humiliée, elle avait été très impolie avec Rita. Ses paroles avaient dépassé sa pensée et elle avait par la suite regretté de les avoir prononcées.

Elle n'avait pas été plus douce à l'égard de l'infirmière, en qualifiant la résidence de « bordel pour les vieux ».

Quand elle avait repris la route pour retourner chez elle, elle avait pleuré pendant les 600 kilomètres du trajet. Elle était arrivée chez elle vers l'heure du souper, alors que Florent, son mari, ne l'attendait pas.

— Qu'est-ce que tu fais ici ? Tu m'avais dit que t'avais réservé pour la fin de semaine à Sainte-Agathe ! Qu'est-ce qui t'est arrivé ? As-tu eu un accident ?

— Non, je suis juste en *sacrament* ! Ma mère a un chum, elle couche avec et moi, j'ai eu l'air d'une vraie folle !

— Calme-toi ! Dis-moi pas que tu es enragée depuis Sainte-Agathe parce que ta mère a couché avec un homme ?

— Il était 8 heures et elle était pas encore allée déjeuner.

J'étais inquiète sans bon sens! J'ai demandé à l'infirmière d'aller dans sa chambre et quand on est entrées, elle dormait. Elle était couchée avec monsieur Moreau, un vieillard de 90 ans!

— Pis? Qu'est-ce que ça change? Sylvianne, arrête-toi pour y penser! Ta mère a le droit d'être en amour, comme toi!

— On est jeunes, nous autres! C'est pas pareil!

— Oui, c'est pareil. C'est deux cœurs qui ont besoin d'aimer. Arrête de te mettre la tête dans le sable!

— Avant, c'était pas comme ça. Le monde était plus normal! Les grands-mères restaient à la maison et s'occupaient des enfants de leurs enfants!

— Oui et on allait au village à cheval et à la toilette dans les bécosses! Faut vivre avec son temps. On en a déjà parlé! Ta mère viendra jamais vivre ici, à Palmarolle! Enlève-toi ça de la tête! À la limite, elle va venir passer des vacances, comme elle le fait tous les ans depuis longtemps. Mais si tu te la mets à dos, on la verra plus et les enfants non plus. Est-ce que c'est ça que tu veux?

Florent avait proposé à Sylvianne de prendre un bain pour relaxer. Il lui préparerait ensuite un bon repas, avec une coupe de vin. Les enfants étaient au sous-sol à écouter la télé et les plus vieux étaient sortis.

Une fois la poussière retombée, il essaierait de lui faire réaliser qu'un jour, elle serait vieille, elle aussi! Il lui demanderait jusqu'à quel âge elle croyait pouvoir aimer.

Personnellement, il savait bien que s'il avait été à la place de Raoul et qu'une femme de 10 ou 15 ans de moins lui avait ouvert la porte de sa chambre, il n'aurait pas refusé! La vie était courte et il entendait bien en profiter jusqu'au bout!

Du côté de Rita, les propos de sa fille l'avaient froissée, mais elle était bien décidée à vivre sa vie comme elle l'entendait. Elle partageait avec Raoul de merveilleux moments et personne ne viendrait rien décider à sa place.

Quand Sylvianne serait calmée, elle l'appellerait et tenterait de clarifier la situation avec elle. Elle avait l'habitude d'aller passer le temps des fêtes avec sa fille et la famille de cette dernière, mais cette année, ce serait différent. Il n'était pas question qu'elle abandonne son amoureux durant toute cette période! Sa fille aurait le choix : ou bien elle l'acceptait avec Raoul ou alors, elle n'irait pas les voir.

───

Hugo Fréchette avait été transféré au pénitencier fédéral de Sainte-Anne-des-Plaines en attendant son procès. Au moment où il avait été arrêté, il était en libération conditionnelle et celle-ci avait alors été annulée.

Il était familier avec ce genre d'endroit, mais il n'était jamais facile de tirer son épingle du jeu quand on était un criminel de son calibre, c'est-à-dire un petit malfrat. Il fallait alors jouer le jeu dirigé par les gros caïds, c'était la loi du milieu.

Lors d'une sortie dans la cour, il avait rencontré Hulk, celui-là même qui avait été accusé du meurtre d'Hector Moreau et de l'incendie criminel à la résidence d'Élizabeth Bisaillon. Les deux malfaiteurs s'étaient croisés à l'extérieur dans quelques repaires de trafiquants, mais sans plus.

— Salut, Fréchette, tu te souviens-tu de moi?

— Oui, mais j'ai jamais su ton vrai nom. C'est ça qui arrive quand quelqu'un a un *nickname*.

— On a toujours dit que je me fâchais comme Hulk et ça m'a suivi! Tu t'es fait ramasser pour des hosties de niaiseries! Des vols par effraction et un peu de *stup*! Tu deviendras jamais *big* si tu fourres le chien avec ça!

— J'étais pas mal défoncé quand j'ai décidé de me venger des Moreau! C'est vrai que j'ai manqué mon coup! J'aurais pas dû retourner dans la maison après que l'alarme a été déclenchée!

— Si tu travaillais avec nous autres, tu perdrais pas ton temps avec des trous d'cul de même. Tu frapperais des bonnes *shots* qui rapportent du *cash*! Si ça te tente, c'est pas dur pour nous autres de te faire sortir en attendant ton procès!

— J'ai pas les moyens de me payer les mêmes avocats que vous autres!

— Si tu veux faire des *jobs* pour la gang, ça te coûtera rien! On te demande juste de jouer *fair-play*!

— Je vas y penser! répondit Hugo, qui craignait ce type de criminel et le non-choix qu'il lui offrait. S'il refusait, il serait maltraité, et s'il acceptait, il serait à sa merci et à celle de sa bande pour le reste de ses jours.

— Attends pas trop! Les places sont limitées chez nous! Pis tu sais ce qui arrive aux peureux, icitte, en dedans! l'avertit Hulk en lui assénant une tape dans le dos.

Hugo sentit qu'il venait d'uriner dans son pantalon. Il était pris au piège. Dans les prisons provinciales, il pouvait s'en tirer, mais ici, ça jouait dur.

Il lui faudrait trouver le moyen de parler avec un agent correctionnel. Le seul moyen de sortir de la prison en attendant son procès serait de devenir informateur pour la police, mais il s'agissait d'un rôle tout aussi dangereux. Au fil des ans, il avait côtoyé une bonne quantité de bandits dans les

Laurentides. Il n'était pas rare que ceux-ci se laissent aller à des confidences, dans des bars miteux.

La décision revenait à Hugo, mais il n'avait pas beaucoup de temps devant lui. S'il ne donnait pas de réponse à Hulk, les promenades à l'extérieur deviendraient plus hasardeuses pour lui.

—

Les rénovations dont faisait l'objet l'ancienne demeure de Raoul titillaient la curiosité des voisins. Avec la modification de la toiture, le revêtement aux couleurs du jour et l'ajout d'une verrière donnant sur le côté, les gens du coin peinaient à reconnaître la vieille maison.

Ce jour-là, Claude s'affairait à poser de la céramique dans la salle de bain quand on frappa à la porte. Les habitués du chantier cognaient et entraient, mais cette fois-ci, il dut aller ouvrir.

— Bonjour, monsieur! Est-ce que vous êtes le propriétaire? demanda le visiteur.

— Oui, répondit Claude, sur la défensive.

— Je suis natif de la région, mais on a déménagé à Montréal quand j'étais jeune. J'ai pas de souvenirs d'avoir vécu ici, mais j'aimerais bien venir m'y installer quand j'aurai trouvé quelque chose à mon goût. En fin de semaine, j'ai vu qu'il y avait un chantier ici, à cause de tous les matériaux autour de la maison et je me suis informé auprès des voisins. Il semble que la maison sera à vendre prochainement?

— Oui, mais je sais pas quand. Je travaille dessus un peu à temps perdu. Je dois m'occuper de mes clients réguliers avant. J'ai pris ça comme un hobby. Vous êtes certain que vous êtes pas un courtier immobilier? demanda Claude poliment.

— Pas du tout! J'ai juste le goût de sortir de la ville et Val-David m'a toujours attiré. Je m'y sens bien et c'est chaleureux dans le village, avec toutes ces petites boutiques.

— Il me reste passablement de travail à faire, mais je peux vous faire visiter si vous voulez.

— J'aimerais ça, mais je peux repasser, si vous êtes occupé.

— Non, non, je peux prendre quelques minutes, indiqua Claude, qui flairait le sérieux de l'acheteur potentiel. Vous pourrez voir qu'on a pas économisé nulle part. La plomberie en cuivre a été remplacée par des tuyaux Pex. Fini les soudures qui fuient! On a aussi changé le panneau électrique et refait tout le filage. Les murs étaient tous ouverts, on en a profité.

L'homme était agréablement impressionné par la qualité des travaux qui avaient été effectués. Il était lui-même plombier de métier et donc, il était en mesure d'évaluer le coût de telles rénovations. Il demanda à Claude combien il voulait obtenir pour la maison. Les associés en avaient justement discuté le week-end dernier.

Afin de s'assurer qu'il n'oubliait rien, Claude demanda 5 000 dollars de plus que ce qui avait été décidé entre Alain et lui.

L'acheteur, habitué aux prix habituellement exigés à Montréal ou même à Saint-Sauveur ou Sainte-Adèle, songea qu'il s'agissait là d'une aubaine.

— Est-ce que je pourrais revenir avec ma femme? Ça fait longtemps que je cherche dans la région, mais là, cette maison m'intéresse vraiment.

— Elle sera pas prête avant la mi-décembre ou même le début janvier, par exemple. Vous en avez besoin pour quand?

— Si ma femme l'aime, ça pourrait aller au mois de janvier ou même février.

— C'est impossible pour moi de vous dire non! Je pensais pas rencontrer un acheteur sérieux à matin!

— Moi, je pensais pas tomber en amour avec une maison non plus!

⁓

Rita adorait ses activités hebdomadaires, le bingo, le tricot et le bricolage. Pour ce qui était de Raoul, il jouait au billard et aux échecs avec d'autres pensionnaires. Les tourtereaux assistaient ensemble aux séances de conditionnement physique et aux célébrations de la messe. Ils étaient heureux de pouvoir maintenant vivre leur relation au grand jour.

La majorité des résidents affirmaient qu'ils formaient un beau couple. Sans en parler, certains les enviaient!

Ils passaient de plus en plus de soirées ensemble à regarder leurs émissions de télévision.

— J'aurais jamais cru être en couple avec un homme qui aimerait les téléromans autant que moi! remarquait Rita, qui appréciait ces instants d'intimité.

— Je te l'ai dit dès le départ: c'est moi le meilleur parti, ici, à La Villa des Pommiers. Si tu savais le nombre de femmes qui prient tous les soirs juste pour que je leur accorde un regard...

— Tu commences à t'enfler la tête, mon beau!

— Si peu! Tu sais, Rita, je suis rendu que j'aime pus ça

me retrouver tout seul dans ma chambre le soir. J'aurais aimé ça te connaître quand on était plus jeunes. On aurait eu la chance de vivre ensemble dans ma maison.

— C'est certain qu'on aurait été bien et que ça aurait été très différent !

— Mais y a rien qui arrive pour rien ! De toute manière, on a plus l'âge pour entretenir des grandes maisons. Je me sens bien depuis que je vis ici et je te dirais même surtout depuis que j'ai vendu la mienne. Je suis comme libéré !

— En vieillissant, les problèmes nous paraissent toujours si gros !

— Maintenant, j'ai juste à penser à toi pis moi ! C'est un beau tracas, ça !

— T'es bien gentil ! Raoul, tu sais, des projets, on dirait que ça se fait mieux à deux. J'ai pensé à quelque chose, mais je suis pas certaine que ça pourrait faire ton affaire. J'hésitais à t'en parler.

— T'as pas besoin d'être gênée avec moi ! Si tu me proposes une affaire qui a pas d'allure, je vais te le dire.

— Je voudrais pas que ça fasse de la bisbille avec ta nièce Dominique. Je la trouve bien gentille et tu as besoin d'elle. Je voudrais pas non plus que ma fille Sylvianne te prenne en grippe. Mais ça, c'est autre chose, et je pense que ça peut se régler.

— J'ai l'habitude d'être patient, mais là, tu tournes autour du pot. Dis-moi à quoi tu penses et après, on verra si c'est possible.

— Qu'est-ce que tu dirais si on abandonnait nos deux chambres et qu'on emménageait dans un studio ? On pourrait habiter ensemble. On aurait plus besoin de se promener d'une place à l'autre. Du moins, si t'en as le goût !

— C'est certain que j'aimerais ça, mais penses-tu que c'est possible? On a signé un bail pour nos chambres.

— Ces affaires-là, ça se négocie avec la directrice. Si on avait un studio, on déjeunerait et on dînerait chez nous. On continuerait d'aller souper à la salle à manger.

— Ça serait quasiment trop beau! On serait plus obligés de s'habiller le matin pour aller déjeuner et on pourrait se lever quand on veut!

— Ça me tente vraiment!

— Je propose qu'on en parle avant avec Dominique; elle a un bon jugement. On ira ensuite rencontrer madame Charette au bureau de la Villa pour connaître les prix.

— Oui, et les disponibilités. C'est pas certain qu'il y a des studios libres maintenant.

— Ma nièce doit venir chez l'optométriste avec moi demain. Mes lunettes sont prêtes et on va les chercher. Tu pourrais venir avec nous et en revenant, on pourrait prendre un café au resto pour en discuter.

— Ça me va!

Ils vivaient tous les deux des moments d'une grande intensité.

Rita en avait assez de partager le quotidien de gens qui ne parlaient que des personnes décédées durant les dernières semaines ou qui comparaient leur état de santé avec celui de leurs voisins, à savoir qui était le plus malade.

Si ses plans fonctionnaient comme prévu, Raoul et elle mèneraient une vie différente, même s'ils habitaient toujours dans une résidence de personnes âgées.

Sylvianne serait sûrement surprise de la décision de sa mère! Elle voudrait probablement s'assurer qu'elle ferait là une bonne affaire!

CHAPITRE 24

Inquiétudes

(Décembre 2008)

Les résultats scolaires de Bruno étaient décevants et son enseignant s'inquiétait de l'attitude du jeune garçon, habituellement si dynamique. Il était convaincu qu'il vivait des moments difficiles. Il souhaitait l'aider avant qu'il n'ait pris trop de retard.

Un après-midi, alors qu'il était prévu que les élèves fabriquent les décorations de Noël pour la classe, le titulaire avait demandé au jeune Bruno de l'accompagner pour aller chercher du matériel. Une fois dans le corridor, il avait tenté de lui demander ce qui n'allait pas.

— Je trouve que t'as pas l'air en forme, Bruno! J'espère que t'es pas malade? D'habitude, tu fais des blagues et tu taquines tes copains, alors que là, je te trouve pas mal tranquille.

— Faites-vous-en pas, monsieur! Je vais pas mal, mais c'est vrai que je suis un peu plate de ce temps-là!

T'occupes-tu toujours de ta grand-maman, celle qui avait reçu la visite du voleur?

— Oui, elle va un peu mieux. Je vais coucher chez elle de temps en temps, mais avec son système d'alarme, c'est pas vraiment nécessaire. J'y vas quand même, les fois où maman est pas de bonne humeur, échappa le jeune garçon.

— Ça va pas bien avec ta mère ces temps-ci?

Bruno eut tout à coup le goût de dire à son enseignant ce qui le tourmentait. Depuis quelque temps, il faisait de l'eczéma sur les bras et les mains, à cause du stress qu'il vivait à la maison. Sa mère l'avait emmené chez le médecin, qui lui avait prescrit une pommade, mais le remède ne semblait pas vraiment efficace. Hier soir, Évelyne avait découvert qu'il portait également des marques dans le cou.

Bruno avait confiance en cet enseignant, même s'il le connaissait depuis peu.

— Ça a commencé avant que ma cousine arrive à la maison. Le temps que mon père est allé en France, ma mère était pas du monde. Elle pleurait ou elle chicanait souvent et après, quand il est revenu à la maison, ça a commencé à aller mieux.

— Là, tu dis que ta mère va plutôt bien?

— Oui, mais elle travaille de plus en plus et c'est ma cousine qui fait tout à la maison.

— C'est sûrement pour aider ta mère.

— C'est pas ça! Pénélope est fine, mais depuis qu'elle s'occupe de tout chez nous, maman passe beaucoup de temps à son travail et papa aussi. Nos parents sont plus jamais ensemble et quand ils sont là, ils se chicanent souvent.

— Je comprends! Faudrait que tu essaies de parler avec ta famille pour clarifier la situation. T'as confiance en ta grand-maman? Pourquoi tu lui en parlerais pas quand tu vas coucher chez elle? Tu sais qu'à son âge, elle a vu des affaires et elle pourrait sûrement t'aider. Si c'est pas avec elle, parles-en avec ton parrain ou un autre adulte en qui tu as confiance.

— Je pense que ça me ferait du bien. Vous avez raison. C'est difficile de garder tout ça en dedans. Je voudrais pas que mon père et ma mère se séparent!

— C'est pas drôle non plus quand les parents s'entendent pas. Quand il y a quelqu'un qui est pas de bonne humeur dans la maison, on dirait que tout le monde s'en ressent. As-tu déjà remarqué ça?

— Oui, c'est vrai. On a une perruche, et on dirait que même elle, a chante plus!

— C'est ça! En tout cas, si jamais t'as besoin de m'en reparler, hésite pas. Je suis là pour ça, t'écouter. Là, si on retourne pas aider les autres pour les décorations, ils vont nous bouder! On y va!

——

Xavier travaillait de longues heures. Il était content du travail accompli à la maison par sa nièce. Il n'entendait plus sa femme se lamenter d'avoir beaucoup d'ouvrage à faire.

Pénélope était très organisée. Elle se levait tôt le matin et elle préparait le déjeuner de son oncle. Quand Évelyne se levait avec les enfants, son mari avait déjà quitté la maison.

À l'occasion, Xavier emmenait sa nièce avec lui au bureau et il lui faisait faire de petites tâches de secrétariat. Elle prenait ainsi de l'expérience et il avait remarqué qu'elle était très douée dans le domaine informatique.

Quand ils revenaient à la maison, le soir, ils continuaient à parler du travail, si bien qu'Évelyne se sentait complètement exclue de la vie de son conjoint.

Au moment où la jeune fille était arrivée au Québec, elle s'était réjouie que Xavier ait retrouvé sa nièce. Elle avait aussi apprécié qu'elle s'implique dans la maison, mais avec le temps, elle la trouvait dérangeante.

Les enfants étaient aussi préoccupés. Noémie était particulièrement jalouse de la complicité qui unissait son père et sa cousine. En pleine adolescence, elle se retrouvait reléguée au second plan dans sa propre famille ; du moins en avait-elle le sentiment. Avec sa peine d'amour récente, elle était loin de vivre de beaux moments.

Un après-midi, elle avait choisi d'aller se lamenter auprès de sa grand-mère.

— C'est plus vivable, mamie ! J'ai l'impression d'être envahie. Papa lui a mis un lit simple dans une partie du sous-sol, mais je dois partager avec elle la moitié du garde-robe et deux tiroirs de mon bureau.

— C'est certain que tu avais toute la place avant, mais c'est sûrement temporaire ! dit la grand-maman pour l'encourager.

— Est-ce qu'elle se laisse traîner ou bien elle a de l'ordre ?

Noémie avait de la difficulté à répondre, car depuis que sa cousine occupait le sous-sol, elle n'avait pas eu à y faire le ménage et celle-ci était très ordonnée.

— Là-dessus, je peux rien dire, mais à part de ça, elle est excessive. Elle s'occupe de papa comme si c'était son père !

— Tu dois comprendre qu'elle vient de vivre des moments difficiles.

— Et nous, on en vit pas ? Mon père est parti en France et nous a abandonnés pendant des semaines. Ce serait important qu'il s'occupe de nous maintenant qu'il est de retour. J'aimerais ça que Pénélope retourne chez elle pour de bon !

— Laisse faire le temps, ma belle! Tout va rentrer dans l'ordre, tu verras.

Doris avait également reçu les confidences de son petit-fils et elle avait décidé d'aborder le sujet avec sa fille, qui avait dit qu'elle en discuterait avec son conjoint durant le week-end.

Le vendredi soir, à son retour du travail, Xavier avait constaté que le souper n'était pas prêt.

— C'est bizarre. D'habitude, la table est mise à cette heure-ci!

— J'ai donné des sous à Noémie et à Bruno, et ils sont allés manger au village avec ta nièce. Les enfants avaient fait une bonne semaine et j'avais le goût de les récompenser.

— Parfait, alors qu'est-ce que tu veux qu'on commande pour nous? De la pizza ou du poulet?

— Non! T'as pas remarqué? J'ai mis des vêtements plus chics. On va sortir souper au restaurant tous les deux!

— Évelyne, t'es pas sérieuse? J'ai pas le goût de sortir ce soir. Tu sais que le vendredi, j'aime ça relaxer à la maison! J'ai eu une grosse semaine au bureau!

— Et qu'est-ce que tu penses que j'ai fait, moi, depuis lundi? Je me suis tapé tout près de 40 heures au magasin!

— C'est toi qui as décidé de travailler plus d'heures!

— Je travaille pas pour me désennuyer, mais pour payer nos factures. Ton voyage en France a fait un méchant trou dans notre budget, au cas où tu t'en serais pas aperçu et on doit subvenir aux besoins de ta nièce française!

— Là, Évelyne, tu vas trop loin! Dis-moi pas que t'es jalouse de ma nièce? Il me semble que depuis qu'elle est là, elle t'aide beaucoup à la maison.

— Peut-être, mais on a plus de vie de couple! On a pas

pris de vacances cet été! Du moins, moi et les enfants, on est pas allés nulle part!

— Vas-tu me reprocher de m'être rendu en Europe pour voir mon frère, une fois en 20 ans?

— T'aurais dû le visiter quand il était en santé! Là, t'es juste allé pour le voir mourir!

— Évelyne, je te reconnais plus! Jamais tu aurais dit quelque chose de semblable avant! T'es complètement ridicule!

— J'en peux plus! larmoya-t-elle en détachant ses cheveux, qu'elle avait mis une éternité à placer pour plaire à son conjoint.

Xavier se demandait ce qui se passait dans sa maison et il ne savait vraiment pas comment réagir. Il voulait aider son épouse, mais il craignait qu'elle ait dit quelque chose à Pénélope qui l'aurait peinée. Il voulait à tout prix protéger cette jeune femme qu'il venait tout juste de prendre sous son aile.

Depuis le début de l'automne, Évelyne ne se sentait pas bien du point de vue émotif. Elle avait bien tenté de se prendre en main, mais elle n'y parvenait pas. Dernièrement, elle avait consulté son médecin, qui lui avait prescrit des calmants, mais elle n'en avait soufflé mot à personne. Elle se levait la nuit en pleurant et s'endormait au petit jour. Le seul endroit où elle se sentait bien, c'était au travail. Son patron était très prévenant avec elle et son attitude chaleureuse lui faisait du bien. À la maison, il lui semblait qu'elle était de trop.

Elle se rendit à la salle de bain pour prendre le temps de retrouver ses esprits. Elle avala la moitié d'une pilule en plus de celle qu'elle avait prise plus tôt. Elle se disait qu'un petit excès de médication ne pouvait pas lui faire de mal, car elle avait besoin de se calmer un peu.

Comme son médecin le lui avait conseillé, elle prit de longues inspirations et elle pensa que tout irait bien maintenant. Elle irait s'asseoir devant la télévision en attendant le retour des enfants. Demain, c'était samedi, mais elle irait quand même travailler.

Quand elle revint dans la cuisine, Xavier était debout près de l'entrée.

— Qu'est-ce que tu voudrais manger? Je te demande juste de choisir un resto qui est pas trop loin. J'ai pas le goût de conduire ce soir.

— J'ai plus faim! répondit-elle sèchement. Pour ton information, notre fils a des problèmes à l'école et il s'est confié à son professeur! Peut-être que c'est parce que son père s'occupe pas assez de lui!

— C'est quoi, son problème? Tu m'as jamais parlé de rien avant aujourd'hui!

— Il fait de l'eczéma quand il est nerveux et de ce temps-là, ça a même pas d'allure comment il se gratte! Ton fils a 11 ans et a besoin d'un homme dans sa vie! Par ta faute, il a dû se tourner vers un autre pour l'écouter! Heureusement qu'il est tombé sur quelqu'un de responsable!

— Qu'est-ce que tu veux que je fasse?

— Je te demande juste d'être là pour tes enfants. Si tu peux pas être présent auprès de moi, occupe-toi au moins des jeunes. Je voudrais qu'ils vivent une enfance heureuse et qu'ils réussissent leurs études.

— Comme ça, toi, ça te dérange pas que je m'occupe pas de toi? C'est peut-être parce que monsieur Godin prend bien soin de sa commis-comptable? Penses-tu que j'ai pas remarqué que t'es plus la même depuis qu'il est dans le décor?

— Peut-être bien, mais depuis que ta nièce est arrivée dans nos vies, toi aussi, t'es différent! Elle prend toute la place et tu lui accordes toute ton attention! Il faut que ça change!

— Tu veux aller souper où? demanda Xavier pour calmer la tempête.

— C'est à mon tour d'être trop fatiguée pour sortir. Je vais aller prendre mon bain et je vais me coucher tôt.

— Comme tu veux!

— De toute manière, ça passerait pas! J'aime mieux dormir avec l'estomac vide quand j'ai le cœur lourd.

<hr>

Pour Jean-Guy et Mariette, la vente du restaurant se déroulait dans les délais prévus. Les nouveaux propriétaires leur avaient offert de demeurer dans leur logis pour les six prochains mois et ils avaient accepté afin d'avoir le temps de se trouver une maison qui leur conviendrait.

Jean-Guy avait retenu la suggestion de son épouse de retourner vivre à Val-David et c'est dans la maison familiale qu'il aimerait bien le faire.

Il téléphona à Claude pour savoir s'il y avait des développements dans le dossier.

— Bonjour, Claude! Toujours dans la rénovation?

— Oui, j'achève la maison de mon oncle Raoul! J'ai pas eu le choix de mettre les bouchées doubles parce que je l'ai vendue avant de l'avoir terminée.

— Tu fais vraiment du bon travail! Vas-tu avoir le goût d'en rénover une autre bientôt?

— Tu parles sûrement de la maison de ton père. C'est rendu où, vos affaires avec le notaire?

— On attend encore des papiers du gouvernement. Comme papa est mort en février, il fallait faire sa déclaration de revenus de 2007 et celle de 2008, même si c'était juste pour deux mois. Mais quand j'ai parlé à la secrétaire du notaire, elle m'a confirmé qu'ils avaient maintenant en main l'autorisation de distribuer les biens. C'est une question de temps avant que la maison soit transférée à Monique, si c'est pas déjà fait. J'ai su ces affaires-là du bureau du notaire, parce que ma sœur me dit rien depuis le tout début.

— Ça veut dire qu'elle pourrait vendre la maison bientôt. Je vais m'arranger pour la voir ces jours-ci. Tu m'as pas dit combien tu voulais payer pour la maison. As-tu un prix en tête?

— Elle vaut pas une fortune. Je l'achèterais plus pour le principe que je vivrais là où j'ai grandi. As-tu une idée de ce que je devrais payer?

— D'après moi, ça vaut pas plus que 50 000 piastres et à ce prix-là, c'est bien payé! Je vais essayer de l'acheter plus bas que ça.

— Je veux pas voler la maison à Monique non plus, mais quand je pense qu'elle aurait dû être à nous deux, j'ai moins de scrupules. Pour les rénovations, as-tu une idée de la somme que je devrai investir?

— Si je me fie à la maison de mon oncle Raoul, je suis rendu à 40 000 piastres et j'ai pas compté tout mon temps. Mais quand tu vas voir le produit fini, tu vas être impressionné. C'est comme une maison neuve!

— Je te donne carte blanche, Claude. Fais comme si c'était pour toi et appelle-moi quand tu voudras de l'argent.

— Ça va être les frais de notaire et la maudite taxe de Bienvenue que tu vas être obligé de payer deux fois. Monique paiera pas ça parce que c'est un transfert en ligne directe descendante, comme ils disent !

— C'est pas grave ! Je sais que Monique me vendrait jamais la maison ou bien elle me la vendrait si je lui payais le double de ce qu'elle vaut. J'aime mieux passer par toi, même si ça me coûte un peu plus cher. Il faudrait aussi que tu te réserves un petit montant pour tout le trouble que les travaux te donnent.

— Je veux pas faire d'argent là-dessus. T'es mon cousin et en plus, tu vas me faire travailler après pour la rénover. C'est un bon *deal* qu'on fait là.

— Pas certain que ma sœur va t'aimer quand elle va savoir que tu me l'as revendue !

— Je m'arrangerai avec ça ! J'ai le tour avec les femmes !

Le même jour, Claude se rend à la pharmacie pour voir sa cousine. Autant battre le fer tandis qu'il était chaud.

— Allô, Monique, ça va bien ?

— Oui et toi ?

— Ça bouge, j'ai pas à me plaindre. Comme je gère une nouvelle compagnie, j'essaie de mettre les bouchées doubles. Des nouvelles de la maison ?

— Oui, le notaire a fait le transfert de propriété cette semaine. J'ai attendu avant de t'appeler parce que je voulais vraiment réfléchir à ce que je ferais. J'hésite un peu à la vendre. Combien tu penses que ça pourrait coûter de rénover une maison comme celle-là ?

— Faut que tu planifies au moins 60 000 piastres, mais aussi que tu penses aux imprévus. Quand on arrive dans les fondations d'une maison, on doit s'assurer qu'il y a pas de fissures qui pourraient provoquer plus tard des infiltrations d'eau. On découvre pas mal au jour le jour ce qu'il y a à faire.

Quand Claude avait mentionné une somme aussi élevée, Monique avait paniqué. Elle ne souhaitait pas s'embarquer dans un tel projet.

— Toi, tu penses qu'elle vaut combien telle quelle?

— Pas facile à dire! balança-t-il pour se ménager un pouvoir de négociation.

— Toi, à matin, tu m'offrirais combien?

— Je pourrais te faire une offre, mais je pourrais aussi me tromper et manger pas mal d'argent. Faudrait que j'en parle à mon associé. Moi, je te donnerais 40 000, mais je sais pas si lui va accepter d'aller aussi haut.

Monique croyait vraiment que la maison de son père valait au moins 55 000 ou 60 000 dollars, mais elle savait également qu'elle avait été vandalisée dernièrement par des jeunes, en plus des dommages causés par Hugo Fréchette. Il valait peut-être mieux pour elle qu'elle saute sur l'occasion et qu'elle accepte l'offre que son cousin lui proposait.

— Peux-tu l'acheter toi-même? Tu informeras ton associé après l'avoir fait.

— Oui, mais faudrait que je l'achète personnellement, pas en passant par la compagnie.

— T'es mon cousin, il va sûrement comprendre ça! On s'est toujours bien entendus, toi et moi! Quand est-ce qu'on peut faire ça?

— À quelle heure tu finis de travailler?

— À 4 heures.

— Passe faire un tour à la maison. Malheureusement,

Laurence pourra pas être là, mais j'en profiterai pour te faire visiter.

— Ça va me faire plaisir! Je te vois donc à 4 h 15 ou à peu près. À plus tard.

C'est ainsi que Claude avait conclu l'achat de la maison pour le compte de son cousin Jean-Guy. Il savait que de cette manière, le bien familial serait protégé.

Monique se sentait privilégiée que son cousin Claude lui fasse une telle proposition. Depuis le tout début, cette maison avait représenté un lot de problèmes pour elle. Dès la fin de la journée, elle aurait en main une promesse d'achat qui la libérerait de ce fardeau.

—

Dominique et son conjoint revenaient du 5 à 7 qui avait été organisé par le club social de la caisse populaire pour souligner le départ à la retraite de Patrick. Une cinquantaine de personnes avaient pris part à l'activité. La bière avait coulé à flots et tous avaient beaucoup grignoté.

— J'ai l'estomac à l'envers. J'ai trop mangé de cochonneries! lança Dominique, qui conduisait la voiture, car elle n'avait consommé qu'une seule bière.

— J'aurais dû manger plus et boire moins! répliqua Patrick en rigolant. J'ai organisé bien des soirées comme celle-là, mais jamais j'aurais pensé que ça pouvait être aussi émouvant. J'ai de la peine d'abandonner ces collègues-là!

— Tu vas t'y faire, comme nous tous! Il y a toujours des gens qui nous manquent plus que d'autres, mais on oublie vite. Le plus difficile, c'est pas dans les premiers mois. Au début, tu te penses en vacances, mais quand tu réalises que tu as pas besoin de retourner au bureau, ça fait drôle.

— Je travaille depuis que j'ai 14 ans! Va sûrement falloir que je me trouve un passe-temps.

— Oui parce qu'il est pas question que tu ailles t'asseoir dans les centres d'achats pour passer ton temps. La vie est trop courte pour la gaspiller.

— As-tu pensé à nos vacances d'hiver? Je voudrais pas faire de projet sans que tu sois au courant, cette fois-ci. J'aimerais qu'on prenne nos décisions ensemble et qu'on pense à nous deux.

— Tu as tout à fait raison, mais tu sais qu'il y a toujours mon oncle Raoul dans le décor. Je l'abandonnerai jamais. Par contre, depuis qu'il a son amie, ça me libère un peu plus.

— Je pense qu'au début, t'étais même un peu jalouse! blagua Patrick.

— J'ai pas peur de l'avouer! On aurait dit qu'elle s'immisçait entre lui et moi, alors qu'on venait tout juste de créer des liens si forts! J'ai ensuite réalisé qu'on avait des rôles très différents à jouer, mais tout aussi importants pour lui.

— Qu'est-ce qui arrive avec leur idée d'aller vivre dans un studio? Est-ce que ça va fonctionner? demanda le nouveau retraité.

— On a rencontré la directrice de la Villa et elle y voit pas d'inconvénient. Il y a toutefois quelques points à régler. On est allés en visiter un, mais on attend de savoir quand il pourrait se libérer. C'est très beau.

— Vous avez aucune idée de quand le déménagement pourrait avoir lieu?

— Non, pas encore. Le monsieur qui l'occupe est à

l'hôpital présentement et c'est une question de semaines avant qu'il décède, semble-t-il. Sa femme a dit à madame Charette qu'au printemps, elle déménagerait dans une chambre, mais pour l'instant, elle veut pas partir de son studio.

— C'est un peu normal. Comment ton oncle et madame Rita prennent ça?

— Ils ont tellement le goût d'avoir cet appartement-là qu'ils sont prêts à l'attendre.

— Ça veut-tu dire qu'on va pouvoir partir plus longtemps?

— Oui monsieur! Si on disait trois semaines, est-ce que ça te plairait?

— Oui, beaucoup! Je te propose qu'on se rende en Floride en voiture et qu'on aille faire une croisière de 10 jours dans les Caraïbes. Par la suite, sur le chemin du retour, on arrêterait à West Palm Beach pour aller jouer au golf pendant quatre ou cinq jours, ou même une semaine, si tu insistes! Qu'est-ce que t'en dis?

— C'est un forfait qui me plaît! Est-ce que je peux réserver tout de suite?

— Sans problème! J'ai déjà hâte! Ce que j'ai trouvé, ça serait pour un départ à la mi-janvier. On serait de retour dans la première semaine de février et on pourrait faire un peu de ski. On avait jamais le temps quand on travaillait.

— Patrick, je suis si heureuse qu'on puisse enfin penser à nous! Il me semble que c'est pour ça qu'on a travaillé toute notre vie!

— Et c'est juste un début! Laisse-moi aller et tu vas être surprise!

Le mois de décembre avançait à grands pas et Évelyne ne parlait pas à sa mère de venir l'aider à préparer de la nourriture en prévision des prochaines réceptions. Elle n'avait pas le cœur à la fête.

Lors de ses conversations téléphoniques avec elle, Dominique avait pu déceler que celle-ci était plus morose en voyant approcher cette période de l'année. Elle avait donc décidé de lui proposer son aide.

Elle arriva chez Doris un matin en compagnie de Patrick, qui prit la peine de se coiffer d'une toque de cuisinier.

— Toi, t'es mon meilleur! T'as toujours le don de me faire rire!

— Belle-maman, j'aime pas ça quand vous vous moquez de moi! Je prends tout simplement mon rôle très au sérieux. Quand Dominique m'a demandé de me joindre à vous pour la préparation du banquet de Noël, j'ai pas pu résister.

— T'exagères un peu quand tu parles d'un banquet! Un petit dîner chez nous, c'est pas la mer à boire!

— Pourquoi tu dis ça, maman? Pour moi, c'est mon meilleur repas de l'année! J'adore ta bouffe et on est pas capables personne de t'égaler!

— Tu me flattes pas mal, je trouve!

— Laissez-la flatter! Je voudrais pas qu'elle perde le tour! ajouta Patrick en donnant un baiser sur la joue de sa femme.

— Vous êtes beaux à voir! Je te dis que c'est moins reluisant chez ta sœur de ce temps-là!

— Ça s'arrange pas avec Xavier?

— Pas vraiment. Mon pauvre Bruno a le caquet bas[27]! Heureusement qu'il aime ça venir me visiter. Je le garde souvent à souper et à coucher. Je suis inquiète pour Noémie aussi. Elle se referme comme une huître!

— Les pauvres enfants, ils en vivent, des émotions, de nos jours. Il me semble que c'était plus facile dans notre temps. On pensait même pas à ça, que nos parents pouvaient se séparer, tandis qu'aujourd'hui, c'est monnaie courante.

— Tu devrais demander aux enfants de venir passer une fin de semaine chez nous, offrit le jeune retraité. Ça leur changerait les idées. Ils vont avoir des congés dans le temps des fêtes! Ça serait en plein le bon moment!

— T'es fin, Patrick, de penser à ça! Tu sais combien ma fille est importante pour moi! s'exclama Doris, émue.

— Là, si on arrête pas de jacasser, on aura rien à manger le jour de Noël!

— Va dans l'auto chercher les affaires que j'ai apportées.

— J'avais déjà fait mon épicerie pour les fêtes, précisa Doris.

— On en fera plus et ça te fera des repas pour le mois de janvier. On pourra aussi en donner à Laurence. Mon frère mange comme un ogre et elle, avec sa grosse bedaine, elle aura peut-être pas toujours le goût de cuisiner.

— T'es généreuse, Dominique! Si t'avais pas si mauvais caractère, tu serais parfaite! taquina sa mère.

— Belle-maman, parlez pas comme ça à mon petit bulldog! prévint Patrick en rigolant.

— Arrêtez de rire et lavez-vous les mains comme il faut

---

27 Avoir le caquet bas : être triste.

avant qu'on commence. Moi, je vais débarrasser les comptoirs et les nettoyer.

— Ça y est, madame Purell vient de faire son apparition. On s'en sauvera pas! ricana Patrick.

— Pourvu que ça goûte pas dans mes tourtières! répliqua Doris en faisant un clin d'œil à son gendre.

CHAPITRE 25

Un Noël particulier

(Décembre 2008)

La fête de Noël approchait à grands pas et monsieur Godin souhaitait tenir un souper pour les employés. Il avait mandaté Évelyne pour organiser le tout.

— Il faudrait que vous me disiez ce que vous envisagez comme repas, avait spécifié l'employée, aussi dans quel genre d'endroit vous aimeriez nous recevoir et votre budget.

— Vous connaissez suffisamment les environs pour organiser un petit souper dans un restaurant, avait répondu le patron. J'aimerais bien que ce soit un lieu spécial et non pas un restaurant familial, où tout le monde va le vendredi soir ! Voyez ce que vous pouvez trouver et venez m'en parler.

Dès le lendemain, Évelyne avait fourni à son supérieur deux propositions détaillées. Il retint l'Auberge du Vieux Foyer, qu'il ne connaissait pas, mais dont il avait entendu des échos favorables.

Le souper aurait lieu un mercredi soir, afin que tout le monde puisse être présent. Pour l'occasion, l'épicerie fermerait ses portes à 19 heures.

Quand Évelyne avait parlé de la petite fête avec Noémie, celle-ci lui avait répondu qu'elle n'y assisterait pas.

— Tu dois venir! C'est très important! Monsieur Godin serait très déçu si tu y étais pas!

— Non! Je veux pas voir Kevin, c'est tout! Il me semble que c'est pas compliqué à comprendre!

— Tu l'aimes vraiment plus? Il me semblait cet été que c'était le plus beau et le plus gentil garçon de la Terre!

— C'est pas moi qui l'aime plus, c'est lui qui veut plus sortir avec moi! Tu sais qu'il m'a *flushée*!

— Sais-tu s'il a une nouvelle blonde?

— Non, mais depuis qu'il se tient avec ses chums d'école, il y a plein de filles qui lui tournent autour.

— Est-ce qu'elles valent plus que toi? Veux-tu savoir ce que je ferais à ta place?

— Tu peux toujours me le dire. De ce temps-là, j'ai pas le goût de rien, de toute manière. Depuis que la Pénélope est rentrée dans la maison, il y a plus rien de pareil. Elle a brisé notre famille!

— Tu dois pas t'en faire avec ça! La situation va s'arranger un jour ou l'autre. Ton père semble vouloir rattraper le temps perdu avec sa famille, mais ça fonctionne pas comme ça dans la vie.

Noémie appréciait les confidences de sa mère et ça créait entre elles un lien important à cette étape de sa vie.

— Tu parlais de Kevin tantôt, dis-moi, qu'est-ce que tu ferais à ma place?

— Je m'habillerais avec une superbe robe, comme j'en ai vu une cette semaine dans la vitrine de la boutique Nouvelle Mode, à Sainte-Agathe-des-Monts. Je pourrais t'aider à te coiffer et tu te maquillerais soigneusement pour lui en mettre plein la vue!

— Qu'est-ce que ça va changer? Kevin veut plus de moi!

— Fais-le pas pour lui, mais pour toi! Tu dois avoir

confiance en toi, c'est le plus important. S'il te parle, confirme-lui que tu vas bien et demande-lui comment il se porte de son côté. Pose-lui des questions sur ses études. Raconte-lui que tu dois aller voir un spectacle à Montréal très bientôt.

— Quel spectacle?

— Inventes-en un! N'importe lequel, mais choisis quelque chose de réaliste. Imagine un style de sortie qui te plairait.

Évelyne était parvenue à motiver sa fille à assister à la fête de Noël de l'épicerie et, dès le lendemain, elles étaient allées magasiner à la boutique.

La tenue qui était en vitrine ne convenait pas du tout au style de Noémie, mais elle ne savait pas que sa mère avait frimé quand elle lui avait affirmé avoir vu une robe qui lui irait bien.

Les conseillères suggérèrent à l'adolescente un chic bustier en denim avec un peu de dentelle noire, qu'elle porterait sur une longue jupe noire. C'était féminin, mais peu décolleté et tout à fait jeune. Noémie était très excitée par ces nouveaux vêtements. Les vendeuses lui montrèrent des boucles d'oreilles excentriques, que sa mère s'empressa de lui offrir.

Une simple séance de magasinage avait redonné la joie de vivre à l'adolescente.

Elle étrennerait le tout le lendemain soir en souhaitant que Kevin la trouve belle.

À la prison de Sainte-Anne-des-Plaines, Hugo était devenu très nerveux et il se disputait régulièrement avec des codétenus. Afin qu'il obtienne sa libération conditionnelle, Hulk lui avait demandé de participer au trafic de stupéfiants à l'intérieur des murs du pénitencier, une tâche dont il s'acquittait plutôt bien. On cherchait maintenant à ce qu'il en fasse un peu plus.

— Faut que tu trouves quelqu'un de l'extérieur pour rentrer du stock! avait-il demandé à Hugo.

— J'ai pas personne qui peut faire ça! Ça prend quelqu'un de sûr!

— Non, justement! Un épais ferait ben l'affaire! Pourvu que tu puisses le manipuler. Pense à un ami qui a besoin d'argent!

Hugo avait quelques connaissances dans la région de Val-David, mais c'était tous des récidivistes. Il n'aurait pas voulu qu'ils se fassent coincer et se retrouvent entre les murs, car il aurait pu écoper à son tour.

Une de ses sœurs venait le voir à l'occasion quand il était incarcéré, mais il ne voulait pas lui demander de commettre un geste illégal. Il trouvait qu'elle ressemblait à sa pauvre mère. Il souhaitait qu'elle puisse toujours continuer de lui parler, ce que le reste de sa famille avait cessé de faire depuis longtemps. Aussi, il ne voulait pas qu'un des gars du groupe de Hulk sache que sa sœur le visitait de temps en temps.

Il lui restait Monique, mais il se demandait comment il ferait pour la convaincre de participer à un trafic. Ce matin, Hulk lui avait à nouveau mis de la pression en le menaçant.

— Tu pourras jamais faire partie de la gang si t'es pas capable de faire ce qu'on te demande. Je te donne 48 heures pour trouver quelqu'un! Donne-nous son nom et on va s'arranger pour qu'elle fasse ce qu'on lui demande ! Juste un nom ! On a pas besoin d'adresse !

Quand il avait eu accès au téléphone, il l'avait appelée.

— Bonjour, Monique !

— Bonjour, qui parle ?

— C'est Hugo !

— Toi, mon…

— Non, raccroche pas ! J'ai besoin de toi ! Si tu m'aides pas, je suis pas mieux que mort !

— Je m'en sacre ! Crève, pourriture !

Et elle raccrocha sèchement. Hugo essaya de rappeler, mais elle ne répondit pas. Il essaierait à nouveau demain !

S'il donnait son nom à Hulk, il pourrait sauver sa peau, mais son groupe ferait de la pression auprès de la femme ! Or, jusqu'où iraient-ils ?

Hugo avait encore du temps pour penser à son plan, mais il lui faudrait prendre une décision d'ici peu.

———

Jusqu'à la dernière minute, Monique avait espéré que Robert l'invite pour le réveillon de Noël, mais il ne s'était pas manifesté.

Elle avait donc passé la soirée toute seule à noyer sa peine dans l'alcool.

Tôt, le lendemain matin, elle avait été réveillée par la sonnette de la porte d'entrée. Elle s'était levée précipitamment, excitée à l'idée que Robert ait décidé de venir lui offrir ses vœux et, qui sait, l'inviter pour la journée.

En arrivant à la porte, elle constata que c'était son frère qui était là.

— Joyeux Noël! lui lança Jean-Guy.

— Qu'est-ce que tu fais ici à matin? T'es pas avec ta gang à Labelle? Ta nouvelle famille! rétorqua Monique rageusement.

— Arrête, t'es de mauvaise foi! Je venais voir si t'avais le goût de nous accompagner chez ma tante Doris à midi. On serait toute la famille ensemble!

— J'en ai plus de famille, moi! Reste avec ta serveuse de restaurant! J'ai pas besoin de toi dans ma vie!

— Je t'ai rien fait! Pourquoi tu me traites comme ça? On est juste deux dans la famille.

— C'est parce qu'on est juste deux que t'as manigancé avec Claude pour acheter la maison de papa? Tu m'as joué dans le dos!

— T'aurais jamais voulu me la vendre et t'avais pas les moyens de la rénover.

— Qu'est-ce que t'en sais? Tu connais pas mes affaires!

— Oublie ça! Ça donne jamais rien de discuter avec toi! dit-il en lui tournant le dos.

— C'est ça! Tu peux oublier mon adresse!

Jean-Guy savait qu'il ne lui servait à rien de parler à sa jumelle quand elle était dans de telles dispositions. Elle était habitée par la hargne et la rancune. Mieux valait lui laisser vivre sa vie.

Il ne parlerait à personne de sa visite et de sa tentative d'invitation. Sa sœur était vraiment trop pathétique!

⚊

Encore cette année, le repas du midi de Noël aurait lieu chez Doris, mais Raoul serait absent. La semaine avant

Noël, Rita avait reçu un appel téléphonique plutôt spécial de sa fille Sylvianne.

— Bonjour, maman! Comment vas-tu?

— Bien! avait répondu cette dernière sans plus.

— Les dernières fois où on s'est parlé au téléphone, j'étais plutôt froide quand tu abordais le sujet de monsieur Raoul. Tu connais mon méchant caractère.

— Oui! Mais j'étais pas inquiète parce que je connais aussi ton grand cœur. Tu as toujours continué de m'appeler, malgré tout!

— Maman, j'ai parlé avec mon chum et il m'a fait réaliser que j'étais une fille égoïste.

— Non, dis pas ça! Tu es une fille extrêmement généreuse et serviable.

— Peut-être, mais je suis égoïste quand il est question de ma mère. Je veux pas te partager avec personne. Je m'excuse d'avoir été méchante avec toi et surtout d'avoir dit des niaiseries que je pensais pas.

— Tu es toute pardonnée! Je t'aime sans condition, Sylvianne! Oublie ce qui s'est passé!

— Maman, si je t'appelle aujourd'hui, c'est pour vous inviter, monsieur Raoul et toi, à venir passer le temps des fêtes chez nous, à Palmarolle. Vous pourriez dormir dans la chambre du plus vieux, qui va aller coucher chez sa blonde, de toute manière.

— Si tu savais comment tu me fais plaisir! Je me doutais bien que notre petite querelle durerait pas. J'ai vraiment hâte de te serrer dans mes bras!

— Moi aussi! Je t'aime, maman! Gros comme le ciel! avait-elle ajouté, comme lorsqu'elle était enfant.

Raoul avait plus tard appelé sa sœur pour lui annoncer la nouvelle de son départ prochain pour l'Abitibi et Doris lui avait assuré qu'elle était très heureuse pour lui. Toute sa famille serait autour d'elle et elle savait qu'elle verrait son frère à son retour.

—

Le 25 décembre, Dominique était arrivée tôt chez sa mère pour l'aider à préparer le dîner de Noël. Contrairement aux autres années, le réveillon avait eu lieu chez Laurence et Claude, malgré le fait que la jeune femme était enceinte de jumeaux. Ils avaient utilisé les services d'un traiteur et tout le monde avait mis la main à la pâte.

Le jeune couple avait offert à Évelyne et Xavier de prendre la relève en sachant fort bien que ceux-ci n'étaient pas en très bon terme ces temps-ci. Évelyne avait rapidement accepté. Ils seraient de la fête, mais ils n'en seraient pas les hôtes.

Comme tous les ans, il y avait eu de la nourriture pour une armée. Bruno était revenu à la maison avec sa grand-mère, afin d'être là le matin pour voir arriver la visite. Il ne voulait jamais rien manquer des événements familiaux. Il avait toutefois pensé à apporter quelques-uns des cadeaux qu'il avait reçus pour pouvoir s'amuser.

Pour le repas du midi, Bruno avait choisi de revêtir son costume de Columbo. C'était une suggestion de sa grand-mère, qui voulait créer un peu d'ambiance festive, car elle sentait la famille quelque peu perturbée.

— Maman, arrête de tourner autour de la table comme ça, tu m'étourdis! demanda Dominique qui trouvait sa mère particulièrement nerveuse cette année.

— Il faut que ce soit parfait! Il me semble qu'il manque des affaires. As-tu sorti les atacas[28]?

— Oui, ils sont dans un plat au frigo. Comme la dinde est encore dans le fourneau! ironisa-t-elle.

— Dominique, répliqua Patrick, essaie d'être plus patiente. Ta mère est un peu énervée, et c'est normal. Dans quelques mois, elle va être grand-mère à nouveau! C'est pas reposant, ça!

— Toi, Patrick, ris pas de moi! répondit Doris, qui aimait bien l'humour de son gendre.

— Une auto arrive! avertit Dominique. Prépare-toi, Columbo!

C'est donc le petit bonhomme de 11 ans qui reçut chacun des invités, vêtu de son imperméable beige défraîchi, laissant voir une chemise blanche et une petite cravate noire. Il avait enduit ses cheveux de gel coiffant afin qu'ils puissent tenir avec une raie sur le côté. Doris l'avait aidé à préparer son scénario et elle lui avait même trouvé un cigare jouet, qu'il mâchouillait en récitant les phrases cultes de son personnage.

Mariette et Jean-Guy arrivèrent les premiers. Ils étaient heureux de pouvoir parler de la vente de leur restaurant. Ils ne diraient rien pour l'achat de la maison familiale, souhaitant attendre que les travaux soient commencés avant d'ébruiter la nouvelle.

— Monsieur Moreau, lança Bruno, j'ai là une petite note qui me dit que vous pourriez être venu ici avant aujourd'hui!

— C'est certain, monsieur Columbo, répondit Jean-Guy en jouant le jeu. Quand j'étais p'tit gars, c'est ici que je

---

28 Atacas: canneberges.

volais des galettes à la mélasse! C'est ma tante Doris qui faisait les meilleures!

Tout le monde rigola! On se souhaita Joyeux Noël et tout de suite, on vit arriver Laurence et Claude. Les invités libérèrent l'entrée pour permettre à Bruno d'aller jouer sa scène.

— Monsieur Roy et madame Vaillant, je suppose?

— Oui, répondirent-ils en chœur. Vous êtes monsieur Columbo? Joyeux Noël à vous.

— Ma femme m'a dit qu'un voleur s'est déjà présenté chez vous et que votre associé a joué au hockey avec lui! Y a quelque chose qui me chiffonne là-dedans!

Les mimiques du jeune garçon et son accoutrement donnèrent le ton à la rencontre familiale. Les gens s'embrassaient en formulant leurs souhaits.

Évelyne, Xavier et Noémie arrivèrent par la suite. Pénélope ne se trouvait pas avec eux, tout comme elle n'était pas présente au réveillon de la veille. Elle avait été invitée par Manon Desjardins, une employée du bureau où travaillait son oncle. Celle-ci était à peine plus âgée qu'elle et les deux filles avaient développé une belle amitié. La nièce avait spécifié à Xavier qu'elle se sentait de trop dernièrement et elle ne voulait pas nuire à sa vie de famille.

Quand Bruno leur ouvrit la porte, c'est Noémie qui commença à jouer le jeu de la dame suspecte d'un crime.

— Monsieur Columbo, vous vous trompez quand vous affirmez que j'ai assassiné mon époux, cet homme qui était toute ma vie! J'estime que vous devriez orienter vos recherches ailleurs!

Après avoir écouté un peu sa sœur, Bruno adapta sa réplique.

— C'est fou comme un détail peut avoir son importance

quand on s'y attarde! Mais vous êtes très belle, chère Noémie, je vais le dire à ma femme!

Le spectacle de Bruno avait été réussi et avait créé un divertissement agréable.

Une fois tout le monde arrivé, quelques boissons alcoolisées furent servies. Plusieurs des invités les refusèrent, prétextant que la précédente fête s'était terminée suffisamment tard.

— Claude nous a fait des *drinks* assez costauds hier soir! Ma femme a été obligée de conduire! précisa Patrick. Je vous dis que quand t'es en boisson et que ta femme chauffe le *char*, c'est épeurant!

— T'étais mieux d'avoir peur que de conduire et de te faire pogner par la police! répliqua celle-ci.

Dominique s'occupait des derniers préparatifs afin que le dîner soit servi à une heure raisonnable, car certains invités devaient ensuite aller souper chez leur belle-famille.

Quand tout le monde fut bien installé, Doris en profita pour prendre la parole.

— Les enfants, étant donné que vous êtes tous là à midi, je vais en profiter pour vous annoncer que c'est malheureusement la dernière année que je vous reçois ainsi à la maison. Je m'étais promis de pas pleurer, ajouta-t-elle, en épongeant quelques larmes qui coulaient néanmoins, mais c'est plus fort que moi. Je vais bientôt faire une demande pour m'en aller rester à La Villa des Pommiers.

— Qu'est-ce qui t'a fait prendre cette décision? s'informa Dominique, qui ne connaissait pas les intentions de sa mère.

— On a vécu assez de problèmes dans la dernière année et je crois que le vol dans ma maison a été la cerise sur le *sundae*! Vous avez tout fait pour me sécuriser, mais je dors pas aussi bien qu'avant et je pense qu'à notre âge, on mérite d'avoir l'esprit tranquille.

— T'es certaine que tu vas aimer ça, vivre en résidence? s'inquiéta Évelyne, qui avait de la difficulté à imaginer que sa mère partirait de son environnement qu'elle chérissait tant.

— Je serai pas la première et pas la dernière à y aller! De là à savoir si je vais aimer ça, je pense qu'avec le temps, on s'habitue. Je sais que je vais vous voir tout autant. Les enfants qui allaient pas voir leurs parents quand ils étaient dans leurs maisons y vont pas plus quand ils sont en résidence! Je suis certaine que mon Columbo va continuer à venir me visiter! ajouta-t-elle en faisant un clin d'œil à Bruno, qui fondit en larmes et quitta la table.

Noémie se leva immédiatement pour aller consoler son frère au salon.

— Que tout le monde s'en aille au foyer, ça me dérange pas, mais pas mamie! Elle est pas assez vieille pour ça! larmoya-t-il.

— Écoute, Bruno, faut que tu comprennes qu'elle est toute seule dans sa maison et qu'on est pas toujours avec elle. Là-bas, elle se ferait des amis et elle aurait des activités, tenta de le rassurer Noémie.

— Mais moi, je pourrai pas y aller autant que je veux! C'est à Sainte-Agathe-des-Monts, cette place-là!

— Pleure pas! C'est pas encore fait! ajouta Claude, qui avait rejoint les enfants d'Évelyne. Viens t'asseoir avec nous à la cuisine. J'ai une idée!

Bruno l'avait suivi en essuyant ses yeux avec le revers de son imperméable.

— C'est la première fois que je vois Columbo verser des

larmes. Je vais le dire à ma femme! le taquina son oncle Claude en l'imitant.

Laurence fit un clin d'œil à son conjoint, lui signifiant ainsi qu'il était temps de présenter leur proposition.

— Maman, depuis déjà quelques mois, Laurence et moi avons discuté et on aimerait te soumettre une solution à ton problème. On pourrait mettre ta maison en vente, et pendant ce temps-là, tu viendrais habiter chez nous, comme au moment où il y a eu des travaux ici après le vol.

— Je veux pas aller rester chez mes enfants! Vous avez vos vies à vivre et la belle-mère a pas d'affaire là-dedans! s'exclama-t-elle. C'est quand même gentil de me l'offrir.

— Il faudrait que tu m'écoutes jusqu'au bout avant de nous dire ton opinion! Après tout, c'est moi l'homme de la famille! précisa-t-il en souriant.

Bruno prêtait attention aux propos de son oncle, souhaitant savoir comment le sort de sa grand-mère serait réglé, lui qui s'en faisait beaucoup pour elle.

— Tu occuperais donc la chambre d'amis pendant quelques mois, le temps qu'on change la configuration pour t'aménager ton propre logement. On transformerait notre maison pour en faire une intergénérationnelle. Tu ferais ton ménage et ta bouffe, mais tu aurais le droit de venir nous en porter. On pourrait communiquer de l'intérieur, mais tu aurais également ton entrée à l'extérieur pour les fois où tu recevrais tes chums!

— T'es pas pour te donner tout ce trouble-là pour moi! s'inquiéta Doris.

— Je fais pas ça pour toi! Je me prépare pour quand je vais être vieux! Mes enfants auront pas besoin de déménager. Je vais leur laisser la maison et je vais juste aller m'installer dans mon logement! ajouta-t-il à la blague.

— Dis oui, mamie! insista Bruno, qui était allé s'asseoir à côté d'elle. Je vais pouvoir aller te voir en bicycle l'été!

— Toi, Laurence, qu'est-ce que tu penses de ça? interrogea Doris. La belle-mère à côté de chez vous, pour la balance de tes jours!

— Je vais être la fille la plus heureuse de la Terre! De toute manière, avec mes jumeaux qui s'en viennent, je vais être contente de pouvoir compter sur une paire de bras de plus! Je serai jamais inquiète avec une bonne maman comme vous à mes côtés! Vous pourrez tout m'enseigner.

Tout le monde s'était réjoui du dénouement de l'histoire.

Jean-Guy se demandait cependant s'il n'aurait pas dû acheter la maison de Doris plutôt que celle de son père. Elle était en bien meilleure condition, mais il était maintenant trop tard.

Le bonheur avait toujours habité chez sa tante, tandis que dans la maison de son père, les querelles et l'indifférence lui avaient souvent fait ombrage!

CHAPITRE 26

Quelqu'un de trop

(Décembre 2008)

Maintenant que Noël était passé, Évelyne comptait bien prendre un peu de temps pour se reposer. Aucun événement majeur n'était prévu pour le jour de l'An, si ce n'est le réveillon qui, encore une fois, aurait lieu chez Laurence et Claude.

À l'occasion d'une petite soirée en famille, les membres du clan se réuniraient et, à 23 heures, ils écouteraient tous ensemble le *Bye Bye 2008*.

En attendant, c'était samedi et, chez Évelyne et Xavier, on avait prévu une activité familiale fort simple, une journée de cinéma maison. La température était clémente et une petite neige tombait en douceur.

Noémie avait dû aller travailler, mais Bruno était resté avec ses parents. Il jouait parfois au petit bébé gâté quand il avait toute l'attention tournée vers lui.

Pénélope n'était pas revenue à la maison depuis le 23 décembre. Elle avait appelé son oncle à quelques reprises, mais elle semblait s'être installée chez sa nouvelle amie Manon. Évelyne ne parlait pas de Pénélope et son conjoint non plus. On aurait dit qu'elle n'avait jamais existé dans leur vie.

La présence de la jeune femme parmi eux s'était avérée un malheureux accident de parcours, selon la mère de famille, qui avait trouvé les deux derniers mois particulièrement difficiles.

Étendus devant un feu de foyer, les parents se préparaient à regarder le film que Bruno avait choisi, *Un chien milliardaire*. Ensuite ils écouteraient une proposition d'Évelyne, puis la production préconisée par Xavier et finalement, le choix de Noémie, qui arriverait plus tard. Écouter ensemble quatre films dans une même journée, c'était un rituel du temps des fêtes chez eux.

Chacun leur tour, les membres de la famille faisaient une sieste et rataient une partie d'un film. Quand arrivait l'heure du souper, on commandait une pizza, que l'on dégustait au salon devant le téléviseur.

Cette année, la journée avait bien commencé, mais à 14 heures, Xavier reçut un appel de sa collègue Manon, qui lui apprit que sa nièce n'allait pas bien. Il sembla très surpris des propos qu'il entendait et, bien qu'il parlât à mots couverts, Évelyne sentit qu'il se passait quelque chose de spécial.

Quand Xavier termina son appel, il informa sa femme qu'il devrait s'absenter pendant quelques heures.

— Tu vas partir comme ça, sans rien dire de plus ?

— Je vais aller voir Pénélope, elle va pas bien ! C'est tout ! Je suis resté avec vous tous les jours depuis le 23 décembre. Quand bien même je sortirais un après-midi !

— C'est ça ! On est pas assez bien pour mademoiselle, ça fait que tu vas te plier à tous ses caprices !

— Évelyne, arrête tes enfantillages !

Xavier prit sa douche. Il revêtit ensuite un jeans et le plus beau chandail qu'Évelyne lui avait offert en cadeau de Noël. Quand il passa devant le salon pour l'avertir qu'il partait, elle se leva pour aller lui parler.

En approchant, elle réalisa qu'il s'était aspergé de sa lotion préférée, qu'il ne portait qu'en de rares occasions.

— Xavier Leroy, tu t'en vas où comme ça?

— Je te le répète, je vais voir ma nièce à Mirabel! Elle est chez Manon, une secrétaire du bureau. Sa famille a eu la gentillesse de l'accueillir pour le temps des fêtes, parce qu'ici, elle était de trop!

— C'est pour elle que tu t'es habillé avec ton plus beau linge et que tu sens le parfum à plein nez? Prends-moi pas pour une valise!

— Toi et ta jalousie maladive! Ça va me faire du bien de prendre l'air un peu.

Bruno faisait semblant de dormir, mais il avait tout simplement déposé une douillette sur sa tête pour éviter d'entendre ces discussions orageuses, habituelles entre ses parents. Un jour ou l'autre, sentait le garçon, les choses allaient éclater!

Xavier était parti, mais Évelyne demeurait en furie. Elle prit le téléphone et composa le dernier numéro appelé. Quand un homme répondit, elle demanda à parler à Pénélope.

— La petite est couchée, rétorqua celui-ci.

— Qu'est-ce qu'elle a? s'informa Évelyne, pour s'assurer que l'état de la jeune femme n'était pas trop grave.

— Je sais pas vraiment, mais ça fait déjà quelques jours qu'elle est pas bien. Vous savez, quand on est malade et qu'on est chez des étrangers, c'est pas drôle. Je crois qu'elle va devoir aller à l'hôpital.

— C'est peut-être juste une indigestion? suggéra Évelyne pour dédramatiser la situation.

— On est pas médecin personne, mais ma femme a élevé cinq enfants et elle m'a confié qu'elle était inquiète pour la petite. On la connaît pas beaucoup et on s'est déjà attachés à elle.

— Merci, monsieur, mais s'il vous plaît, dites pas à Xavier que j'ai appelé quand il va arriver. Ça pourrait l'inquiéter pour rien. Il en a assez à gérer pour l'instant.

Puis, Évelyne s'effondra sur le divan! Des larmes coulaient sur ses joues et elle avait l'impression que le monde s'écroulait sous ses pieds.

Pourquoi sa vie était-elle si compliquée?

Soudain, Bruno sortit de sous les couvertures et il vint se coller contre sa mère en l'entourant de ses petits bras. Il ne savait pas encore tout ce qui se passait, mais il comprenait que c'était grave. Il voulait jouer un rôle auprès d'Évelyne, qu'il sentait triste comme les pierres.

— Maman, fais-toi z'en pas! On va s'en sortir! la rassura le garçon. Moi, je vais toujours être avec toi! Comme Claude avec mamie!

Monique n'écoutait pas ou très peu les nouvelles et surtout pas durant le temps des fêtes. Elle était déprimée et n'avait le goût de rien faire. Tout ce qui lui passait par la tête était teinté de noir. Soudain, la sonnerie du téléphone la sortit de sa rêverie.

— Allô, c'est Suzanne!

— Je t'avais reconnue. De toute façon, il y a rien que toi qui m'appelles maintenant.

— Il aurait fallu que tu y penses avant de foutre ton frère dehors! Au moins, lui te donnait signe de vie de temps en temps! attaqua la cousine.

— Si tu m'appelles pour me faire suer, tu peux raccrocher tout de suite! J'ai pas besoin de me faire faire la leçon! rétorqua sèchement Monique.

— As-tu écouté la télé à midi? Ils parlaient d'Hugo Fréchette! fit Suzanne pour changer de sujet.

— Non, qu'est-ce qu'il a fait encore? J'espère qu'il s'est pas évadé parce que ça me tente pas de m'énerver pour un enfant de chienne de même!

— T'auras plus besoin de t'inquiéter. Il s'est fait poignarder dans la cour de la prison. Ils ont dit que le coup avait été fait avec une arme artisanale! Ça a l'air qu'il était pas encore mort quand ils l'ont trouvé, mais il est décédé en arrivant à l'hôpital.

— Entre moi pis toi, c'est rien qu'un bon débarras! Il nous en a fait voir de toutes les couleurs dans les dernières années! confirma Monique.

— C'est quand même triste! Mourir comme ça dans le temps des fêtes! s'émut Suzanne.

— Mourir là ou à Pâques, c'est quoi la différence? Le monde est bizarre quand ils passent des commentaires de même.

— Tu t'es levée du mauvais pied à matin, toi! Il me semblait que t'étais fière d'avoir finalement vendu ta maison! Même ton histoire d'héritage va finir par se régler d'ici quelques jours.

— Je me retrouve à la même place où j'étais il y a trois ans! Assise toute seule dans mon logement à me morfondre.

— Veux-tu venir faire un tour chez nous? On pourrait regarder un film ou jouer aux cartes, offrit Suzanne.

— Ça sera pas plus drôle chez vous qu'icitte!

— As-tu vu ton oncle Raoul dans le temps des fêtes?

— Non. J'ai voulu aller le voir, mais on m'a dit que monsieur était parti pour un bout.

— Où c'est qu'il a bien pu aller?

— J'ai su par Claude qu'il était monté en Abitibi chez la fille de sa pitoune, Rita Blanchard.

— C'est sérieux, cette affaire-là, coudonc! Cette femme-là est pas mal plus jeune que lui! Elle a au moins une dizaine ou une quinzaine d'années de moins, je dirais!

— En tout cas, je serais pas surprise qu'elle s'occupe rapidement de son compte de banque. C'est le genre de femme qu'il faut avoir à l'œil.

— T'as bien raison! Ça prend toutes sortes de monde pour faire un monde!

— Heureusement que je m'occupais des affaires de papa, parce qu'elle aurait pu faire la même chose avec lui! Dès la première journée, je l'avais *sizée*!

À force de déblatérer sur l'un et sur l'autre, Monique avait repris du poil de la bête. Elle se délectait à la pensée que Dominique se fasse damer le pion par Rita!

Heureusement qu'elle avait sa cousine pour partager et alimenter ses critiques.

—◆—

À Palmarolle, en Abitibi, Sylvianne et sa famille avaient reçu la grand-maman Rita et son conjoint avec beaucoup d'enthousiasme. Les enfants avaient particulièrement aimé Raoul, qui était plutôt blagueur.

Le voyage en autobus aurait été trop difficile pour eux et Rita refusait de prendre l'avion. Sylvianne avait donc communiqué avec son cousin de Montréal. C'est lui qui emmenait habituellement sa mère dans la région à cette période de l'année.

— Ça va me faire plaisir! avait mentionné le cousin lorsqu'elle lui avait présenté sa demande. Même s'ils sont deux, ça change rien pour moi. Je passe par là de toute manière!

— Tu vas voir, monsieur Moreau, son ami, est un homme très gentil, avait assuré Sylvianne.

— Je vais l'asseoir avec moi en avant. C'est moins long quand on a quelqu'un avec qui jaser. Les femmes vont être bien installées en arrière et je suis certain qu'elles manqueront pas de sujet de conversation.

— Je vais être moins inquiète comme ça. C'est une longue route pour eux autres.

— T'as pas à t'en faire. L'été passé, je me suis acheté une nouvelle Dodge Grand Caravan tout équipée. Je te dis que c'est le grand confort là-dedans! Il y a même des sièges baquets en arrière! Les femmes vont pouvoir prendre leurs aises.

— Qu'est-ce que je ferais si je t'avais pas? T'es quasiment comme mon frère! s'était ému Sylvianne.

— Faudrait pas que t'oublie de me préparer mon dessert préféré, par exemple! Je descends en Abitibi rien que pour ça!

— Garanti! Je vais te faire ton pouding aux ananas et en prime, t'auras droit à mon super sucre à la crème!

Raoul avait l'impression d'être un adolescent en fugue.

Il avait apprécié ce voyage, pendant lequel Rita lui avait raconté le déroulement de son précédent temps des fêtes.

Une fois sur place, Florent, le conjoint de Sylvianne, leur avait fait visiter les environs et ils avaient participé à une soirée en hommage à certains bénévoles de la région.

— Ça fait à peine une semaine qu'on est ici et on a déjà rencontré plein de gens! remarqua Raoul, qui appréciait chaque minute de ce périple.

— C'est comme ça quand on vient en région! ajouta Sylvianne. Tout le monde réagit de la même manière.

— J'ai déjà passé par ici quand j'étais voyageur de commerce, mais je me reconnais plus! reconnut Raoul. Je vous dis que les routes, dans ce temps-là, c'était pas comme aujourd'hui. Des chemins en *garnotte*, y en avait un pis un autre. C'est bien normal, ça fait au moins 50 ans de ça.

— Quand on était jeunes, et qu'on allait dans des chemins comme ça, j'avais toujours mal au cœur! Tu te rappelles, maman?

— Oui, j'ai pas oublié! Ton père était pas patient, dans ce temps-là. On a essayé toutes sortes d'affaires pour te soulager. Te souviens-tu qu'il avait fait installer une petite chaîne qui traînait en dessous de l'auto? C'était censé t'empêcher d'avoir le mal des transports.

— Avec mes enfants, j'ai utilisé l'homéopathie, mais ça a pas fonctionné pour tout le monde. Il y en a pas deux pareils! Moi, je peux comparer, mais toi, maman, tu pouvais pas, parce que j'étais toute seule!

— Non, mais j'ai eu du bon temps avec toi, ma fille! Tu as été ma planche de salut. Il y a des fois où si t'avais pas été là, j'aurais peut-être flanché.

— C'est réciproque ça, maman! *On est faites l'une pour*

l'autre! chanta-t-elle en se moquant du timbre de voix country du groupe québécois Jerry et JoAnne.

Raoul s'amusait de voir son amie si heureuse en présence des siens. Il se berçait, assis près de la fenêtre ayant vue sur la rue. En même temps qu'il lisait des articles dans le *Journal Le Pont*, un mensuel communautaire palmarollois, son regard était attiré par les véhicules qui circulaient sur la rue. Tout se déroulait à un rythme apaisant. On avait l'impression que le temps s'était arrêté.

— Aimeriez-vous aller visiter un endroit en particulier pendant que vous êtes ici? demanda Sylvianne en bonne hôtesse.

— Non. L'hiver c'est pas le meilleur temps pour sortir, intervint Rita. Je suis pas mal frileuse! Je propose qu'on revienne en été pour découvrir la région.

— Là tu parles, maman! Si vous veniez passer des vacances ici, on pourrait faire plein de sorties ensemble. Il faudrait que vous restiez au moins deux ou trois semaines pour qu'on ait le temps d'en profiter.

— Je m'en souviens! Une année, on était allées au marché public ensemble. Je voulais plus partir tant il y avait des belles affaires!

— As-tu dit à monsieur Raoul que l'ancien gardien de but du Canadien, Rogatien Vachon, venait de Palmarolle? On pourrait visiter l'exposition en son honneur à l'aréna.

— C'est une bonne idée! répliqua Raoul, qui écoutait avec plaisir les deux femmes élaborer des projets pour l'été suivant. Moi, j'aimerais aussi avoir la chance d'aller à la pêche avec Florent ou avec un de tes gars. Quand je venais en Abitibi, dans le temps, c'était pour l'ouvrage et j'avais pas une minute pour penser à ça!

— Parfait! On va vous organiser des belles vacances!

— Tu vis dans une belle région, Sylvianne! reconnut Raoul.

— C'est une communauté tissée serré! Je sais que je vis loin des grandes villes, mais c'est ma place, ici! Même si je m'ennuie parfois de ma mère, maintenant que je vous connais, monsieur Raoul, je vais moins m'en faire. Je sais qu'elle est bien avec vous!

— En tout cas, je voudrais vous remercier de m'avoir invité ici cette année. Vous m'avez fait vivre des beaux moments!

La veille, quand Raoul avait appris qu'Hugo avait été tué en prison, il avait mal pris la nouvelle et tout le monde avait fait son possible pour lui changer les idées. Finalement, Rita avait tenté de lui faire comprendre que ce garçon était le seul responsable de son malheur.

— Je le sais, mais je pensais au temps où il était petit et que j'en avais pris soin comme si c'était le mien! avait avoué le vieil homme. De le voir dégringoler comme ça au cours des années, ça m'a blessé. Le pire, c'est quand il a fait des dommages chez ma sœur et ses enfants! Là, j'ai réalisé qu'il tombait toujours plus bas, mais jamais je pensais qu'il finirait comme ça!

— Probablement que les plus beaux moments de la vie de cet homme-là, c'est toi qui les lui as fait vivre! Console-toi avec ça! l'avait réconforté Rita.

En arrivant au travail, le lundi, Monique se rendit dans le bureau du gérant pour discuter de l'horaire qui lui avait été proposé pour les deux prochaines semaines.

Même s'il n'était pas là, elle se permit d'entrer, comme elle le faisait à l'occasion. Elle vit sur le dessus d'un pigeonnier[29] un dossier au nom d'une caissière qui avait démissionné récemment. Elle ne put résister à l'envie de regarder les documents qu'il contenait. Elle trouva une feuille qui traitait de vol à l'étalage. Elle referma le dossier et repartit dans la pharmacie, où elle trouva une employée, auprès de qui elle s'informa.

— As-tu su pourquoi la petite brune est partie avant Noël?

— Non. Elle m'a seulement dit qu'elle voulait faire autre chose.

— As-tu pensé qu'elle aurait pu être surprise à voler de la marchandise et qu'elle aurait été mise à la porte?

— Non, pis ça me surprendrait! Son père était policier à la Sûreté du Québec!

— Ça veut rien dire, ça! Il y a des pommes pourries dans toutes les familles, ou presque!

— Où t'as pris ça, cette information-là, toi?

— J'ai mes sources et elles sont fiables! spécifia Monique avant de retourner disposer de la marchandise.

Environ une heure plus tard, le gérant de la pharmacie convoqua l'employée à son bureau. Elle se demandait bien ce qu'il lui voulait.

— Monique, j'ai une seule question à vous poser. Avez-vous parlé avec la caissière du départ d'une employée ce matin?

— Oui! Tout le monde savait qu'elle était partie, de toute manière, se défendit la commis.

---

29 Pigeonnier: case, casier.

— Est-ce que d'après vous, cette fille-là aurait dû rester à l'emploi de la pharmacie?

— Non, c'est certain! Quelqu'un qui vole son patron, c'est pas correct! Vous avez bien fait de la mettre à la porte! confirma Monique.

— Qui vous a dit qu'on l'avait congédiée?

— C'est pas vrai? Pour du vol à l'étalage?

Le gérant ouvrit le dossier qui se trouvait sur son bureau et dans lequel une feuille parlait de ce délit.

— C'est de ça que vous parlez?

— Oui, exactement! Vous pouvez pas travailler avec du monde qui vous vole! C'est impossible!

— Cette dame-là nous volait pas, comme vous dites! Elle est partie travailler pour une agence de sécurité spécialisée dans les vols à l'étalage. Elle nous a remis ce document-là au cas où on déciderait d'avoir recours aux services de son nouvel employeur.

— Tant mieux pour elle! répliqua Monique, qui se sentait prise dans un étau.

— Vous êtes venue dans mon bureau et vous avez fouillé dans mes dossiers!

— Je cherchais juste la cédule de la semaine prochaine! mentit-elle.

— Monique Moreau, vous êtes congédiée immédiatement! Encore une fois, vous avez manqué à votre devoir de confidentialité et en plus, vous avez colporté des propos mensongers à l'égard d'une femme honnête. Vous pourriez être poursuivie pour ça. Ramassez vos affaires et partez tout de suite! Je vous ferai parvenir vos documents de cessation d'emploi par courrier.

— Vous pouvez pas me *clairer*[30] comme ça, à la veille du jour de l'An!

— Pourquoi pas? Vous êtes indiscrète le dimanche comme la semaine! Moi, y a rien qui m'empêche de faire des mises à pied dans le temps des fêtes! Je vous ai avertie plusieurs fois, mais on dirait que vous comprenez rien! Cette fois, c'est définitif! Dehors!

Monique se retrouvait donc sans emploi, encore une fois. Comment annoncerait-elle la nouvelle à Suzanne? Elle devrait se trouver une bonne raison pour avoir quitté son poste, mais surtout un autre boulot!

---

30 *Clairer*: congédier.

CHAPITRE 27

Résolutions

(Janvier 2009)

Au cours du mois de janvier, tous les documents relatifs à la succession d'Hector Moreau avaient été complétés. Il avait fallu près de 11 mois pour y parvenir, mais le notaire avait expliqué aux deux enfants du défunt qu'il s'agissait là d'un délai normal, de nos jours. Les héritiers devaient attendre de plus en plus longtemps pour obtenir les formulaires gouvernementaux nécessaires aux déclarations de revenu des personnes décédées.

Jean-Guy et Monique avaient tous les deux encaissé une somme de 13 432 dollars et quelques cents. Cela représentait tout de même un beau legs pour un homme qui avait travaillé comme ébéniste durant toute sa vie.

«Enfin un dossier réglé!», s'était réjoui Jean-Guy, qui n'avait plus le goût de se chamailler avec sa sœur. Même s'il ne parvenait pas à s'entendre avec elle, il souhaitait qu'elle puisse un jour trouver un sens à sa vie. Il ne la laisserait cependant pas empoisonner son existence.

Jean-Guy et Mariette étaient maintenant propriétaires de l'ancienne maison d'Hector. Tout de suite après le jour de l'An, Claude avait entrepris les rénovations. À raison d'une ou deux fois par semaine, Jean-Guy venait voir l'avancement des travaux. Il en profitait alors pour aller visiter sa tante.

— Vous êtes pas tannée de nous voir arriver toutes les semaines ? interrogea le neveu en entrant chez Doris.

— Non, au contraire ! Vous me dérangez jamais ! Ça fait de la vie dans la maison ! Depuis le temps des fêtes que j'ai la grippe et que je sors pas ! J'ai pas encore voulu aller m'installer chez mon fils et ma belle-fille, comme c'était prévu. J'ai peur de contaminer la pauvre petite femme. Avec sa grossesse, ce serait pas l'idéal. Je suis quand même bien dans ma maison et Bruno vient me voir souvent. Il insiste pour me donner des becs sur le front parce que je lui ai dit que je voulais pas qu'il attrape mon virus.

— Il est tellement drôle, ce petit bonhomme-là ! déclara Jean-Guy.

— Je voudrais qu'il reste toujours petit comme ça ! avoua Doris en toute candeur.

— Jean-Guy est assez content de revenir dans la région ! précisa Mariette, qui se réjouissait du bonheur de son mari.

— Je pense qu'à la retraite, il faut faire ce qu'on aime. Vous avez travaillé assez fort pour vous reposer aujourd'hui !

— Les travaux qu'on fait maintenant sont moins intéressants pour Mariette, mais moi, j'aime bien suivre toutes les étapes de la rénovation de la maison.

— Ça vous fait pas mal de promenage[31] de Labelle à Val-David, mentionna Doris.

— Oui, mais il y a pas de trafic dans notre coin. Si on était à Montréal, ce serait différent. Vive la campagne !

— J'ai deux chambres vides. Pourquoi vous viendriez

---

31 Promenage : déplacement fastidieux d'un endroit à un autre.

pas coucher ici de temps en temps ? Ça me ferait de la compagnie, je me sentirais en sécurité et vous feriez moins de route.

— Vous êtes bien gentille, répondit Mariette, mais on voudrait pas déranger !

— Si je vous l'offre, c'est parce que ça fait mon affaire. Et toi Mariette, plutôt que de passer des longues heures sur le chantier, tu pourrais venir ici. On en profiterait pour jaser ensemble. En tout cas, sentez-vous bien à l'aise !

— Si Jean-Guy le pouvait, il serait ici tous les jours, mais moi j'ai de l'ouvrage à la maison. Je veux être prête quand va venir le temps du déménagement. Par contre, je vais peut-être profiter de votre offre et vous l'envoyer de temps en temps avec sa valise ! répondit Mariette en rigolant et en jetant un regard à son mari.

— Ça serait le plus beau cadeau que tu pourrais me faire ! J'ai toujours aimé Jean-Guy comme un des miens. Quand les jumeaux sont nés, j'avais 19 ans et je les ai gardés souvent. Dans ce temps-là, je m'entendais plutôt bien avec Jacqueline, ta mère. Malheureusement, ça s'est gâté avec les années ! Comme dans bien des familles !

— Je me rappelle que vous nous ameniez faire des pique-niques sur le bord de la rivière. On en profitait pour cueillir des bouquets de fleurs sauvages qu'on rapportait à notre mère.

— C'était le bon temps ! C'est drôle que tu te souviennes de ça !

— Ça va faire bientôt un an que papa est mort et ce qui me fait le plus mal, c'est que Monique l'a fait enterrer quand on était pas là ! Je pense que je lui pardonnerai jamais !

— Moi aussi, ça m'a blessée, mais Raoul m'a raisonnée là-dessus. Il m'a dit que de toute manière, notre frère était bien sous terre et qu'on pouvait toujours le prier. Il a ajouté que ça faisait longtemps qu'il considérait Monique comme une grande malade.

— Oui, c'est ce que j'essaie d'expliquer à Jean-Guy aussi, quand il me parle d'elle. Faut pas être bien dans sa tête pour toujours chercher à heurter les gens autour de soi. Je me dis qu'elle a peut-être subi un traumatisme grave dans son enfance pour avoir autant de rage en dedans. Elle aurait besoin d'aide, mais c'est certain qu'elle ira jamais consulter, philosopha Mariette.

— Faut que je vous demande une affaire, ma tante. Avez-vous des photos de notre famille quand on était jeunes et quand mon père était garçon ? Monique les a toutes gardées et elle refuse de m'en donner. Plutôt que de me chicaner avec elle, j'aime mieux m'en passer et vous en demander à vous.

— La prochaine fois que tu vas venir, apporte ta valise et viens passer quelques jours avec moi. Tu travailleras à ta maison le jour et le soir, on triera des photos. Cette année, j'ai pris la résolution de faire un grand ménage là-dedans parce que moi aussi, je vais déménager au printemps.

— C'est un marché, ma tante ! Vous me raconterez vos secrets !

— Et toi, les tiens !

—◆—

Au jour de l'An, Évelyne avait pris la résolution de mettre de l'ordre dans sa vie. Elle ne pouvait plus continuer ainsi ! Elle devait retrouver confiance en elle et avant tout, elle désirait cesser de prendre de la médication. Ces pilules ne lui offraient que des heures de sommeil profond, mais pas de réel réconfort. Au réveil, elle se retrouvait au même point où elle en était la veille et tout était à recommencer.

Au début du mois de janvier, elle avait choisi d'aller rencontrer une intervenante au CLSC et celle-ci lui avait fait réaliser qu'elle n'était pas la seule femme à vivre de tels questionnements au cours de sa vie.

— Vous savez, madame Roy, que vous êtes probablement en ménopause ou en préménopause. Cette étape entraîne beaucoup d'impacts dans la vie des femmes.

— Ma mère a eu sa ménopause et elle est pas devenue folle pour autant! avait-elle lancé avec conviction.

— Il n'y a pas deux femmes qui sont pareilles et vous n'avez pas le vécu de votre mère non plus. Vous pourriez aussi consulter un psychologue.

— Exagérez pas! J'ai toujours été nerveuse, c'est juste que c'est pire maintenant. Il m'est arrivé assez d'affaires dans la dernière année que je me demande pourquoi je suis pas plus mal que ça!

— Vous venez de le dire, vous avez vécu une année difficile. Vous auriez peut-être besoin de quelqu'un pour vous aider à faire le point. Quand on a mal au pied, on voit un podiatre. Pour les émotions, c'est une autre spécialité, tout simplement.

La discussion s'était poursuivie avec la professionnelle et Évelyne était ressortie de cette rencontre avec plus d'assurance. Une infirmière du CLSC avait pris la peine de lui expliquer la façon d'arrêter progressivement sa médication afin de ne pas subir d'effets secondaires dus au sevrage.

Évelyne avait refusé de prendre un rendez-vous avec un psychologue pour l'instant, car elle se sentait déjà plus calme.

Noémie avait repris ses fréquentations avec Kevin et ils venaient souvent passer des soirées à la maison. Évelyne leur préparait de bons repas et faisait entièrement confiance à sa fille, qui faisait preuve d'une belle maturité.

Bruno, pour sa part, voulait participer à toutes les activités familiales. Les travaux qui avaient cours chez l'oncle Jean-Guy l'intéressaient énormément. Claude lui avait fourni un petit tablier de menuisier, un marteau et des gants de travail. Quand il en avait assez de seconder les hommes au chantier, il retournait chez sa grand-mère, avec qui il partageait les repas. Il y passait habituellement la nuit, convaincu que sa mamie dormait beaucoup quand il était là.

Évelyne avait le cœur brisé, mais elle s'étourdissait dans le travail qu'elle accomplissait à l'épicerie. Elle ne comptait pas ses heures et appréciait la latitude que son patron lui laissait au point de vue administratif.

Elle avait entrepris de créer des fichiers pour comptabiliser les ventes selon les différents départements, mais surtout pour faire des comparaisons avec les années précédentes. Elle pouvait alors cibler les produits sur lesquels elle devait mettre l'emphase en matière de publicité et de promotion. Tous les mois, elle espérait dépasser ses objectifs.

Monsieur Godin était très satisfait de son travail et il la félicitait régulièrement.

— Quand je pense que je suis passé à deux doigts de vous laisser partir! avoua-t-il, contrit, un jour.

— Si votre femme avait voulu prendre le poste, ça aurait très bien pu arriver.

— Elle aurait jamais investi autant de temps que vous le faites! C'est même trop, des fois. Vous allez vous épuiser!

— Quand j'aurai besoin de congés, je vous le dirai. Pour

l'instant, ça fait mon affaire d'avoir moins de temps pour jongler!

— Vous allez être récompensée parce que dans les travaux d'agrandissement, j'ai prévu un plus grand bureau, juste pour vous! Je trouve ça malheureux de vous voir enfermée pendant de longues heures dans ce petit local.

— C'est vrai que c'est pas le grand luxe! J'ai vraiment hâte à la fin des rénovations! Est-ce qu'il va y avoir une fenêtre dans mon nouveau bureau?

— Comme on va créer un deuxième étage, votre bureau et le mien seront en haut. On va avoir chacun une grande fenêtre qui donnera sur la rue Principale! On va avoir l'air climatisé et le chauffage central, donc ça va être fini d'avoir froid aux pieds!

— J'ai déjà commencé à faire le tri dans les vieux documents. Je voudrais qu'on achète des bacs en plastique pour pouvoir garder les archives et les classer par année.

— C'est une belle initiative. Pour les filières, on va en avoir des neuves. La semaine prochaine, on va aller ensemble choisir les meubles de bureau et les classeurs assortis.

— Ça va être le grand luxe! Un bureau neuf pour moi toute seule! Si c'est comme ça, j'aurai plus le goût de m'en retourner chez nous! échappa Évelyne.

— Parfois, le travail est un simple prétexte. L'important, c'est d'avoir une place où on se sent bien et des gens avec qui on peut parler si on en a le goût.

— Vous avez pas besoin de mes problèmes! Vous avez pris votre retraite pour venir vous reposer dans le Nord, avec votre épouse et votre fils. Profitez de votre bonheur, sans vous inquiéter pour les autres.

— Des fois, le gazon a l'air plus vert chez le voisin, mais

c'est pas toujours vrai! Si je suis déménagé ici, c'est que ma femme avait une aventure. Une autre, je devrais dire!

— Je suis désolée, je pouvais pas savoir, regretta Évelyne.

— Quand j'ai vendu mon commerce en ville, je pensais que ça réglerait le problème. Je croyais qu'ici, on recommencerait une autre vie, particulièrement en gérant ce magasin ensemble. Je suis tellement naïf!

— Vous êtes sévère avec vous-même! Vous avez fait ce que vous pensiez être le mieux.

— Je m'étais joliment trompé! Tout de suite après les fêtes, elle est partie en Floride avec une amie, du moins, c'est ce qu'elle m'a dit. Elle est censée revenir à la fin avril! J'ai mes sources et je sais qu'il ira la retrouver là!

— Vous pouviez pas y aller, en Floride, avec elle? J'aurais pu m'occuper du commerce pendant votre absence.

— Elle voulait pas que je sois du voyage! Tout était prévu et elle m'a mis devant le fait accompli! Dès son retour, au printemps, j'aurai amorcé les procédures de divorce!

— C'est triste de voir des gens se séparer, quand ils pourraient vivre de si beaux moments! Et pour Kevin, qu'est-ce qui va arriver, d'après vous?

— Je lui en ai pas encore parlé, mais je devrai le faire prochainement. Il est assez vieux maintenant pour affronter la situation. J'aurais pas voulu le priver de sa mère quand il était jeune adolescent.

— Si je peux vous être d'une aide quelconque, hésitez pas! Avoir su, je vous aurais pas importuné avec mes états d'âme!

— Pas de problème, c'est du donnant-donnant! confirma le patron.

Monsieur Godin sortit du bureau et il revint quelques minutes plus tard.

— Évelyne, êtes-vous occupée pour le souper ? J'aimerais vous inviter au restaurant.

— Vous êtes bien certain ?

— Oui ! Plutôt que de parler debout à côté d'un photocopieur, ce serait beaucoup plus plaisant d'être assis dans une belle salle à manger, non ?

— Vous avez tout à fait raison !

— Je passe vous prendre à 18 h 30, ça vous va ?

— Tout à fait ! Je serai prête !

— À plus tard ! lança-t-il alors en repartant, heureux de sa décision.

Il y avait déjà un moment qu'il admirait son employée, mais il n'aurait pas voulu nuire à sa famille. Il avait eu vent par son fils de tout ce qui se passait chez les Leroy et il souhaitait tenter sa chance auprès d'Évelyne. Il avait été un homme fidèle toute sa vie, mais il était maintenant prêt à penser à lui. Il lui restait de belles années à vivre et il souhaitait connaître encore le bonheur !

Le samedi matin, Raoul attendait toujours l'arrivée du prêtre qui venait à la résidence pour célébrer la messe à 11 heures. Il préparait la salle avec un autre résident, mais c'était toujours lui qui allait accueillir l'homme d'Église.

Il prenait alors charge de la valise chapelle[32], qui contenait le calice, la patène, une croix, deux chandeliers, les saintes huiles, un goupillon et deux manchons d'étoles.

---

32 Valise chapelle : bagage contenant tout le nécessaire pour célébrer la messe lors de voyages ou de déplacements.

Quand il était plus jeune, Raoul s'était toujours impliqué dans sa paroisse. Pendant de nombreuses années, il avait été marguillier[33]. Il était né à proximité de l'église et il s'y sentait bien.

Le prêtre qui se déplaçait pour venir à la résidence était une de ses connaissances et Raoul aimait bien discuter avec lui après la célébration. Aujourd'hui, l'amoureux de Rita s'était préparé pour justifier son absence au cours des dernières semaines.

— Raoul, penses-tu que t'es rendu à l'âge de pouvoir manquer la messe?

— Non, j'étais en voyage en Abitibi. Dites-moi pas que vous vous êtes ennuyé de moi? J'ai été parti juste une dizaine de jours.

— Ta famille reste pourtant alentour! Pourquoi t'es allé là-bas pendant le temps des fêtes?

— J'ai été invité à visiter la famille de mon amie, Rita.

— Dix jours, c'est pas rien! Tu dois l'aimer ton amie pour partir de même!

— Oui, je l'aime! Vous avez raison!

— À ton âge, ça s'appelle comment?

— Qu'est-ce que vous voulez dire? Je vous suis pas.

— À 40 ans, on appelle ça le démon du midi, mais toi, ça doit bien être le démon de minuit qui s'est jeté sur toi! s'esclaffa-t-il.

— Vous êtes pas mal drôle! Je connais pas le nom de mon démon, mais j'ai jamais eu autant le goût de vivre que depuis que je connais Rita!

— C'est une bonne dame! Je l'ai rencontrée quand elle s'occupait d'Hector. Je suis bien content pour toi!

---

33 Marguillier: membre du conseil de fabrique d'une paroisse.

— On prévoit aller habiter ensemble bientôt! On pourrait avoir une petite cuisine. Tout seul, j'aurais pas pu me payer un studio. Avec elle, on a prévu de déjeuner et de dîner chez nous. Moi, le midi, une soupe ou un sandwich, ça fait bien mon affaire.

— Comment ça se passe avec les gens ici? Tu te fais pas trop juger pour tes amours avec ta «démone»?

— Non, c'est spécial, mais le monde commence à évoluer. De toute manière, on pense pas avoir d'enfant! railla-t-il.

— Je suis heureux pour toi, Raoul, et je veux que tu saches que malgré la position officielle de l'Église, j'ai jamais été contre les gens qui vivent en union libre. L'important, selon moi, c'est de faire le bien autour de soi. Je pense que tu dois vraiment faire du bien à madame Blanchard parce que je l'ai trouvée resplendissante quand je l'ai vue récemment.

— Vous en manquez pas une, vous! Si on avait eu plus de prêtres comme vous, nos églises seraient peut-être encore pleines.

Comme d'habitude, Raoul était allé reconduire le célébrant jusqu'à la sortie. Par la suite, il s'était rendu à la salle à manger pour rejoindre Rita.

— Ça t'a pris du temps! En as-tu profité pour te confesser? interrogea l'amie.

— Je pourrais pas me confesser! Tu sais, quand t'es meilleur que monsieur le curé, qu'est-ce que tu veux lui avouer? rétorqua Raoul pour s'amuser.

— T'as la tête enflée pas mal! Voudrais-tu que je te rafraîchisse la mémoire?

— Ça sera pas nécessaire! C'est quoi le menu à midi? demanda-t-il pour faire semblant de changer de sujet.

— Quelque chose à ton goût… une soupe aux légumes et un macaroni à la viande!

— La soupe de notre gros chef est toujours bonne! C'est de valeur que les filles nous donnent juste deux biscuits soda!

— Tu peux toujours en demander d'autres, mais tu cours le risque d'avoir fini ta soupe quand tu vas les recevoir! lança Rita en riant.

— Ils ont pas assez de personnel, c'est toujours la même histoire.

— Le monde critique les employés, mais c'est les *boss* qui coupent partout pour économiser.

— J'ai hâte qu'on soit rendus dans notre studio! Y a plein de petits détails qu'on va apprécier!

— Moi, je suis certaine d'apprécier autre chose que les biscuits soda! confirma Rita dans la bonne humeur.

Xavier avait repris le travail après le congé des fêtes et Pénélope avait continué d'aller avec lui au bureau. Il avait déménagé tous les bagages de sa nièce chez la famille de Manon Desjardins, cette employée avec qui elle s'était liée d'amitié.

— Tu veux pas essayer de revenir à la maison? avait demandé Xavier à Pénélope quelque temps auparavant.

— Non, mon oncle! J'ai été réellement blessée qu'on me traite comme vous l'avez fait! Le seul qui a pas été malin avec moi, c'est Bruno, et ça me fait de la peine de plus le voir.

— Noémie est pas méchante, c'est probablement sa mère qui l'a montée contre toi.

— Je comprends, mais ça fait mal quand on se sent de trop quelque part. Monsieur Desjardins m'a dit que j'avais dû me sentir comme *un chat dans un jeu de quilles*!

— On dit *un chien dans un jeu de quilles*! avait rigolé Xavier, qui s'était attaché à sa nièce.

— Dès que j'aurai mes papiers légaux, je vais me trouver un vrai boulot et ensuite, je me trouverai un petit *appart*. En attendant, la famille Desjardins accepte de me garder en pension.

— Je vais t'aider à payer tes dépenses.

— Non, je refuse. J'ai du fric pour me payer ce que je désire! J'aimerais cependant que tu m'aides quand viendra le temps des rencontres pour ma demande d'immigration.

Xavier avait réellement changé depuis qu'il était allé en Europe. Sa femme et ses enfants avaient raison.

Les quelques semaines passées au chevet de son frère avec sa nièce lui avaient permis de vivre des moments d'une grande intensité. Il avait réalisé qu'Arnaud n'avait eu que très peu de chance dans la vie. Les épreuves, dont la maladie, s'étaient succédé dans un cycle qui l'avait conduit à sa propre mort.

Avant de décéder, il lui avait demandé de prendre soin de sa fille.

— Je t'ai jamais rien demandé, mon frère, mais là, je te confie ma fille! avait imploré le mourant. Veille sur elle, comme je l'ai fait avec toi quand tu étais jeune! Aide-la à se bâtir une vie bien à elle!

Xavier avait été blessé que sa femme se soit montrée aussi égoïste! Il aurait de la difficulté à lui pardonner.

Avant de balancer sa vie de famille en l'air, il avait choisi d'essayer une dernière fois de se rapprocher de sa femme. Il avait donc invité Évelyne à venir souper au restaurant avec lui un soir.

— Ça va peut-être être difficile un jeudi, avait-elle répliqué. L'épicerie est ouverte. Faudrait que je voie avec mon patron.

— Évelyne, c'est jeudi ou jamais, avait riposté le mari. On doit régler nos problèmes et j'ai une offre à te faire. Je te rappelle que l'épicerie est ouverte 7 jours sur 7! Si on attend qu'elle soit fermée pour se voir et discuter, ça va être compliqué!

Évelyne s'était donc résignée à accepter l'invitation de Xavier et ils s'étaient retrouvés, comme deux étrangers, dans un restaurant de Sainte-Adèle. Ils ne souhaitaient pas rencontrer de gens qu'ils connaissaient.

— Je voulais qu'on soit sur un terrain neutre pour parler. Tu sais comme moi qu'on peut plus continuer comme ça! débuta Xavier.

— J'ai commencé à me faire à l'idée! T'es pratiquement jamais à la maison. Tu rentres juste pour coucher et pour faire laver ton linge! répliqua Évelyne.

— C'est une mauvaise manière de commencer une discussion. C'est pas en s'accusant de tous les maux qu'on va solutionner notre problème! Es-tu d'accord avec moi que depuis l'automne, tu vas pas très bien?

— Veux-tu me dire que t'es jamais à la maison parce que je suis fatiguée?

— T'es pas fatiguée, Évelyne, t'es malade! T'as toujours été nerveuse, mais là, ça s'est amplifié à l'extrême. Bruno va avoir 12 ans à l'été et tu le couves encore comme une poule fait avec ses œufs.

— C'est ma mère qui le traite comme ça, pas moi!

— Pour ce qui est de ta fille, faudrait que tu la laisses respirer. Depuis qu'elle a commencé à travailler et qu'elle a un copain, je te trouve indiscrète! Tu lui poses trop de questions. Tu aurais voulu qu'elle te dise la première fois qu'elle a embrassé son chum, la première fois qu'il lui a pris un sein et toutes les premières fois à venir.

— C'est ma fille et je veux la protéger! se défendit la mère de famille.

— Qu'est-ce que tu penses que mon frère m'a demandé juste avant de mourir? De bien protéger sa fille! Je lui ai juré que je serais toujours là pour elle!

Évelyne était sans mot. Jamais elle n'avait envisagé cet aspect des choses. Elle n'avait rien de majeur à reprocher à cette jeune fille, si ce n'est d'avoir pris une place concrète dans leur vie, une place différente que celle d'une jeune fille à qui on envoyait une carte d'anniversaire une fois l'an.

— C'est à moi que t'en veux, pas à Pénélope! poursuivit Xavier.

— Qu'est-ce qu'on va faire?

— Je suis prêt à continuer ma route avec toi, mais je veux plus me disputer!

— Et qu'est-ce qui arrive avec la santé de ta nièce?

— Ça va. Le malaise qu'elle a eu le mois dernier, c'était probablement juste une question de stress ou une indigestion. Depuis qu'elle demeure avec la famille Desjardins, elle s'y sent vraiment bien.

— Crois-tu qu'on pourra réparer les pots cassés?

— Avec de la volonté, tout est possible!

Pour pouvoir discuter avec Xavier ce soir, Évelyne avait dû annuler un souper prévu avec son patron. Il était très prévenant avec elle, sans toutefois être déplacé. Elle se demandait où tout cela la mènerait.

CHAPITRE 28

Arrivée et départ

(Février 2009)

L'offre de Doris avait fait l'affaire de son neveu, qui venait maintenant loger chez elle toutes les semaines. Jean-Guy était ainsi plus près pour suivre les travaux de rénovation de sa nouvelle demeure. Il s'impliquait beaucoup plus qu'il ne l'avait prévu et il pouvait également décider au fur et à mesure des modifications à faire.

C'est ainsi qu'il avait choisi de faire construire un garage attenant à la bâtisse, pour ranger sa BMW. C'était son cadeau de retraite, avait-il mentionné. Comme la toiture devait être refaite, Laurence avait élaboré un plan qui modifierait le style de la maison. Bien sûr, les coûts seraient plus élevés que prévu, mais Jean-Guy et sa femme avaient les moyens.

Mariette était également heureuse de la tournure des événements. Elle accompagnait de plus en plus souvent son mari à Val-David, afin de passer du temps avec la tante, qu'elle aimait beaucoup. Elle l'aidait dans ses travaux journaliers et les deux femmes sortaient souvent ensemble pour faire des courses.

Doris se préparait tranquillement à déménager chez Claude et Laurence, mais elle remettait toujours le projet à plus tard. Elle avait de la difficulté à se détacher complètement de cette maison, où elle avait vécu d'aussi belles années.

En se couchant, ce soir-là, Jean-Guy raconta à sa femme l'évolution du chantier, mais cette dernière semblait avoir la tête ailleurs.

— Je te parle, mais je pense que tu m'écoutes pas vraiment, remarqua-t-il. Est-ce qu'il s'est passé quelque chose de spécial aujourd'hui ou tu es tout simplement fatiguée?

— Inquiète-toi pas pour moi! Tu me connais suffisamment pour savoir que j'ai toujours la tête qui trotte! C'est vrai que je m'ennuie un peu de mon restaurant. Pendant des années, tous les matins, je voyais les mêmes clients venir déjeuner, lire le journal ou prendre un café. C'était ma vie, et là, je ressens comme un grand vide.

— C'est ça, prendre sa retraite! Il faut s'habituer à rien faire de ce qu'on faisait avant, mais on y arrive pas du jour au lendemain!

— Pour toi, c'est pas pareil. Tu as tout de suite commencé à t'impliquer dans les rénovations et tu travailles autant qu'au commerce. Moi, j'aime bien ta tante, mais je réalise que son désarroi m'attriste. Elle m'a avoué aujourd'hui qu'elle pensait que Dominique achèterait sa maison et qu'elle s'en viendrait vivre dans le Nord, maintenant que Patrick et elle sont à la retraite.

— Pourtant, c'est pas réaliste. Ils ont toujours vécu à Lorraine dans un quartier huppé. Je vois très mal ma cousine s'en venir vivre au village dans une maison vieille de 60 ou 70 ans.

— On peut pas l'empêcher de rêver, ta tante Doris! Je pense qu'il y a pas de hasard. Qu'on soit venus passer du temps ici, avec elle, ça lui aura permis de faire une transition moins drastique entre sa maison et celle de ton cousin Claude.

— C'est pas évident de vieillir et d'abandonner son chez-soi! Ces gens-là ont jamais déménagé de leur vie! Quand ils le font, c'est comme trop tard pour s'habituer à autre chose, réalisa Jean-Guy.

— Il y a juste ton oncle Raoul qui vit ça comme un champion! C'est beau de voir comment il est heureux!

— Il le mérite et j'espère faire comme lui. Sais-tu c'est quoi mon rêve?

— Non, mais je sens que tu vas me le dire! répondit Mariette en redoutant quelque peu la réponse de son homme.

— J'aimerais mourir à 104 ans, tué par un mari jaloux!

— T'es mieux de te coucher! Tu commences à délirer! rigola-t-elle.

—

La famille avait décidé de souligner l'anniversaire de Noémie au souper du dimanche. Évelyne avait préparé le repas préféré de sa fille: une coquille Saint-Jacques en entrée et un filet de porc aux pommes en plat principal. Pour le dessert, il avait été entendu que le traditionnel gâteau d'anniversaire serait servi, comptant autant de chandelles que l'âge de la jubilaire.

Doris avait été invitée, ainsi que Mariette et Jean-Guy. Encore une fois, le parrain et la marraine de Noémie, Dominique et Patrick, seraient absents puisqu'ils étaient en voyage. C'était la période de l'année qu'ils privilégiaient pour leur périple dans le Sud.

Ils lui rapportaient toujours un cadeau et en profitaient pour s'excuser de leur absence.

Évelyne avait demandé à Xavier s'il comptait inviter Pénélope à se joindre à eux pour ce repas.

— Je crois que c'est pas une bonne idée, reconnut ce dernier.

— Comme tu veux, mais tu pourras pas dire que je l'ai pas invitée!

— À part Bruno, personne a cherché à avoir de ses nouvelles depuis qu'elle est partie de la maison, en décembre. Le petit m'a demandé s'il pourrait la revoir un jour! Ça sonnait plus sincère que ton invitation bidon! se fâcha Xavier.

— Oublie ça! On en parle plus! riposta Évelyne.

— Aussi, pourquoi t'as invité ton cousin? nargua Xavier. Ils sont pas encore déménagés dans le coin et ils sont déjà présents à toutes les réunions de famille! Je les trouve un peu collants!

— Je les ai invités par politesse! Ils arrivaient chez maman cet après-midi parce qu'ils ont des rendez-vous pour leurs travaux demain matin très tôt. C'est ça, la famille!

— C'est vrai que tu respectes ça, toi, la famille!

Dès qu'ils discutaient, leurs propos finissaient toujours par revenir au point de départ, celui qui creusait une faille entre eux. Leur couple était résolument dans une impasse.

Évelyne regrettait d'avoir organisé ce repas à la maison. Elle aurait dû prévoir une sortie au restaurant avec ses enfants. L'ambiance aurait été moins propice aux disputes.

Elle retourna à la cuisine pour finir de préparer ses entrées et dresser sa table. Elle voulait que sa fille soit heureuse, mais elle savait que ce serait difficile de maintenir un climat agréable tout au long de la soirée.

Xavier se retira pour aller faire des recherches sur Internet.

Quand Bruno revint de chez ses amis, il alla embrasser sa mère, comme il le faisait habituellement en entrant à la maison. Il se rendit ensuite rejoindre son père dans son bureau. Celui-ci prit le temps de lui montrer quelques jeux qu'il avait trouvés et qui convenaient à son âge.

Évelyne était dans la cuisine et elle entendait son fils rire aux éclats. Elle se dit qu'au moins, la discussion qu'elle avait eue avec son conjoint quelque temps avant avait porté fruit.

Doris arriva ensuite avec Mariette et Jean-Guy et ils s'installèrent à la table de la cuisine. Évelyne avait le goût de savoir tout ce qui se passait dans l'ancienne maison de l'oncle Hector. Elle aurait bien aimé avoir le temps de suivre les travaux de plus près, mais son emploi lui demandait beaucoup de temps et d'énergie.

Xavier vint ensuite s'asseoir avec les visiteurs.

— Il me semble que je t'ai pas vu souvent depuis le temps des fêtes, mentionna Doris à l'endroit de son gendre. Évelyne m'a dit que tu avais beaucoup de travail.

— C'est certain qu'avec les congés, on prend du retard, mais c'est juste une question de temps. Mon patron a engagé un nouveau. Ça va nous donner un peu de *lousse*.

— Quand tu prends des vacances et que tu dois travailler en double à ton retour, c'est pas reposant! répliqua Jean-Guy pour participer à la conversation.

— Comment va ta nièce? demanda Doris par curiosité.

— Très bien! La famille Desjardins s'en occupe comme si Pénélope faisait partie des leurs!

— Je suis contente qu'elle ait trouvé du bon monde pour l'accueillir.

Évelyne fusillait sa mère du regard, tandis que Xavier avait les yeux qui roulaient dans l'eau.

— Vous allez m'excuser, mais j'ai un téléphone à faire avant le souper! coupa-t-il afin de se soustraire à la discussion avec Doris.

Noémie arriva sur les entrefaites avec Kevin et elle vint embrasser sa grand-mère, ainsi que Mariette et Jean-Guy. Elle leur présenta son copain et demanda à sa mère vers quelle heure le souper serait servi.

— Vous avez le temps d'aller faire un tour en bas. Je vous appellerai quand ce sera prêt, confirma Évelyne.

— Est-ce que papa va manger avec nous? s'enquit la jeune jubilaire, en réalisant qu'il n'était pas dans la cuisine avec les visiteurs.

— Je sais pas. Il est parti faire un téléphone! répondit sa mère sèchement.

— Où est Bruno? s'informa ensuite Noémie. Kevin lui a apporté un jeu vidéo et il voudrait lui montrer.

— D'après moi, il est au sous-sol. Il jouait à l'ordi avec ton père, mais quand il est allé téléphoner, le petit a dû aller dans sa chambre ou dans la tienne! Tu le connais, quand il a de la peine ou qu'il est inquiet, il a tendance à s'isoler.

Évelyne décida de servir une consommation à ses invités et Mariette s'avança pour l'aider. Bruno arriva ensuite avec son album, qui contenait des photos de lui depuis sa naissance, et il s'installa entre sa grand-mère et Mariette.

— Tu t'en viens nous montrer comment t'étais beau quand t'étais petit? lança Doris pour le faire rire.

— J'étais pas si beau que ça! Mais au moins, j'en regagne tous les ans! Il me semble que j'avais les oreilles décollées et je trouve que ma tête était trop grosse!

— Pourquoi tu dis des affaires de même? T'étais beau

comme un cœur! intervint Doris. Quand je te promenais au village, tout le monde arrêtait pour te voir dans ton carrosse.

Jean-Guy décida de s'interposer pour détendre l'atmosphère.

— Moi quand j'étais petit, des fois, les voisins venaient m'emprunter tellement j'étais beau! Y a pas à dire!

— Je me souviens que t'étais effectivement assez mignon à la naissance! reconnut Doris.

— Mignon, vous dites? Ma mère avait peur qu'on me vole à l'hôpital! rigola Jean-Guy.

Bruno s'amusait à nouveau et il enregistrait les répliques échangées entre les membres de la famille afin de les utiliser plus tard avec des amis.

Évelyne en avait profité pour aller parler avec Xavier, qui s'était réfugié dans leur chambre à coucher. En entrant dans la pièce, elle constata qu'il était au téléphone. Il ne mit pas fin à son appel, se contentant de demander à son interlocuteur d'attendre un instant.

— Je vois bien que je te dérange! lui balança-t-elle.

— Oui, je suis au téléphone avec Pénélope! avoua-t-il avec un ton suffisant.

— C'est la fête de Noémie et tu lui as même pas encore offert tes vœux! Pourtant, tu es en grande conversation avec ta Française!

— Oui, et je m'en cache pas! Tu peux dire aux visiteurs que je dois quitter pour le travail. Je souperai pas avec vous pour me faire tomber dessus toutes les cinq minutes!

— Tant qu'à agir comme ça, tu devrais peut-être penser à te trouver un nouvel appartement. Moi, j'en ai assez de jouer à la cachette!

— OK, mais je chercherai pas à Val-David!

— Bien sûr, tu vas préférer t'installer à Mirabel avec tes chums de gars! Ça va être plus facile pour courir la galipote[34]!

— Non, tu y es pas du tout! Je vais prendre une année sabbatique et je vais partir à Rouen avec Pénélope!

— Et les enfants? Qu'est-ce que t'en fais?

— T'es là, toi! T'es tellement bonne que tu vas t'en occuper pour deux!

— Va au diable, Xavier Leroy! lança Évelyne en claquant la porte derrière elle.

Elle servirait le souper rapidement, afin que la petite fête se termine assez tôt. Elle ne souhaitait pas que le tout s'éternise. Elle espérait pouvoir ensuite appeler son patron pour parler avec lui de tout ce qui lui arrivait. Il pourrait sûrement l'encourager.

Comment Bruno et Noémie réagiraient-ils au départ de leur père?

Après tout, ils ne seraient pas les premiers à vivre le divorce de leurs parents.

Claude travaillait de nombreuses heures durant la semaine et il profitait du dimanche pour se reposer. C'est la raison pour laquelle il avait refusé l'invitation au souper de fête de Noémie. Laurence avait cependant acheté un cadeau à l'adolescente, qu'elle avait remis à sa belle-mère. Elle adorait gâter les gens autour d'elle.

La grossesse de Laurence se déroulait bien, mais elle était

---

34 Courir la galipote: avoir de nombreuses aventures amoureuses.

plus fatiguée, ces temps-ci. Ce matin, elle avait ressenti des douleurs au bas du dos et des maux d'estomac l'avaient incommodée.

— Tu devrais appeler ton médecin demain. Ça m'inquiète! mentionna Claude.

— Y faut pas. C'est normal que je commence à avoir des petits malaises. D'ici cinq à sept semaines, on va être quatre dans la maison et là-dessus, il va y avoir deux petits braillards! blagua-t-elle.

— T'as le tour de dédramatiser les situations, toi! En tout cas, aujourd'hui, on passe une journée cocooning! Tu restes allongée et je vais répondre à tous tes caprices!

— J'accepte avec joie! Je suis bien contente d'avoir aménagé la chambre de ta mère depuis déjà un moment parce que maintenant, j'ai moins d'énergie pour ce genre de tâches là.

— Elle a pas l'air pressée de s'en venir vivre avec nous, surtout depuis que Mariette et Jean-Guy sont souvent chez elle. Ça lui change les idées et elle se sent utile. J'espère que tu vas bien t'entendre avec elle en attendant qu'on puisse lui aménager son coin de la maison.

— C'est le moindre de mes soucis! Tout est question d'attitude et je crois avoir le caractère pour bien m'entendre avec elle.

La journée s'était bien déroulée et le couple en avait profité pour faire une sieste durant l'après-midi.

Au souper, Laurence n'avait pas très faim et elle avait préféré manger légèrement pendant que son conjoint avait avalé une double portion du repas. Il travaillait très fort durant la semaine et il avait toujours bon appétit.

En début de soirée, Laurence tenta de se lever, mais une contraction l'immobilisa momentanément. Elle n'en informa pas Claude pour ne pas l'alarmer. Un autre épisode de contractions se présenta plus tard, de plus forte intensité. La future mère se rendit à la salle de bain. Elle constata qu'elle perdait un filet de liquide clair et aqueux.

Elle ne devait pas paniquer outre mesure, mais songea qu'il était sûrement préférable de se rendre immédiatement à l'hôpital. En passant par sa chambre pour s'habiller, elle avisa son conjoint.

— Claude, prépare-toi. On s'en va à l'hôpital !

— Ça va pas ? s'enquit-il, nerveux.

— Je pense que je sais pourquoi j'ai eu mal au dos aujourd'hui ! C'est nos bébés qui veulent se montrer le bout du nez !

— C'est bien trop tôt !

— C'est pas nous qui décidons ! Va réchauffer la voiture pour que je prenne pas froid !

Le couple se rendit donc au Centre hospitalier Laurentien et, durant le trajet, quelques contractions transpercèrent à nouveau le corps de la petite femme.

Les spasmes gagnant en intensité et en régularité, des membres du personnel vinrent quérir Laurence à l'auto avec un fauteuil roulant.

Rapidement, la future mère fut conduite à l'étage, pendant que son conjoint s'occupait de son admission.

Quand Claude arriva dans la chambre de sa femme, on lui mentionna qu'on procéderait à une césarienne assez rapidement.

Laurence était sereine et ne se plaignait pas.

— Inquiète-toi pas ! Tout va bien aller !

— Oui, ma beauté ! Je voudrais que tout soit terminé et que tu sois à nouveau en forme !

— Oublie pas: t'appelleras ma mère juste quand tout sera terminé! Je veux pas qu'elle s'en fasse pour rien!

Des préposés vinrent chercher la patiente, qu'ils conduisirent en salle d'opération. Claude ne voulait pas énerver tout le monde, mais il ne pouvait garder pour lui toutes ces émotions.

Il était impossible de joindre Dominique et Patrick, qui étaient en vacances. Il devait donc se résoudre à troubler la fête qui avait lieu chez Évelyne. Il lui téléphona pour l'informer de la naissance imminente des bébés. Elle lui confirma qu'elle serait à ses côtés dans moins de 15 minutes.

— Merci, ma sœur! Qu'est-ce que je ferais sans toi?

— C'est ça, une famille! Être là quand on a besoin les uns des autres!

—

Pénélope était bien chez les Desjardins, mais elle ne se sentait pas complètement chez elle. Ces temps-ci, il y avait moins de travail pour elle au bureau de son oncle et elle trouvait les journées longues. En outre, elle se sentait responsable des conflits récurrents entre Xavier et Évelyne.

Un matin, elle s'était levée avec la ferme intention de retourner en France. Dernièrement, elle avait communiqué avec des amies de Rouen. L'une d'entre elles lui avait offert de s'installer chez elle si elle décidait d'aller la visiter. Cette offre avait conforté la jeune femme dans sa décision.

Pénélope avait annoncé son départ prochain à son oncle le dimanche soir de la fête de Noémie, alors qu'il l'avait appelée pour savoir comment sa fin de semaine s'était déroulée.

— Tu sais, mon oncle, ici, ça sera jamais chez nous. Je t'ai suivi, après la mort de papa, mais maintenant, il faut que je retourne chez moi.

— Donne-toi du temps! l'avait suppliée Xavier. Tu vas te faire des amis et tu continueras peut-être tes études à l'automne.

— Non, j'ai pas le goût. Je suis partie de Rouen, mais mon cœur est resté là-bas! Si tu veux me faire plaisir, laisse-moi partir sans insister.

— As-tu fait des recherches pour ton billet d'avion?

— Non, pas encore. Je voulais t'en parler avant, pour pas filer à l'anglaise!

— Alors quand tu vérifieras, tu achèteras deux billets, parce que je vais partir avec toi.

— T'es pas sérieux! s'était étonnée Pénélope. Et ta famille?

— Toi aussi, t'es ma famille, et j'ai franchement le goût de retourner vivre là où j'ai grandi!

— Tu viendrais pour combien de temps?

— L'avenir nous le dira!

CHAPITRE 29

Un studio charmant

(Février 2009)

Noémie n'avait pas été surprise que son père n'assiste pas à son repas d'anniversaire. Elle avait depuis déjà un moment coupé les ponts avec celui-ci. Elle avait pris le parti de sa mère et choisi de laisser toute la place à Pénélope.

L'annonce du départ de son père pour la France ne l'avait pas étonnée outre mesure. Il était si différent depuis que son frère était mort.

Noémie s'occupait cependant de Bruno, qu'elle n'aimait pas voir triste. Le jeune garçon avait beaucoup pleuré quand son père était venu lui dire au revoir. Dans les faits, le petit avait été inconsolable. Il s'était réfugié chez sa grand-mère pour quelques jours.

Quand ils le pouvaient, Noémie et Kevin l'emmenaient avec eux pour faire de petites sorties au restaurant du coin. La grande sœur savait que son petit frère était bien aussi avec Laurence et Claude et maintenant, l'oncle Jean-Guy le prenait également sous son aile.

Noémie avait expliqué à Bruno qu'un jour, il serait amoureux, et qu'il aurait à faire des choix. Elle avait aussi précisé que, cette fois-ci, leur père en avait fait un plutôt important.

— Si maman avait été plus fine avec lui, il serait jamais parti ! se désolait Bruno. Je l'ai entendue parler contre sa nièce aussi ! Elle l'appelait « la maudite Française » ! Ça fâchait papa et elle le savait !

— C'est difficile à comprendre, je le sais ! avait confirmé Noémie. Je suis convaincue que papa va revenir bientôt ! Inquiète-toi pas avec ça !

— J'espère, sinon c'est moi qui vais partir le retrouver !

— Laisse passer du temps et arrête de te poser autant de questions !

— Il y a une bonne chose, là-dedans, quand même, avait reconnu le jeune garçon. Maman chicane plus. Ça, je trouvais ça difficile !

— Maman et papa étaient pas assez amoureux pour continuer leur route ensemble, avait philosophé l'adolescente.

— Leur char a manqué de gaz ! avait raillé Bruno, avec tout de même quelques larmes au coin des yeux.

Monique s'était rendue au bureau de l'assurance-emploi pour compléter une demande de prestations. Elle avait bien étudié les emplois disponibles dans la région, mais son niveau d'instruction ne lui permettait pas d'être embauchée pour faire du travail de bureau et les autres postes offerts ne lui plaisaient pas.

La préposée qui l'avait rencontrée lui avait fait une offre.

— Vous pourriez retourner aux études afin de vous réorienter.

— J'ai 61 ans et vous voudriez que je me retrouve sur les bancs d'école? s'indigna la chômeuse. Je veux plus rien apprendre!

— Je me disais que vous étiez suffisamment en forme pour suivre une formation de préposée aux bénéficiaires. Que ce soit dans un hôpital ou dans une résidence de personnes âgées, vous seriez à mon avis une bonne candidate!

— Vous pensez que je pourrais aller travailler à La Villa des Pommiers avec ce cours-là?

— Ce type de résidence a régulièrement besoin de ces ressources-là, avec les congés parentaux, les vacances et les congés de maladie qu'ils doivent gérer. En plus, les préposés sont syndiqués. Vous avez rien à perdre à essayer et surtout, vous seriez rémunérée pour étudier! répliqua celle qui avait l'habitude de classer des dossiers rapidement.

Monique accepta son offre et elle remplit les documents relatifs à son inscription avec l'aide de la fonctionnaire. Elle songea qu'elle n'avait rien à perdre. Elle avait vu travailler certaines employées de La Villa des Pommiers et se dit qu'elles avaient l'air bien.

Elle n'avait pas le choix de chercher à faire tourner la roue en sa faveur, car elle devait travailler. À moins que Robert se décide à renouer avec elle. Elle devrait peut-être tenter sa chance encore une fois?

Cette semaine, elle concocterait son mets préféré, une lasagne, qu'elle lui proposerait avec son fameux Valpolicella! Elle ne jaserait pas beaucoup et le laisserait se raconter. S'il le fallait, elle se mordrait les doigts pour ne pas répliquer des conneries à ce qu'il lui raconterait.

Elle lui parlerait ensuite des démarches qu'elle avait

entamées en vue d'un retour aux études. Robert serait sûrement content pour elle. Elle s'imaginait déjà vivre dans sa maison, maintenant que la vieille était morte !

— Si je peux rentrer dans la cabane, j'en sortirai plus ! Je vais commencer ces cours-là, lui demander de m'aider dans mes devoirs et les choses vont suivre leur cours. Plus tard, quand j'aurai un emploi, je pourrai toujours simuler des maux de dos. Je recevrais des prestations d'invalidité et en plus, mon chum pourrait plus m'abandonner !

Après une simple visite au bureau d'assurance-emploi, Monique avait planifié les prochaines années de sa vie ! Pour une fois, elle ne raconterait rien à sa cousine Suzanne. Il valait mieux jouer sûr !

La césarienne qu'avait subie Laurence s'était bien déroulée et les bébés semblaient en forme, bien qu'ils fussent plutôt petits. Le garçon pesait 3,4 livres, alors que sa sœur faisait 4,1 livres.

Alors que les poupons avaient été placés dans des incubateurs, la maman avait été conduite dans une chambre. À son réveil, elle avait trouvé sa mère à ses côtés. Claude était parti manger avec Évelyne.

— Maman, tu es là ? prononça-t-elle très émue. Comment vont mes bébés ?

— Ils vont très bien et surtout, ils sont magnifiques ! Tu sais que notre petite Chloé est plus grosse que son frère ? D'un peu plus d'une demi-livre.

— Joël devra boire plus que sa sœur. Maman, je suis la femme la plus heureuse au monde !

— Toc, toc, toc! lança Claude en entrant dans la chambre. Comment va mon bel amour?

— Ça va! Est-ce que je peux voir mes bébés maintenant?

— Pas tout de suite. L'infirmière va venir te chercher tantôt avec un fauteuil roulant. J'ai des photos, par exemple! fit le nouveau père en montrant à sa femme les images sur sa caméra.

Laurence fut émue aux larmes à la vue des bébés prématurés dans leur incubateur.

— Maintenant qu'on est des vrais parents, est-ce que tu accepterais de m'épouser? demanda solennellement Claude.

— T'es sérieux? Je pensais que tu avais été déçu de ta première union et que jamais tu voudrais te marier à nouveau!

— Je regrette rien de ma vie! S'il fallait que je refasse le même parcours pour te rencontrer, j'hésiterais pas une minute!

— Je te dis oui, mon amour! On va juste attendre que je reprenne des forces et surtout ma taille!

— Tu peux prendre tout le temps que tu veux, pourvu que tu changes pas d'idée! fit Claude.

— C'est une promesse!

La croisière de Dominique et Patrick avait été merveilleuse. Ils étaient allés danser tous les soirs et ils avaient profité des longues journées passées à se prélasser au soleil.

Quand ils étaient descendus à Saint-Martin, Patrick avait insisté pour visiter une bijouterie que des amis lui avaient conseillée. Ils avaient regardé tous les bijoux et il avait remarqué l'intérêt que sa femme avait porté à un jonc serti de diamants. Quand il avait demandé à l'employé de le lui faire essayer, Dominique s'était objectée, prétextant que la parure était beaucoup trop chère.

— On reviendra pas ici la semaine prochaine et c'est un bijou magnifique! avait argumenté Patrick.

— Tu peux pas dépenser autant d'argent juste pour un jonc!

— De quoi tu te mêles, ma petite chérie? Ce que je t'ai pas dit, c'est que t'auras pas d'autres cadeaux pour les 20 prochaines années, c'est tout! s'était amusé le conjoint.

Quand Patrick avait glissé le jonc à son doigt, Dominique avait eu les larmes aux yeux. C'était un moment magique qu'ils se remémoreraient longtemps.

Pendant le voyage, ils avaient rencontré des couples qui, comme eux, venaient de prendre leur retraite et ils réalisaient qu'ils auraient besoin d'un certain temps d'adaptation.

— La première fois que mon mari a décidé de m'aider à faire le lit, j'ai quasiment perdu connaissance! avait dit une dame.

— C'est certain! Imaginez-vous donc que je pliais pas les coins comme elle! s'était défendu ce dernier. Je lui ai dit qu'on était pas dans l'armée!

— De toute manière, nous autres, les gars, on aime bien plus défaire les lits que les faire! avait répliqué Patrick en faisant un clin d'œil à sa femme.

Dominique anticipait déjà avec un peu d'appréhension la cohabitation à temps plein. Son mari n'avait jamais eu connaissance de toutes les tâches dont elle s'acquittait quand elle revenait de voyage. Elle vidait ses valises et lavait tous les vêtements et les articles qu'elle avait transportés.

Elle mettait ensuite les bagages dehors, dans la neige, afin de tuer dans l'œuf toute bestiole indésirable. Quand elle les rentrait dans la maison, quelques jours plus tard, elle les lavait avec précaution et ensuite, elle vaporisait de l'alcool à friction à l'intérieur.

Elle pouvait ensuite les ranger jusqu'au prochain voyage.

En prévision de la retraite de son homme, Dominique l'avait abonné à *La Presse*. Ainsi, le matin, il en aurait pour une heure ou deux à lire les différents cahiers.

Le tout premier jour de leur retour de voyage, Dominique et Patrick étaient allés voir les jumeaux et leurs parents à l'hôpital de Sainte-Agathe-des-Monts. Ils s'étaient ensuite rendus visiter Doris et Raoul, mais ils n'avaient pas pu voir Évelyne, qui était au travail. Ils avaient cependant appris avec stupéfaction que Xavier était parti pour la France. Patrick et Dominique n'avaient été que trois semaines hors du Québec et il leur semblait qu'il était arrivé une tonne de chambardements dans la vie de la famille.

Dans ces moments-là, Dominique avait l'impression d'être loin de tout et surtout, des siens. Quand ils s'étaient installés à Lorraine, c'était pour se trouver à proximité de leurs lieux de travail, mais maintenant, cette raison ne tenait plus la route.

Quand Doris avait mentionné qu'elle voulait vendre sa maison, une idée farfelue avait germé dans l'esprit de Patrick. C'était maintenant le temps de l'exposer à sa femme.

— Des fois, je me dis qu'on est un peu jeunes pour être complètement à la retraite. Tu trouves pas?

— C'est certain que c'est différent d'avant, mais je me verrais pas retourner dans un bureau ou avoir des horaires fixes, reconnut Dominique.

— Non! C'est pas ce que je veux dire. Je voudrais faire quelque chose avec toi et je pense que ça pourrait te plaire.

— Alors, dis-moi ce qui te trotte dans la tête.

— Qu'est-ce que tu dirais si on achetait la maison de ta mère et qu'on la transformait en *bed and breakfast*?

— Je voulais faire ça il y a 15 ans et tu me disais que c'était une idée de fou! rétorqua-t-elle. Qu'est-ce qui t'a fait changer d'idée?

— Notre âge, la possibilité d'avoir accès à la maison idéale pour ce projet-là et le personnel nécessaire à la bonne marche de notre entreprise! Je voudrais pas qu'on soit prisonniers d'un travail et qu'on puisse plus voyager, alors j'ai pensé demander à Mariette et Jean-Guy de devenir nos associés. Ils s'y connaissaient en restauration et nous, notre force, c'est l'administration.

— On demeurerait sur les lieux?

— Oui et non. On pourrait continuer de vivre à Lorraine et avoir une chambre à nous là-bas. Mais quand notre grosse maison serait vendue, on se construirait quelque chose de plus petit à Val-David ou dans les environs. Il y a plein de beaux endroits!

— On pourrait trouver un terrain au bord de la rivière!

— Ou dans la montagne!

— Penses-tu que maman va vouloir nous vendre sa maison?

— Pourquoi elle voudrait pas? Je pense qu'elle serait heureuse que la maison reste dans la famille.

— Et moi, je serais près de mon oncle Raoul, malgré qu'il ait beaucoup moins besoin de moi depuis qu'il est en amour avec Rita.

— Pour l'instant, tout va bien, mais s'il est malade, ce sera pratique que tu sois proche. Ça aussi, j'y ai pensé.

— J'ai rendez-vous avec la directrice de la Villa cet après-midi. Rita, mon oncle et moi, on doit visiter le studio qu'ils veulent louer. Veux-tu nous accompagner?

— Pas vraiment! répondit Patrick. Je pourrais y aller avec toi, mais je vais en profiter pour aller faire un tour dans le coin afin de voir si je nous trouverais pas un beau petit coin de paradis!

—◆—

Xavier était parti depuis une semaine quand il avait décidé d'appeler Évelyne pour discuter. Il ne voulait pas rester en mauvais termes avec elle. Il souhaitait qu'elle comprenne son point de vue.

— Tu sais, Évelyne, je crois que depuis déjà un moment, notre couple avait des ratés.

— Oui, mais on reprenait toujours le dessus! Tu penses vraiment qu'il y a plus rien entre nous deux? Que tout est terminé?

— J'en sais rien! Je pense cependant que mon départ nous permettra de grandir et de réaliser la force de notre amour ou son usure. Selon moi, on vit ensemble par habitude et surtout pour les enfants.

— Peut-être, mais qu'est-ce que tu fais d'eux autres? Tu vas me les laisser, comme tu le fais pour la voiture, la télé ou la maison?

— Non, t'es la gardienne du bien le plus précieux que j'ai! Quand je serai bien installé, j'aimerais qu'ils viennent me visiter. Je leur ferais découvrir le pays de mon enfance.

— Tu voudrais que je fasse voyager Bruno et Noémie seuls en avion?

— Il y a des milliers d'enfants qui le font régulièrement! Toi, tu es trop mère poule! Noémie pourrait prendre soin de son frère durant le voyage.

— Et s'ils décidaient de rester là-bas avec toi? Je me retrouverais toute seule ici!

— Je doute fort qu'ils me demandent ça, mais s'ils le faisaient, on en discuterait.

— C'est rien pour me rassurer!

— Je connais pas l'avenir. C'est impossible pour moi de t'en dire plus pour l'instant.

— Qu'est-ce qui arrive avec Pénélope? Tu sais, je regrette mon attitude envers elle. J'ai eu peur de te perdre et à agir comme je l'ai fait, c'est ce qui est arrivé.

— Elle est heureuse d'être ici. Je la sens revivre! Bien sûr, elle pense beaucoup à son père, mais elle doit faire son deuil et ici, elle se sent plus près de lui. Évelyne, toi et moi, on était des étrangers qui demeuraient sous le même toit, et ça depuis un bon moment! Tu vas peut-être avoir l'occasion de vérifier auprès de ton épicier s'il t'apporte ce que tu cherches dans la vie. J'avais l'impression dans les dernières années que t'avais plus d'ambition et là, j'ai recommencé à te voir enthousiasmée par ton travail!

— T'es pas sérieux? On règle pas notre existence comme ça en changeant tout simplement d'adresse et encore moins de pays!

— Pas besoin de quitter la maison pour être loin l'un de l'autre! philosopha Xavier en terminant la conversation.

~

Tout de suite après le repas du midi, Rita et Raoul s'étaient assis au salon pour attendre Dominique. Ils avaient rendez-vous à 13 h 30 avec la directrice. Il était 13 h 20 et déjà le vieil homme s'impatientait.

— T'as pas besoin de t'en faire! raisonna Rita. Ta nièce est toujours à l'heure. Et même si elle avait un peu de retard, ça serait pas grave!

— Je te trouve si calme que des fois je me demande si tu prends pas trop de tisanes! rétorqua le vieil homme.

— T'es trop drôle, Raoul! Regarde ta belle Dominique qui arrive.

Celle-ci entra et vint embrasser son oncle et son amie. Ils se dirigèrent tous les trois vers le bureau administratif.

— Bonjour! dit madame Charette, la directrice, en les accueillant. Comme je vous l'ai spécifié, la locataire de l'appartement qu'on va visiter est installée chez sa fille depuis la mort de son époux, la semaine dernière. Elle m'a autorisée à vous faire faire le tour des lieux. Elle aimerait que la transition se fasse le plus tôt possible. Si le studio ne vous convenait pas, n'hésitez pas! J'ai une liste d'attente pour ce type d'endroit et nous n'en avons que très peu à proposer.

En arrivant à l'étage, Dominique demeura en retrait pour laisser le couple entrer dans le studio. Les deux aînés étaient comme des enfants.

C'était beau, mais les murs avaient besoin d'être rafraîchis. Les meubles appartenaient à la dame et seraient transférés dans la chambre de Rita, si une entente était conclue.

Rita et Raoul savaient qu'ils seraient heureux dans cet environnement. Ne restait plus qu'à régler l'aspect financier. Ils retournèrent au bureau et la directrice leur fournit les coûts reliés à la location du petit appartement.

— Qu'est-ce que t'en dis, Dominique? s'enquit Raoul.

— Vous aimez cet endroit-là ?

— Oui, mais est-ce que tu penses que c'est une bonne décision pour moi ? Rita, je voudrais pas t'offenser, mais il y a quelques mois, comme tu le sais, j'ai demandé à Dominique de prendre soin de mes affaires. Elle a fait plus que ça et elle s'est occupée de moi comme si j'avais été son propre père ! C'est elle qui va gérer mes avoirs jusqu'à la fin de mes jours et son avis est important pour moi.

— Je suis tout à fait d'accord avec toi, Raoul, et je te trouve très honnête d'agir comme ça. Parle-moi pas d'un gars qui change d'idée comme une girouette ! J'ai beaucoup de respect pour Dominique. J'ai fait la même chose avec Sylvianne quand je suis allée en Abitibi. À notre âge, on veut plus avoir des soucis d'argent.

— Je connais pas vos finances, Rita, mais si vous voulez mon opinion, intervint Dominique, je proposerais que vous emménagiez ici tous les deux et que le bail soit à vos deux noms. J'ouvrirais un compte de banque dans lequel vous verseriez la même somme que celle que vous dépensiez pour votre chambre et mon oncle paierait toutes les autres dépenses.

— Tu parles d'une bonne idée ! lança Raoul. Ça fait mon affaire à 100 %. Toi, Rita, qu'est-ce que tu penses de ça ?

— Ma fille voulait pas que j'aie de problèmes financiers et elle m'avait dit qu'elle m'aiderait si j'avais besoin d'un peu plus d'argent.

— T'en auras pas besoin, Rita ! Elle doit s'occuper de sa famille et moi, je vais prendre soin de toi.

— C'est très généreux de ta part ! Je me demande des fois si je mérite autant dans la vie ! rougit la vieille dame.

— Arrêtez de vous en faire, je me charge de tout. Vous

allez signer les papiers dès aujourd'hui tous les deux pour vos relevés du gouvernement.

— C'est donc pas compliqué avec toi, Dominique! J'ai toujours dit que j'avais fait le bon choix en te confiant mes affaires!

— Je propose aussi de vous faire émettre une carte de crédit pour vos dépenses d'épicerie. Je recevrais le compte tous les mois et je m'occuperais de le payer avec l'argent de mon oncle.

— Il est pas pour me nourrir en plus! intervint Rita, gênée de la tournure de la conversation.

Raoul fit un clin d'œil à sa nièce, qui lui indiqua qu'il pouvait maintenant parler ouvertement de ses plans.

— Rita, j'ai vu Dominique cette semaine quand tu étais à ton atelier de tricot.

— Tu me fais des cachettes asteure? répliqua cette dernière en rigolant.

— Oui! Je voulais avoir son avis avant de prendre une décision importante. Étant donné qu'on va bientôt vivre ensemble, est-ce que tu accepterais de m'épouser?

— Raoul! Es-tu sérieux? se surprit la vieille dame.

— Oui, ma chérie! Tu m'as redonné le goût de vivre. Depuis qu'on est ensemble, j'ai jamais eu d'aussi bons examens médicaux!

— T'es fou! Oui, Raoul, je veux qu'on se marie! répondit-elle en l'embrassant.

— Accepterais-tu d'être mon témoin, Dominique?

— Vous aimeriez pas mieux choisir un des gars de la famille?

— Non, c'est toi que je veux à mes côtés! Je t'avais choisie pour terminer ma vie, mais il semble que je sois pas prêt à partir tout de suite!

La directrice se montra très heureuse du dénouement de cette rencontre. Elle était souvent témoin de deuils et de disputes familiales, mais des moments aussi mémorables lui redonnaient le goût de travailler pour ces gens qu'elle accompagnait dans ce qui serait probablement la dernière escale de leur voyage.

———

Doris était la femme la plus heureuse de la Terre! Elle avait emménagé chez son fils pour préparer le retour des nouveau-nés à la maison. Elle cuisinait et entretenait le domicile.

Laurence était restée hospitalisée pendant quelques jours avant de pouvoir rentrer chez elle. Il était prévu que les bébés demeurent sous surveillance tant qu'ils n'auraient pas atteint chacun un poids de 5 livres.

— Insistez pas pour qu'ils sortent trop vite! avait conseillé Évelyne. Ils sont bien là où ils sont et ils reçoivent tous les soins qu'il leur faut. Profites-en pour prendre des forces, Laurence. Une césarienne, ça reste une intervention chirurgicale!

— Je sais, mais j'ai hâte qu'ils soient avec nous! avait riposté la nouvelle maman. Je vais les nourrir à la pouponnière, mais j'ai de la difficulté à les laisser pour revenir ici me reposer!

— Tu viens de le dire: te reposer. Si les jumeaux étaient à la maison, tu aurais du mal à pas les entendre pleurer, raisonna Évelyne.

— Oui, tu as raison et tu sais de quoi tu parles! Je suis probablement impatiente!

— C'est juste une question de jours ou même de semaines avant que tu les aies avec toi, mais c'est rien dans toute une vie!

Les événements heureux qui survenaient dans la famille étaient nécessaires pour apaiser la douleur des enfants d'Évelyne, qui devaient accepter le départ de leur papa outre-mer.

Noémie était très proche de son jeune frère et sa mère appréciait le temps qu'elle lui accordait.

— Ça se peut qu'il te confie des choses qu'il me dirait pas à moi. J'ai aussi demandé à Xavier de l'appeler au moins une fois par semaine et de lui écrire sur Internet. Il est trop jeune pour perdre son père.

— Il y a pas d'âge pour ça, maman!

— Je m'excuse, Noémie. C'est pas ce que je voulais dire!

— Non, je comprends. Disons que ça nous fait pas mal de nouveautés à digérer. Une nouvelle cousine, un père qui quitte le pays et une mère qui fréquente son patron!

— Noémie, s'il te plaît! Juge pas aussi facilement. Monsieur Godin est un ami, rien de plus.

Quand elle retrouva son amoureux, un peu plus tard, l'adolescente en profita pour lui parler ouvertement.

— Tu trouves ça normal, toi, Kevin, que nos parents vivent tous ces changements-là?

— Moi, ça fait longtemps que les miens sont pus amoureux, avoua l'adolescent.

— Est-ce qu'on s'habitue avec le temps? s'informa Noémie.

— Je dirais plutôt qu'on accepte ce qu'on peut pas changer.

— Qu'est-ce qui va nous arriver, à nous deux?

— On va faire de notre mieux! philosopha Kevin. Comme nos parents l'ont fait avant nous!

CHAPITRE 30

Cupidon du troisième âge

(Février 2009)

À La Villa des Pommiers, tous les pensionnaires étaient fébriles. Depuis plus d'une semaine, on parlait de la Saint-Valentin, que l'on célébrerait en grande pompe cette année, en soulignant le mariage de deux résidents.

Le jeudi et le vendredi matin, une équipe de jeunes designers, amis de Laurence, s'était activée sur les lieux afin de décorer la salle à manger, la grande pièce réservée aux activités ainsi que l'entrée principale. Tout était paré de tulle, de ballons et de rubans d'une blancheur éblouissante. S'ajoutaient à ces décorations de magnifiques cœurs rouges en quantité astronomique.

Ceux qui pénétraient dans la résidence avaient l'impression de rêver tant l'ambiance et l'atmosphère étaient romantiques. Un événement de cette envergure était plutôt rare dans les établissements de ce genre.

Sur les babillards de tous les étages était affiché le faire-part qui avait été distribué à tous les résidents et qui expliquait la raison d'être de ce branle-bas. Personne ne pouvait oublier qu'il y aurait de l'animation cette année à La Villa des Pommiers pour la Saint-Valentin !

Rita et Raoul
Ont décidé de partager leurs vies!
Ils vous invitent donc à être les témoins de leur union
Le samedi 14 février 2009 à 15 heures
Un vin d'honneur et un goûter
Vous seront ensuite servis!

Peu de temps après l'arrivée de Rita à la résidence, nombreux avaient été les pensionnaires qui avaient constaté l'attirance qui unissait ces deux personnes. Bien avant qu'ils ne l'aient réalisé eux-mêmes, leurs regards et leurs sourires en disaient long.

Certaines personnes avaient envié les amoureux, tandis que d'autres s'étaient réjouies de leur bonheur. Même madame Durocher s'était réconciliée avec le couple dès qu'elle s'était trouvé un nouveau copain. Elle souhaitait que cette cérémonie incite son prétendant à lui faire un jour la grande demande. Elle devrait avant tout apprivoiser les enfants de celui-ci, déplorant que les membres de cette génération n'acceptent pas que leurs parents aient aussi des besoins de tendresse et d'amour.

La directrice de l'établissement était toujours à l'écoute de ses résidents. Aussi, elle ne faisait rien pour dissuader la formation de couples. Elle croyait que certaines personnes dans la vie n'étaient pas faites pour vivre seules, tout comme d'autres étaient des solitaires dans l'âme.

La veille du mariage, Raoul était resté dans sa chambre et il avait demandé aux employés de lui apporter ses repas. Il ne verrait pas Rita avant le jour de la cérémonie. C'était une décision qu'ils avaient prise conjointement.

Raoul souhaitait en profiter pour faire une réflexion sur son existence auprès de sa première femme, Yvette, avec qui il avait été plutôt malheureux. Il ne s'était plaint de rien, se contentant de respecter son engagement. Il avait continué de fréquenter sa famille et il avait travaillé comme un forcené. À défaut de réussir sa vie sentimentale, il avait très bien performé dans sa vie professionnelle.

Ne pas avoir d'enfant avait été un grand deuil à vivre, pour lui, mais il avait dû se plier aux exigences de cette femme, égoïste jusque dans l'âme.

À la suite de son décès, il avait eu la chance de connaître une compagne de vie qui lui avait apporté beaucoup de bonheur. Il n'avait jamais eu le courage de demander Irène en mariage ou de partager librement son quotidien. Quand elle était morte, il avait cru que sa vie était terminée. Le reste de ses jours serait consacré aux membres de l'entourage de sa sœur et de son frère, alors qu'il s'assurerait qu'ils ne manqueraient de rien.

Une surprise de taille l'attendait en la personne de Rita Blanchard, cette perle d'eau douce! Elle lui avait été présentée sur un plateau d'argent, celle qui viendrait l'accompagner pour le dernier acte.

Ils avaient les mêmes projets, les mêmes goûts et le même humour.

L'audace de Rita aux noces de son neveu avait fait en sorte qu'ils s'étaient ouverts l'un à l'autre. Ils s'étaient donné le droit de profiter de leurs corps, même s'ils étaient de vieilles personnes. Le besoin de toucher leur avait fait vivre des instants magiques. Cette tendresse partagée leur avait fait du bien et les avait rapprochés encore plus.

L'idée de cohabiter avait ensuite germé dans leur tête et ils avaient choisi de s'offrir cette liberté.

Rita avait quitté la résidence la veille du mariage et elle était allée dormir dans un hôtel de la région, avec sa fille Sylvianne et la famille de celle-ci. Elle avait aussi fait le point sur sa relation avec cet homme qui lui apportait autant de sérénité.

Le matin du grand jour, Dominique avait retrouvé son oncle très tôt.

— Comment ça va à matin ? Vous êtes pas trop nerveux ?

— Non, pas vraiment. J'ai beaucoup réfléchi hier et je me suis dit que je pouvais pas prendre une mauvaise décision parce que tu m'aurais empêché de le faire.

— Oui, je vous en aurais parlé si j'avais été contre votre union. J'ai vu à quel point vous aviez changé depuis que vous fréquentez madame Blanchard ! Vous avez repris goût à la vie, tout simplement !

— Si tu te mets à ma place, tu peux comprendre qu'à 90 ans, c'est pas évident de faire des projets d'avenir et pourtant, j'y suis parvenu, avec Rita.

— C'est une femme pleine d'entrain !

— Quand je suis arrivé ici pour la première fois, dans une chambre, je me disais que c'était ma dernière demeure avant de partir pour l'autre côté.

— Vous en avez fait du chemin, depuis ce temps-là ! La semaine passée, vous nous avez même aidés à peinturer votre nouveau studio.

— Et j'ai magasiné de la lingerie, de la vaisselle et même quelques cadres.

— J'ai bien ri quand vous avez insisté pour aller acheter un lit neuf. Celui de Rita était bien, mais c'était gentil à vous de le laisser à la dame qui va prendre sa chambre.

— Ça va lui faire plaisir et nous, on va avoir un lit *queen* articulé et électrique. Pourquoi s'en priver quand on peut se gâter ? À notre âge, on voyagera plus beaucoup, mais ça, c'est un luxe qu'on peut s'offrir. Rita a même insisté pour en payer la moitié! Je te dis que c'est pas une femme qui ambitionne!

— Voulez-vous sortir pour dîner à midi?

— Non, j'aime mieux passer du temps dans ma chambre. Tu sais, j'ai été bien dès le premier jour où tu m'as reconduit ici!

— Si vous saviez comment ça m'a fait mal au cœur sur le coup! J'aurais voulu rester ici avec vous! Vous demanderez à Patrick! C'est lui qui m'a raisonnée!

— Tu t'en faisais pour rien! J'ai bien eu quelques moments d'ennui, mais j'en avais aussi quand j'étais dans ma maison!

— Je vais donc aller chez maman pour me changer et me maquiller. Jean-Guy m'a dit qu'il viendrait vous retrouver vers 13 h 30 pour vous aider à vous habiller et il restera avec vous jusqu'à ce que j'arrive.

— C'est correct, ma belle fille. Merci pour tout ce que tu fais pour moi! Je suis un homme comblé d'avoir eu une filleule aussi serviable dans ma vie!

— C'est réciproque, mon oncle! Vous êtes le parrain que tous les enfants auraient voulu avoir. J'oublierai jamais l'instant où on était assis un à côté de l'autre dans le minirail de l'Expo 1967! Ce que j'ai ressenti à ce moment-là, c'est indescriptible! Vous veniez d'entrer dans mon cœur pour le reste de ma vie!

— Allez, va retrouver ton beau Patrick, sinon tu vas me faire pleurer le jour de mes noces!

Rita était fébrile à l'idée de vivre un moment aussi merveilleux.

— Tu sais, ma fille, souligna-t-elle à l'intention de Sylvianne, quand on avance en âge, on a parfois l'impression de compter le temps qu'il nous reste pour faire des folies, des voyages et même pour aimer!

— J'ai jamais réalisé ça, mais tu as sûrement raison, opina cette dernière. Vient un jour où on croit que certaines libertés nous seront plus permises.

— Si j'avais la capacité d'aller parler au monde, je leur dirais de jamais arrêter de rêver. Je leur suggérerais d'aller voir des feux d'artifice et de s'émerveiller comme des enfants, d'aller marcher sous la pluie en pensant à rien d'autre qu'au fait d'être heureux! J'insisterais en les invitant à pas se prendre au sérieux!

— Ça me fait du bien de t'entendre parler comme ça! On dirait que ma vie vient de s'allonger tout d'un coup!

— Les gens doivent arrêter de discuter juste de leurs maladies, des médicaments qu'ils prennent ou des problèmes qu'ils vivent et qui sont bien souvent anodins. Après le décès d'Hector, j'ai fait un grand cheminement et j'ai refusé de conserver des articles de journaux relatant l'événement. J'avais perdu tout ce que j'avais dans cet incendie-là, alors je pouvais m'en servir comme leçon. Tu te souviens qu'avant je découpais toutes les notices nécrologiques des personnes que je connaissais?

— Oui, et tu les mettais dans une boîte de chocolats vide. Quand cette boîte-là est devenue trop petite, tu as trié les morts par catégorie: famille, amis, autres. Tu as continué de découper de plus en plus de notices, comme si tu souhaitais remplir les boîtes! Je comprenais pas pourquoi tu faisais ça. Tous ces morts qui dormaient dans des boîtes de carton et que tu visitais quand tu t'ennuyais! Tout un passe-temps!

— Tu as raison! Je cultivais la douleur! Je nourrissais ma peine! J'en viens à croire que le feu chez madame Bisaillon a effacé toutes mes souffrances passées.

— Maman, tu es prête à vivre une nouvelle vie et tu es une source d'inspiration pour moi. Je dois m'excuser de pas t'avoir fait confiance!

— T'as pas à faire ça, ma fille! Si tu nous avais pas surpris, Raoul et moi, on aurait peut-être continué à vivre nos affaires en cachette, alors que dès ce soir, on pourra être l'un à côté de l'autre pour le meilleur et pour le pire!

⬿

À La Villa des Pommiers, il y avait beaucoup d'invités et l'ambiance était à la fête. Évelyne était entrée au mariage au bras de monsieur Godin, alors que Noémie suivait avec son ami Kevin. Bruno avait surpris tout le monde en insistant pour être lui aussi accompagné. Il marchait donc fièrement aux côtés de la sœur de son copain mexicain, Lucia.

Doris et Claude étaient arrivés ensemble, alors que Laurence était restée à la maison pour se reposer. Mariette et Jean-Guy étaient avec Patrick, qui attendait patiemment l'arrivée du futur marié, accompagné de sa filleule Dominique.

Les enfants de Sylvianne étaient là avec leur père et tous les résidents qui souhaitaient participer à l'événement avaient revêtu leurs plus beaux atours.

Les roses rouges qui avaient été livrées tôt le matin

exhalaient leur odeur capiteuse. Elles ornaient les tables du salon, de la salle à manger et de la pièce réservée à la cérémonie.

Raoul sortit fièrement de l'ascenseur au bras de Dominique et il s'avança vers l'entrée.

Une voiture noire arriva dans le stationnement. C'est Sylvianne qui en descendit en premier et elle donna la main à sa mère pour l'aider à en sortir. Les deux femmes marchèrent ensuite vers la réception de la résidence.

Raoul fut immédiatement ébloui! Rita portait une robe blanche avec un col haut en dentelle, longue jusqu'aux genoux et aux manches ajustées. Une étole d'organza blanc couvrait ses épaules. Dans ses cheveux relevés brillait un superbe diadème garni de minuscules perles. Dès qu'elle pénétra dans la résidence, tout le monde poussa un soupir d'admiration!

Contrairement aux conventions habituelles, elle prit le bras de Raoul et ils marchèrent ensemble jusqu'à la salle où aurait lieu la cérémonie.

Ils avançaient d'un pas lent, goûtant chaque instant de cette fête qui resterait à jamais gravée dans la mémoire des convives.

Dans La Villa des Pommiers, le bonheur était palpable et les gens présents auraient souhaité l'emprisonner afin qu'il ne s'absente plus jamais!

Le prêtre qui visitait parfois l'établissement entama la courte célébration et il parla d'aimer et d'être aimé. Il s'assura auprès des époux qu'ils étaient sincères dans leur démarche, mais il prononça son texte avec un léger sourire.

Contrairement aux us et coutumes, Rita et Raoul n'échangèrent pas d'anneaux, mais bien leurs chapelets, qu'ils avaient si souvent égrenés pour implorer le Tout-Puissant de leur apporter la force et le courage.

Dans un monde où la religion était malmenée, ils souhaitaient ainsi en conserver les outils qui leur avaient été si utiles au fil de leur vie.

La cérémonie religieuse fut scellée par le traditionnel baiser et on put ensuite se réjouir avec les amis de ces beaux moments !

—◆—

Il était 20 h 30 quand Rita et Raoul rentrèrent à leur studio. Ni l'un ni l'autre ne l'avait vu depuis qu'ils avaient choisi ensemble les accessoires et les meubles qui le pareraient.

Les neveux et nièces avaient mis la touche finale à l'aménagement du petit appartement et Dominique était allée faire quelques achats afin que les nouveaux mariés puissent faire la grasse matinée le lendemain. Ils pourraient manger des fruits, des croissants, des fromages et boire un bon café.

En entrant dans la pièce, Rita fut estomaquée. Un gros bouquet de fleurs trônait sur la table de la cuisinette et la pièce n'était éclairée que par une lampe torchère installée près de la console.

— Raoul, j'ai l'impression que je vais me réveiller très bientôt !

— Non, ma belle Rita ! On a atteint notre but ! On est mariés maintenant et on va vivre ensemble jusqu'à la fin de nos jours !

— Ici, on sera heureux et on partagera notre bonheur avec les autres.

— Il devrait y avoir plus de mariages ! C'est si bon de

sentir que quelqu'un nous aime suffisamment pour le dire publiquement, pour s'engager sans crainte! Je voudrais le crier fort aujourd'hui, Rita, je t'aime!

— Je me souviens très bien de mes parents, qui étaient si généreux l'un pour l'autre!

— Moi, c'est Doris et Marcel qui formaient le couple qui m'a le plus impressionné! Elle s'occupait des enfants pendant qu'il voyageait soir et matin pour rapporter son salaire à la maison.

— Ça se peut-tu que les gens avaient le bonheur plus facile autrefois?

— Quand tu peux faire un beau party rien qu'avec quelqu'un qui joue de la musique à bouche, un autre des cuillères et que tu bois du vin de pissenlit, c'est que tu te compliques pas la vie!

— T'as raison, Raoul! Est-ce que tu te souviens de mon petit déshabillé rouge?

— Si je m'en souviens? J'en ai rêvé!

— Je pense que maintenant qu'on est chez nous, je vais prendre mes aises! Qu'est-ce que t'en dis, mon trésor?

— Je vous y encourage fortement, madame!

Ce soir-là, la lune avait éclairé directement le studio de Rita et Raoul, souhaitant être témoin de leur amour!

ÉPILOGUE

Cette année, les enfants de Doris avaient planifié une grande réunion de famille pour célébrer la Saint-Valentin.

Il y aurait bientôt deux ans qu'Hector était décédé et, depuis, de grands bouleversements étaient survenus au sein de la famille. Dominique s'était dit qu'il serait bon de tirer un trait sur le passé.

Ils avaient maintenant l'endroit rêvé pour tenir cette rencontre, le Gîte des Moreau. L'établissement était ouvert depuis moins d'un an et la clientèle adorait l'atmosphère créée par le quatuor de propriétaires.

Quand Patrick avait proposé à Mariette et Jean-Guy de se joindre à eux dans cette aventure, ils avaient tout de suite été emballés. Ils étaient tous rendus à cette étape dans leur vie où ils souhaitaient prendre du bon temps, mais aussi réaliser leurs rêves.

Ils s'étaient donc associés et avaient réalisé qu'ils détenaient tous des habiletés différentes, mais complémentaires. Patrick s'occupait de l'administration et des finances, Dominique était responsable de la publicité et du marketing, Mariette avait insisté pour prendre en charge la cuisine et l'hébergement, et Jean-Guy s'occupait de tout ce qui avait trait aux achats et à l'entretien.

Ce dimanche 14 février 2010, tout le monde avait été convié pour un brunch. Deux employés s'occuperaient de la cuisine et du service afin que tous les membres de la famille puissent profiter de la fête.

Le gîte avait été réservé pour la famille seulement et Doris avait insisté pour y dormir la veille. Elle tenait à être là à la première heure pour y accueillir les siens.

Même s'il avait déjà 12 ans et demi, Bruno avait demandé à sa tante s'il pourrait lui aussi coucher au gîte et elle lui avait réservé une chambre juste pour lui! Le jeune garçon avait vécu de si beaux moments dans cette maison!

Dominique et Patrick avaient gardé pour eux une chambre qu'ils utilisaient régulièrement et la quatrième n'avait pu être réservée pour la fête de famille puisqu'elle était occupée et payée depuis très longtemps par un couple de clients. Dominique s'était dit que si elle n'avait pas d'autre choix, elle trouverait à les loger chez un compétiteur qui tenait un endroit confortable et avec qui elle s'entendait bien.

Le problème ne s'était pas posé puisque tous les autres invités demeuraient à Val-David ou à proximité.

Le matin de la fête, Doris s'était levée tôt, afin d'être la première à arpenter les lieux. Elle était descendue dans la cuisine en robe de chambre, comme elle l'avait fait pendant de longues années pour préparer le déjeuner de sa famille. Plus rien n'était pareil dans les pièces, mais dans sa tête, les souvenirs étaient intacts.

Elle revoyait Claude taquiner sa sœur Dominique en lui étendant du beurre d'arachide sur le bout du nez. La petite Évelyne, pour sa part, s'étalait elle-même de la confiture sur les joues pour imiter les grands. Le père de famille, Marcel, assis au bout de la table, s'amusait de voir les enfants heureux, alors qu'elle-même se fâchait de constater qu'il n'avait aucune autorité sur eux. Dans le fond, cela représentait les plus beaux moments de sa vie.

Bruno n'avait pas fait de bruit en se levant et il était

descendu rejoindre Doris. Il était lui aussi en pyjama, comme lorsqu'il était plus jeune. Il avait observé sa grand-mère marcher lentement dans la pièce. Il s'était avancé pour la prendre par la taille afin qu'elle n'ait pas le temps de s'attrister. Il savait qu'il était son préféré, même si elle aimait beaucoup les petits jumeaux. Ils avaient connu des moments privilégiés dans cette maison, tous les deux, et jamais il n'oublierait tous les conseils qu'elle lui avait prodigués et les preuves d'amour qu'elle lui avait manifestées.

— Ça fait drôle de se retrouver ici à matin! prononça difficilement Doris en serrant son petit-fils contre sa vieille poitrine.

— Oui, mais ça fait du bien en même temps. Quand ils ont ouvert le gîte, je me disais que j'aurais aimé qu'on fasse quelque chose de même avant, mais vois-tu, ma tante Dominique a décidé de le faire plus tard. Je suis content.

— Tantôt, tout le monde va être réuni et on va parler de ce qui s'est passé dans les dernières années. Moi, je voudrais qu'on puisse savoir ce qui va tous nous arriver dans le futur.

— Es-tu bien certaine, mamie, que tu aurais aimé savoir à l'avance que tu vivrais des épreuves? C'est la même chose pour les joies! Moi, je suis grand maintenant et j'aime bien recevoir un cadeau enveloppé et pas savoir ce que la boîte contient. Je pense que c'est pareil pour la vie!

— Tu fais ton philosophe, mon grand! s'émut la grand-mère. On devrait prendre une gageure à savoir qui va arriver le dernier. Celui qui gagne aura le droit de demander un privilège à l'autre.

— T'es drôle, mamie! Moi, je dis que c'est Monique qui va arriver en dernier, si elle vient. Je sais que maman a beaucoup insisté quand elle l'a appelée. C'est à ton tour de faire un choix!

— Avec les jumeaux, peut-être que ça va être Claude qui va être le dernier à mettre le pied au gîte, mais je crois plutôt que ça sera encore ta sœur Noémie.

— C'est drôle que tu penses ça! Depuis qu'elle a un nouveau chum, elle est pas mal plus responsable.

— Oui, mais t'as pas pensé qu'il est un peu plus vieux qu'elle et qu'il travaille en fin de semaine. Je t'ai bien eu! Ta sœur va arriver en retard parce qu'elle va aller voir son chum à la station-service avant de s'en venir au brunch!

— On verra bien! J'ai toute la journée pour penser à ce que je vais te demander quand j'aurai gagné!

— Vends pas la peau de l'ours avant de l'avoir tué!

— C'est l'*fun* qu'on se soit levés avant tout le monde! On dirait que c'est comme avant! Te rappelles-tu quand je m'étais déguisé en Columbo pour attendre la visite? rappela Bruno.

— Oui! C'est moi qui t'avais fait pratiquer des répliques! On avait dû écouter les mêmes émissions à répétition pour que tout soit à point!

— Dans ce temps-là, j'avais besoin de rire pour pas pleurer. Je pense que ça a été la pire année de toute ma vie!

— T'es bien jeune pour dire ça, mais t'as raison sur un point. C'est pas facile de voir nos parents se tirailler comme ils le faisaient. Moi, j'avais de la peine pour vous autres et le pire, c'est que j'étais complètement impuissante! Ta mère s'était éloignée de moi et quand j'essayais de lui parler, elle se fermait comme une huître! Je m'inquiétais pour toi et Noémie. J'avais peur que vous preniez une mauvaise direction!

— On a été chanceux d'avoir de la famille autour de nous autres. Ma tante Dominique et mon oncle Patrick ont été pas mal importants dans nos vies. Quand papa est parti en Europe, je pensais plus jamais le revoir. Après, il a commencé à m'appeler toutes les semaines et on s'écrivait sur Internet. C'est devenu comme normal! Pis on a réalisé que c'était probablement mieux comme ça. Il y avait plus de chicane dans la maison. Maman arrivait même à lui parler au téléphone pour lui raconter ce qu'on avait fait dans la semaine.

— Je pense que la visite que vous avez faite en France, l'été suivant, vous a fait du bien. En tout cas, si ça avait pas été pour que vous soyez bien, moi, je serais jamais allée aussi loin!

— Maman voulait pas qu'on parte tout seuls, Noémie et moi. C'était une bonne idée que tu fasses le voyage avec maman. Vous avez eu la chance de visiter des belles places pendant qu'on était avec notre père. Au moins, tu pourras dire que t'as vu la tour Eiffel avant de mourir!

— Penses-tu que je suis prête à mourir?

— Non, pis quand on a des rêves, il faut pas attendre pour les réaliser. Là, t'es allée à Paris, une autre fois, tu vas peut-être aller voir le pape à Rome!

— Non! Là ça serait pas mal trop loin pour moi! répondit Doris.

— C'est pas ben ben plus loin que la France! Faudrait que je *checke* avec papa. C'est juste dans un autre pays. Ici, tu les as toutes vues, les églises. Sainte-Anne-de-Beaupré, Notre-Dame-du-Cap, l'Oratoire Saint-Joseph et puis Val-David et Sainte-Agathe-des-Monts. C'est beau, tout ça, mais la plus grande place, ça reste en Italie!

— On verra dans l'temps comme dans l'temps. Asteure, il faudrait qu'on pense à aller s'habiller si on veut pas que la visite nous pogne en queue de chemise!

Ils étaient donc montés chacun dans sa chambre pour se

mettre beaux. Bruno ne prendrait pas trop de temps pour se vêtir, mais les préparatifs pourraient être plus longs pour Doris, qui souhaitait être à son meilleur.

La chambre occupée par Dominique et Patrick était située au rez-de-chaussée et ils avaient bien entendu Doris discuter avec son petit-fils. Ils avaient attendu qu'ils remontent dans leurs chambres pour se lever. Ils avaient respecté ce moment d'intimité qui deviendrait sans doute un merveilleux souvenir pour eux.

Dominique s'était ensuite rendue dans la cuisine, au même moment où Mariette et Jean-Guy arrivaient. Ils voulaient être là pour accueillir les employés et leur donner les dernières consignes. Ils souhaitaient qu'ils soient attentifs aux besoins des invités, tout en restant discrets. La rencontre devait conserver un caractère familial.

Les tables de la salle à manger étaient déjà dressées et une bonne odeur de café flottait dans la maison.

Laurence et Claude arrivèrent au gîte avec leurs jumeaux. Ils n'avaient pas sitôt mis les pieds dans la maison que Dominique et Mariette avaient pris chacune un bébé, soi-disant pour aider la mère. Ils étaient adorables! On avait fêté leur premier anniversaire de naissance le 2 février dernier, en même temps que Noémie, qui avait eu 16 ans.

Une fête avait été organisée pour l'occasion et les petits avaient reçu de magnifiques cadeaux, dont les ensembles de vêtements qu'ils portaient aujourd'hui.

— On dirait un prince avec sa princesse! s'exclama Doris, qui adorait ses nouveaux petits-enfants.

Depuis qu'elle habitait dans son logement attenant à la maison de son fils, elle avait le loisir de voir les petits tous les jours. Laurence en profitait alors pour se reposer ou pour discuter avec sa belle-mère de l'époque où elle-même avait eu ses enfants. Les deux femmes s'entendaient à merveille et elles avaient développé une belle complicité. Laurence disait toujours qu'elle n'aurait pas pu vivre des moments si agréables avec sa propre mère, alors que tout était si simple avec Doris.

Évelyne arriva ensuite avec Rita et Raoul, qu'elle était allée chercher à La Villa des Pommiers. Elle s'était offerte pour les emmener à la fête, sachant que Dominique serait très occupée ce matin.

À leur arrivée, Doris s'était avancée pour embrasser son frère et sa belle-sœur.

— Je suis contente de vous voir! Il me semble qu'on s'est moins vus depuis une secousse! Comment ça va, Rita, depuis que tu as été opérée?

— Pas mal mieux! Tu parles d'une niaiserie de tomber de même en s'enfargeant dans le seuil de porte!

— Si t'allais pas aussi vite aussi! Je l'appelle mon *Roadrunner*! répliqua Raoul. Même que des fois, elle va plus vite que le Coyote! Asteure qu'elle s'est cassé la hanche, elle va peut-être se calmer un peu.

— J'ai trouvé ça difficile, le séjour en réadaptation! J'avais hâte de revenir chez nous pour retrouver mon vieux! balança-t-elle en faisant un clin d'œil à Doris.

— Moi, j'ai pas trouvé ça trop dur! la nargua Raoul. Madame Durocher montait me border tous les soirs.

Tout le monde s'amusait de voir les aînés se taquiner entre eux.

Évelyne était heureuse de voir sa famille réunie. Sa relation avec monsieur Godin n'avait pas duré très longtemps. Ils étaient demeurés de bons amis et elle continuait à travailler pour lui, mais ils n'étaient pas amoureux l'un de l'autre. L'épicier avait divorcé, mais il ne semblait pas prêt à vivre à nouveau avec une femme. Il se concentrait sur son commerce, dont le chiffre d'affaires avait augmenté considérablement depuis que les travaux d'agrandissement avaient été complétés.

Lors de son voyage en France, l'été dernier, Évelyne s'était réconciliée avec Xavier. Elle avait finalement accepté son choix et ils s'étaient entendus pour que les enfants ne souffrent pas trop de leur séparation, malgré la distance. Xavier sortait à ce moment-là avec une jeune infirmière qu'il avait rencontrée au moment de passer un bilan de santé.

— Tu les prends jeunes! l'avait taquiné Évelyne.

— Moi, j'ai trouvé que tu l'avais pris riche, ton épicier! avait répliqué son ex-conjoint sans méchanceté.

Depuis qu'elle avait consulté un psychologue, Évelyne avait fait la paix avec elle-même. Elle avait affronté ses peurs et avait réalisé qu'elle devait être bien avec elle-même avant de pouvoir être heureuse avec une autre personne et même avec ses propres enfants.

Lors du dernier repas partagé à Paris, avant le départ d'Évelyne, des enfants et de Doris pour Montréal, Xavier avait organisé un souper et elle avait eu l'occasion d'y revoir Pénélope. Les deux femmes s'étaient expliquées et elles s'étaient réconciliées.

— Noémie est pas venue avec toi, maman? questionna Bruno en regardant sa grand-mère du coin de l'œil, en ce matin de fête familiale.

— Non. Elle était pas prête quand j'ai décidé de partir. Moi, j'avais dit à Rita et Raoul que je serais là de bonne heure. Tu la connais ta sœur, quand elle s'installe devant le miroir de la salle de bain. Une vraie Fanfreluche!

— Lui as-tu dit de pas arriver trop tard? demanda Bruno, qui voulait gagner son pari.

— T'as donc bien hâte de voir ta sœur pour une fois, toi!

— Ah, je la vois qui s'en vient! cria-t-il en voyant Noémie traverser la rue.

Comme le jeune garçon s'apprêtait à aller embrasser sa grand-mère, pour signer sa victoire dans le défi qui les opposait, il vit Monique qui traversait la rue en même temps que son aînée.

La femme et l'adolescente parlèrent brièvement dehors avant d'entrer. Doris et Bruno observaient attentivement la porte d'entrée pour savoir laquelle des deux entrerait en premier. Quand ils avaient pris leur pari, jamais ils n'avaient pensé que le résultat serait si serré.

C'est finalement Noémie qui entra la dernière, ayant gentiment laissé passer Monique devant elle.

Doris riait de bon cœur, alors que son petit-fils ruminait par en dedans.

Au cours des dernières années, Monique n'avait assisté à aucune rencontre familiale, sauf au mariage de son frère Jean-Guy, et voilà qu'elle se pointait le nez aujourd'hui et lui faisait perdre son concours.

— Tu me félicites pas, Bruno? l'agaça Doris en passant la main dans ses cheveux.

— Ben oui, je te félicite. Sais-tu ce que tu vas me demander?

— Je vais prendre le temps d'y penser pour avoir quelque chose que je veux vraiment!

— De quoi vous parlez? s'informèrent les gens en voyant rire le duo avec complicité.

— C'est entre nous deux! répondit Doris.

Les employés servirent une coupe de mimosa à tous les membres de la famille réunis et ceux-ci s'assirent autour des deux tables installées côte à côte, permettant ainsi à tout le monde de se voir.

Dominique indiqua aux invités que leur place était identifiée avec un cœur portant leur nom.

Raoul était assis entre Rita et Doris à un bout d'une table, alors qu'à l'autre, on trouvait Jean-Guy, entouré de Monique et Mariette. Dominique et Claude étaient d'un côté de la table avec leurs conjoints, et de l'autre, il y avait Bruno à côté de sa grand-mère, Noémie et Évelyne.

Il restait une place libre, mais on avait tout de même dressé le couvert.

Doris s'était sentie émue en se disant que Dominique avait probablement prévu une place symbolique pour son frère Hector ! Elle souhaitait que personne n'insiste sur son absence, car elle était plutôt fébrile à l'approche du deuxième anniversaire de sa mort. Elle n'osa pas en parler avec Raoul, de peur de l'attrister. Cette journée devait en être une de réjouissances.

Les jumeaux étaient dans des chaises hautes aux deux extrémités des tables et c'est Dominique et Noémie qui auraient la mission de les surveiller. Heureusement que les bébés ne marchaient pas encore ! On n'aurait pas à leur courir après.

Dominique se leva pour prendre la parole. C'était de toute manière elle qui était l'instigatrice de cette rencontre.

— Je voudrais en tout premier lieu vous remercier d'avoir accepté d'être présents pour cette réunion familiale. À mon avis, on forme une famille comme toutes les autres, avec ses hauts et ses bas. Si on a choisi de vous réunir ici, dans la maison qu'on appelle aujourd'hui le Gîte des Moreau, c'est que vous y avez tous, un jour ou l'autre, passé un moment. Aussi, je voudrais souligner que selon moi, mon oncle

Hector est avec nous puisqu'il habite nos cœurs. Il y aura bientôt deux ans qu'il nous a quittés, mais jamais on l'oubliera. Je voudrais pas qu'on soit tristes pour autant. Cette rencontre doit être festive. Avec Mariette, Jean-Guy et mon beau Patrick, on a pensé qu'il serait plaisant qu'on prenne quelques minutes pour faire un tour de table, afin de savoir où vous en êtes tous rendus dans vos vies. Quelqu'un serait prêt à débuter?

Les invités se regardèrent, interloqués d'avoir un rôle à jouer au cours du brunch et quelque peu gênés d'avoir à se raconter devant les autres.

Au grand étonnement de tous, c'est Monique qui décida de prendre la parole en premier.

— Je voudrais commencer par vous remercier de m'avoir invitée. On a pas toujours été du même avis, surtout mon frère pis moi, mais je pense qu'en dedans, on s'est toujours aimés. Depuis que papa est mort, j'ai vécu ce que j'appellerais du *rough time*! Quand j'ai perdu ma dernière *job*, je me suis inscrite à un cours pour devenir préposée aux bénéficiaires et j'ai vraiment pas aimé ça! Je suis pas assez aimable pour m'occuper des vieux, qui, des fois, sont pas plus *smattes* que moi! Après, j'ai été engagée dans un Dollarama et le patron a tout de suite aimé ma manière de travailler. Il m'a mise en charge de la réception de la marchandise. C'est moi qui vois en premier tout ce qui arrive au magasin. En passant, tout ce qui a servi à décorer les tables ici, ça vient de mon magasin! Ma cousine Suzanne a aussi été embauchée et on travaille souvent ensemble. On s'est toujours bien entendues. C'est tout! Ah, j'oubliais. J'aimais beaucoup mon père et ça m'a fait ben de la peine qu'il meure durant le feu. Je voudrais dire merci à ma tante Doris, qui m'a dit un jour que j'avais pas à m'en faire. Que c'était pas de ma faute! Ma tante, vous m'avez fait du bien cette journée-là!

Tout le monde avait écouté le récit de Monique avec beaucoup d'attention. Même si elle ne faisait pas l'unanimité, on appréciait sa franchise.

— Moi, dit Jean-Guy, je vous parlerai pas aussi longtemps que ma sœur. On a été en chicane la majorité de notre vie, mais on a finalement réussi à faire la paix. On a pas pu retourner en arrière, mais on est passés par-dessus. J'en suis rendu à la plus belle partie de ma vie. J'ai une femme que j'aime et une *business* que j'adore. J'étais bien heureux de revenir à Val-David, où j'ai passé mon enfance. Je voudrais en profiter pour remercier Claude d'avoir eu l'idée d'acheter la maison familiale et de l'avoir rénovée avant de me la vendre. J'espère vivre vieux entouré de vous tous! C'est à ton tour, Mariette!

— C'est pas mal gênant! Ça fait pas très longtemps que je vous connais, mais vous êtes une belle famille! Continuez de vous supporter les uns les autres.

— Moi, poursuivit Laurence, c'est un peu comme Mariette. Je suis là depuis peu, mais j'ai pris pas mal de place assez rapidement. J'espère pouvoir transmettre à mes enfants autant d'amour que vous, Doris, vous en avez donné aux vôtres! Vous êtes un exemple de bonté! Je parlerai pas de Claude, parce que le jour de notre mariage, il m'a interdit de dire que je le trouvais beau et que je l'aimais à la folie! le taquina-t-elle.

— Depuis que cette belle femme-là est entrée dans ma vie, je manque pas d'ouvrage, confirma Claude. J'ai acheté deux maisons dans la famille pour les rénover, en plus de construire la mienne. Continue donc, Patrick! Tu sais que j'aime plus manier le marteau que me servir d'un micro!

ajouta-t-il en prenant sa fourchette comme s'il s'était agi d'un microphone, pour le mettre vis-à-vis de la bouche de son voisin de table.

— Merci, Claude. Moi, j'ai pris ma retraite de la caisse populaire parce que je trouvais que mon *boss* était trop dur, mais je pensais pas être obligé de travailler avec ma femme. J'ai consulté mon oncle Raoul et il m'a dit que c'était la seule manière de gagner mon Ciel!

Tout le monde éclata de rire et Raoul fit semblant d'avoir peur que Rita le gifle! C'était justement à elle de parler, mais elle semblait avoir de la difficulté à prendre la parole. Quand elle commença, tout le monde remarqua qu'elle avait les larmes aux yeux.

— J'ai jamais pensé qu'un jour la vie me réserverait un si beau cadeau. La première fois où je suis entrée ici, j'ai senti que c'était le bonheur qui avait construit cette maison-là et que c'était une femme de cœur qui l'habitait. Je vous connais pas tous beaucoup, mais j'apprécie chacun d'entre vous. Je vous remercie pour la confiance que vous m'avez témoignée quand je suis entrée dans la vie de Raoul. Avec lui, j'apprécie non pas chaque jour, mais bien chaque minute qu'il me reste à vivre. Je vous souhaite à tous autant de plaisir. En terminant, je salue mon ami qui m'a mise sur cette route et surtout qui a donné sa vie pour sauver la mienne. À toi, mon bon Hector, je lève mon verre!

Tout le monde fut très ému et leva son verre à la mémoire du disparu. Raoul devait maintenant prendre la parole, mais il était sans mot. Doris lui tenait la main et l'encourageait à parler, ne serait-ce que pour dire combien il était heureux.

— Ma femme, Rita, a dit le principal! C'est vrai qu'ici, on était toujours bien, chez ma petite sœur! Et c'est ici qu'un jour, la belle Dominique m'a tendu la main pour continuer le bout de chemin qu'il me restait à faire. Elle s'occupe de mes affaires mieux que je pouvais le faire avant. J'ai maintenant deux femmes dans ma vie! Une dans mon lit et une dans mes livres! termina-t-il en blaguant.

Doris était heureuse que le ton des petits discours soit joyeux. Elle ne voulait pas que cette réunion devienne trop triste, même si elle regardait à l'occasion la chaise laissée libre à côté d'Évelyne. Elle prit la parole à son tour.

— Je vous remercie d'avoir accepté de participer à cette rencontre. Vous le savez que j'étais toujours heureuse quand la maison était pleine! Aujourd'hui, grâce à la générosité de mon fils et de ma belle-fille, je suis jamais seule. Je sais que bientôt, il y aura un petit garçon et une petite fille qui vien- dront frapper à ma porte pour venir chercher une collation ou pour me donner un bec. Ça comble mon existence! Je vous aime tous d'une différente manière, mais tout autant les uns que les autres. Bruno, fit-elle, en s'adressant au jeune garçon, c'est vrai que t'es mon préféré, mais c'est parce que t'es le seul garçon que j'ai laissé venir jaser avec moi dans mon lit après la mort de ton grand-père!

Le petit-fils de Doris était très émotif et tous ces témoi- gnages le touchaient beaucoup. Il réalisait que la vie était parfois difficile pour tout le monde et pas seulement pour lui, qui ne pouvait plus compter sur la présence quotidienne de son père. Comme l'affirmait sa mère, ça aurait pu être pire, s'il était décédé, comme le sien, qui lui manquait encore. Bruno devait maintenant dire quelque chose. Il savait qu'on l'attendait.

— Moi, j'ai toujours essayé d'être drôle pour faire rire tout le monde autour de moi, mais c'était souvent parce que dans mon cœur, j'avais de la peine. C'est pas toujours facile d'être le plus jeune dans la famille et surtout de pas comprendre pourquoi les adultes agissent comme ils le font. C'est eux autres qui devraient être les grands et, des fois, on dirait le contraire. J'espère un jour être heureux comme mamie et comme vous, mon oncle Raoul!

— C'est bien dit, ça, mon frère! avança Noémie. Vous êtes tous des bons exemples pour nous. Tout le temps où vous avez parlé, j'ai pensé à mon père qui est loin, dans un autre pays, et je veux profiter de ce moment-là pour lui rendre hommage. Il y a quelques années, mon père m'a appris qu'il fallait toujours faire confiance à ses parents, tant qu'on était jeunes. J'étais rebelle et je pensais tout savoir. Il m'a écoutée un jour et m'a sortie de la gueule d'un loup! Sans lui, je consommerais peut-être de la drogue aujourd'hui, alors que j'ai 16 ans et que je sais que jamais j'en prendrai. J'ai pas besoin de ça! Vous êtes la preuve que pour être heureux, on a besoin d'une famille sur qui compter, tout simplement. Vous êtes mes modèles, comme mon père l'a été pour moi!

Dominique n'avait jamais pensé que ce tour de table prendrait cette tournure. Elle ne regrettait pas son geste, car elle savait que ces confidences seraient bénéfiques pour tous.

— Évelyne! Ça doit pas être facile de prendre la parole à ce moment-ci, mais il faut le faire, l'invita Dominique.

— T'as bien raison, ma sœur! Vous avez tous raconté de si belles histoires. Moi aussi, j'ai vécu des belles années ici et je remercie ma mère d'avoir été là pour mes enfants. J'ai pas toujours été une aussi bonne mère que je l'aurais voulu. J'ai été malade, mais j'ai aussi été maladroite à certains moments. Si j'avais écouté tous vos conseils et si j'avais accepté de vous parler de mes peurs et de mes blessures, j'aurais pu garder l'homme de ma vie, le père de mes enfants près de moi. C'est madame Rita qui m'a dit un jour que je pouvais changer et qu'il était pas trop tard pour être heureuse. Elle m'a raconté des épisodes de sa vie et j'en ai fait tout autant. Je me suis réconciliée avec Xavier et on est devenus des amis. Si tout va comme prévu, les enfants et moi, on retournera un mois en France l'été prochain!

Bruno et Noémie étaient heureux d'apprendre la nouvelle.

On entendit soudain un bruit dans l'escalier! Tout le monde se tourna et vit Xavier descendre les marches. Bruno et Noémie se levèrent rapidement et lui sautèrent dans les bras, pendant qu'Évelyne essuyait ses larmes. Il s'avança et prit place à la table, aux côtés de cette dernière. Personne ne soufflait mot.

— J'avais hâte que Dominique m'envoie chercher, confia-t-il pour commencer. Je commençais à avoir faim! Je vous remercie, Dominique et Mariette, d'avoir pensé à m'inviter pour cet événement. Comme je suis le dernier à parler, je vais être bref. Le Gîte des Moreau est très confortable! J'y suis installé depuis deux jours, avec interdiction de sortir de ma chambre, comme lorsque j'étais enfant et que j'avais fait un mauvais coup. Quand je suis parti pour la France, j'avais besoin de ce retour aux sources, mais j'ai réalisé que dans mon cœur, j'étais un Québécois. Lorsque ma famille a repris l'avion l'été dernier, j'étais complètement anéanti! J'ai travaillé très fort dans l'unique but de revenir m'installer ici. Je me suis réconcilié avec Évelyne et je dois vous dire qu'il y a des soirs où j'aurais bien voulu pouvoir m'étendre à côté d'elle plutôt que d'être seul dans mon petit appartement. Noémie, si tu acceptes de t'occuper de ton frère ce soir, j'inviterais bien ta mère à coucher ici, avec moi, au Gîte des Moreau.

Évelyne pleurait lorsque Xavier la prit dans ses bras pour l'embrasser. De son côté, Noémie serra Bruno très fort contre elle afin de lui faire comprendre qu'ils avaient gagné une dure bataille et que toujours elle serait là pour lui!

Cette journée-là, une page d'histoire avait été scellée. Tous les témoignages entendus resteraient à jamais gravés dans le cœur des convives. Ceux-ci avaient eu l'occasion de réaliser que l'Héritage du clan Moreau, c'était le BONHEUR d'être réunis.

Remerciements

À vous tous, lecteurs et lectrices, qui m'accompagnez dans ce voyage littéraire, je tiens à vous témoigner toute ma gratitude.

Chaque fois que vous prenez le temps de commenter mes livres, de venir me rencontrer dans les salons du livre et de me suivre dans toutes mes activités, vous me faites un cadeau.

Merci d'aimer ces histoires teintées de joies, de tristesse, mais surtout de réalisme.

Sans vous, cette belle aventure n'existerait pas !

Colette Major-McGraw

De la même auteure, chez le même éditeur

L'héritage du clan Moreau, tome 1, Hector, 2018

Sur les berges du lac Brûlé, tome 1, Le vieil ours, 2016

Sur les berges du lac Brûlé, tome 2, Entre la ville et la campagne, 2016

Sur les berges du lac Brûlé, tome 3, L'héritage, 2016

Achevé d'imprimer chez
Imprimerie Norecob
en avril 2018